Marilyn, le dernier secret

Dans la même collection

Karim Amellal, *Discriminez-moi*, 2006.

Xavier Audebert, *Les Odieux du stade*, 2007.

Patrick Bonazza, *Les Goinfres*, 2007.

Mathieu Delahousse, *François Besse*, 2006.

William Emmanuel, *Nicolas Sarkozy, la fringale du pouvoir*, 2007.

Marc Fressoz, *Le Scandale Eurotunnel*, 2006.

Jérôme Jessel et Patrick Mendelewitsch, *La Face cachée du foot business*, 2007.

Laurent Léger, *Trafics d'armes, enquête sur les marchands de mort*, 2006.
— *Claude Chirac*, 2007.

Jean de Maillard, *Le Rapport censuré*, 2004.

Jacques Massé, *Nos chers criminels de guerre*, 2006.

François Missen, *Le Réseau Carlyle*, 2004.

Fabrice Monti, *La Coke saoudienne*, 2004.

Omar Nasiri, *Au cœur du djihad*, 2006.

William Reymond, *Coca-Cola, l'enquête interdite*, 2006.
— *Toxic. Obésité, malbouffe, maladie, enquête sur les vrais coupables*, 2007.

Véronique Richebois et Benoît Delmas, *L'Histoire secrète d'Endemol*, 2006.

Anne-Marie Rocco, *Serge Dassault*, 2006.

Yvan Stefanovitch, *Bertrand le Magnifique*, enquête au cœur du système Delanoë, 2008.

William Reymond

Marilyn, le dernier secret

Flammarion

DU MÊME AUTEUR

Documents

Dominici non coupable, les assassins retrouvés (préface d'Alain Dominici), Flammarion, 1997, nouvelle édition, Flammarion, 2003.
JFK, autopsie d'un crime d'État, Flammarion, 1998.
Mémoires de profs, Flammarion, 1999.
Mafia S.A., les secrets du crime organisé, Flammarion, 2001.
Bush Land (2000-2004), Flammarion, 2004.
Coca Cola, l'enquête interdite, Flammarion, 2006.
Toxic. Obésité, malbouffe, maladie, enquête sur les vrais coupables, Flammarion, 2007.

Avec Alain Dominici : *Lettre ouverte pour la révision*, Flammarion, 2003.
Avec Billie Sol Estes : *JFK, le dernier témoin*, Flammarion, 2003.

Romans

Rouge lavande, Flammarion, 1999.
Les Cigales de Satan, Flammarion, 2000.

© Flammarion, 2008
ISBN : 978-2-0806-9061-6

« Trust none of what you hear
And less of what you see
This is what will be, this is what will be »

Bruce Springsteen, *Magic*, 2007

PROLOGUE

Bientôt tout serait terminé.

Et c'était plus simple que prévu.

D'abord, fermer les yeux. Puis, lentement, se laisser glisser. Cesser de s'accrocher. S'oublier. Refuser de résister.

Une dernière fois, offrir au passé l'occasion de la rattraper. Et pour un instant, un instant seulement, en affronter les démons.

Soutenir ce regard aussi. Ne pas s'en détourner.

Rapidement le mélange chimique commencerait à la submerger. Elle n'aurait pas le temps d'avoir peur.

Tout allait ralentir, se brouiller, s'adoucir et, enfin, s'effacer.

Bientôt, tout serait terminé.

Les illusions, les silences, les confidences et les mensonges. Une vie.

*

Tout ne pouvait s'achever ainsi. Sans traces.

Il lui fallait s'assurer que rien ne disparaîtrait avec son dernier souffle.

Elle devait parler.

Partager, offrir et avouer.

Elle devait le faire pour elle, pour lui, et pour la voix qui n'avait jamais cessé de l'habiter.

En fait, ce choix ne lui appartenait pas. Bientôt, il serait trop tard. Les ombres allaient se dérober et les noms disparaître. Dès lors, ses options étaient limitées. Et il n'y avait que lui pour, une fois encore, l'entendre.

Dès leur première rencontre, quelque chose dans la douceur de son regard lui avait inspiré confiance. Peut-être se trompait-elle, mais elle aimait croire qu'il savait l'écouter.

Alors, parce que les minutes possédaient des accents d'éternité, elle se tourna vers la lumière. Vers lui.

Elle avait encore du mal à s'en convaincre, mais le temps était venu.

Après des années à brouiller les pistes, à cultiver l'esquive, à taire la vérité, elle devait enfin confesser son dernier secret.

Première partie

Débuts

1. Encéphalogramme

Je n'ai jamais aimé Marilyn Monroe.

Aucune passion, aucune admiration, aucune question. Ni sur sa vie, et encore moins sur sa mort.

Pas même un émoi d'adolescent à l'évocation de ses courbes.

Encéphalogramme plat.

Je me souviens, en revanche, de la période Marilyn de ma sœur Johanna. D'un poster la représentant, collé sur un des murs de sa chambre, de deux ou trois autres babioles ici ou là. Et puis, forcément, des effluves de *Numéro 5,* le compagnon des nuits sans sommeil de Marilyn. Bien trop présent, bien trop enivrant, le Chanel n'était pas ma tasse de thé non plus.

*

Reste ses films alors.

Avant que l'un de ses fans ne s'offusque de mon ignorance, autant l'avouer d'emblée : je ne pense pas avoir vu l'ensemble de l'œuvre cinématographique de la Blonde. Pis, je n'en suis même pas désolé. Certes, j'y travaille, j'y prends plaisir, mais je considère que rien ne presse.

En fait, en y réfléchissant mieux, à l'évocation de son nom je revois surtout le générique de *La Dernière Séance* sur FR3. Avec les fauteuils rouges, l'ouvreuse aux formes charnues et

Eddy Mitchell présentant *La Rivière sans retour*. Un Schmoll qui semble davantage fasciné par Robert Mitchum à qui il veut ressembler.

Rio Bravo, *La Prisonnière du désert*, *Les Sept Mercenaires*... J'ai toujours aimé les westerns, mais... pas celui-là.

Personne ne s'en choquera puisque depuis j'ai appris que Marilyn elle-même ne supportait pas le film d'Otto Preminger.

*

En fait, mon seul souvenir précis d'un film de Marilyn est *Certains l'aiment chaud*. Peut-être parce que je l'ai découvert plus tard. Peut-être parce que j'ai toujours trouvé le titre de la version originale plus efficace que sa traduction littérale.

Some Like It Hot... Presque un slogan publicitaire évoquant l'Amérique des années 1950. Celle qui n'avait pas encore perdu son innocence, qui n'avait pas été violentée par l'assassinat de John F. Kennedy, puis par la débâcle vietnamienne. Une Amérique qui sentait bon la vanille de ses *milk-shakes*, qui se reflétait dans les chromes d'une Cadillac, et qui ne confondait pas encore enthousiasme avec despotisme.

Et puis, il y avait Billy Wilder et son sens inné, unique même, de la comédie. De la réplique au cordeau. *Nobody's perfect*... Wilder, un Audiard qui posséderait le sens du tempo. Un amateur de jazz virtuose dans l'art de la mise en scène.

Marilyn dans tout cela ? Un nom de scène aux réminiscences de Cuba d'avant Fidel. Et un ukulélé. Oui, dans *Some Like It Hot*, Sugar Kane grattouille le ukulélé. Seul Wilder pouvait inventer cela. S'offrir l'ultime sex-symbol made in Hollywood et lui glisser entre les doigts le plus ridicule des instruments.

Une ultime image – ou plutôt un dernier magnéto – m'attache à cette œuvre : le son de la voix de Tony Curtis partageant ses souvenirs de tournage. Premier rôle au côté de Jack Lemmon, plus beau gosse que l'autre, il est celui qui succombe aux charmes sucrés de la blonde atomique. L'intrigue ? Peu importe, le film repose sur l'attente. Celle du baiser entre Tony et Marilyn.

Or tout vient à point à qui sait attendre. Les yeux se ferment, les cous se tendent, les lèvres se touchent. Et ça dure. Et là, sur écran scintillant, Tony fait des millions de jaloux. Des hordes de mâles prêts à se battre pour prendre sa place. Nous sommes en 1959 et Marilyn se trouve au sommet. Chaque geste, chaque apparition publique de la star déclenchent des mouvements de foules. Mais voilà, Norma Jean se refuse à la masse, offrant, en noir et blanc, ses soupirs au beau Curtis.

Et lui ?

*

Lui, il fait la fine bouche. Et les mots qui en sortent sont à la hauteur d'un tournage marqué par les retards, les absences et les trous de mémoire de l'actrice.

« Embrasser Marilyn, lâche-t-il, c'est comme embrasser Hitler. »

Hitler, comme il aurait pu dire Judas.

Il faudra attendre 2001 pour que Tony, né Bernard Schwartz, revienne sur ces propos. Marilyn ? Hitler ? Jamais, au grand jamais, lui, le fier gamin d'une famille de Juifs hongrois du Bronx, n'a prononcé une telle ignominie.

Où se trouve la vérité ?

Finalement peu importe, la légende a tranché.

Dans notre mémoire collective, l'étreinte de Marilyn prend à tout jamais des accents de soufre et de mort.

2. Amalgame

L'automne 2003 avait des relents de vendetta.

TF1 se préparait à diffuser *L'Affaire Dominici* avec Michel Serrault dans le rôle-titre. Le film, réalisé par le talentueux Pierre Boutron, était adapté de mon livre, *Dominici non coupable, les assassins retrouvés*, publié chez Flammarion six ans plus tôt. Qui, comme tout bon éditeur, avait décidé de prendre la vague et de distribuer à nouveau l'ouvrage.

Véritable hasard de calendrier, je m'apprêtais au même moment à défendre *JFK, le dernier témoin*, mon second opus consacré à l'assassinat du président américain. Une publication accompagnée d'un documentaire diffusé sur Canal Plus[1].

Un film en deux parties sur la première chaîne du pays, un documentaire soutenu par la couverture de *Paris-Match* et deux livres dans les rayons des librairies.

La coupe était pleine, les dés jetés et... les couteaux tirés.

*

Un jour, peut-être, les historiens se pencheront à nouveau sur *Les Tabous de l'Histoire* chers à Marc Ferro[2]. Tels des

---

1. *JFK, autopsie d'un crime*. Réalisé par Bernard Nicolas et William Reymond.
2. *Les Tabous de l'Histoire*, Marc Ferro, Nil Éditions, 2002.

archéologues, ils partiront à la recherche du temps X, ce moment où la notion de complot est devenue, pour certains donneurs de leçons, synonyme de folie. Une insulte bien pratique car limitant, censurant d'avance, le cadre de l'investigation. Oubliés Jules César, Abraham Lincoln ou Salvador Allende, responsables politiques assassinés grâce à la collusion de divers opposants. Voir dans un meurtre de chef d'État la collusion d'intérêts bien compris, la main d'hommes peu recommandables, serait, aux yeux de ces contempteurs bien assis derrière leur bureau, virer à la paranoïa.

Pourquoi ?

Parce qu'aujourd'hui, le complot est devenu une chose difforme et dégoûtante où s'accouplent les Martiens de l'Area 51, les tueurs des Services britanniques pourchassant Lady Di et des tours qui s'effondrent afin de justifier les appétits pétroliers de l'administration Bush. Un mot qui recouvre tout d'un même opprobre, le farfelu comme le sérieux. À quoi cela tient-il ?

Aux tours justement... Avec l'attentat contre le Pentagone, elles jouent une part essentielle dans le rejet de la notion même de complot. Et la date clé n'est pas le 11 septembre 2001, mais le 16 mars 2002. Car ce soir-là, sous le regard médusé des humoristes Bruno Solo et Yvan Le Bolloch, Thierry Meyssan s'invitait chez Thierry Ardisson. Le service public français offrait en effet son antenne à *L'Effroyable Imposture*[1] et, sans vraiment s'en douter, ouvrait la boîte de Pandore. En début d'émission, Meyssan officiait. À l'entendre, aucun avion ne s'était écrasé sur le Pentagone. L'explosion, fruit d'un complot politique intérieur, aurait été en réalité générée par un camion chargé d'explosifs[2]. Et ce n'était pas tout. Selon lui, « les tours jumelles, que l'on croyait être une cible civile, cachaient une cible militaire secrète. Peut-être que des milliers

1. *L'Effroyable Imposture*, Thierry Meyssan, Carnot, 2002.
2. Dans la suite à son premier ouvrage, *Pentagate*, Thierry Meyssan change d'avis. Il s'agit désormais d'un missile qui est venu s'abattre sur le quartier général des forces américaines.

de personnes ont péri parce qu'elles servaient à leur insu de bouclier humain. [1] »

Un an plus tard, l'effet Meyssan ne s'était pas amenuisé. Et le doublé Dominici-Kennedy parut à beaucoup une invitation à réagir qu'il était impossible d'ignorer. Ce fut un tir de barrage contre ces deux enquêtes, où mauvaise foi et légèreté ne manquèrent pas

*

Avec le recul, j'ai plutôt apprécié de naviguer au milieu de l'orage. Les plus cyniques diront que la polémique fait vendre. Ils n'ont pas tort. Mais surtout, elle permet de compter ses amis. De faire le tri.

Et, incidemment, de se lancer dans le plus improbable des sujets : les dernières heures de Marilyn Monroe.

---

1. *L'Effroyable Imposture, op. cit.*

3. Boussole

La tirade se voulait assassine. Jacques Chapus n'avait guère apprécié ma contribution à l'affaire Dominici. Peut-être parce que j'avais réussi à prouver que, correspondant pour *France-Soir* en 1952, il avait créé un faux devenu ensuite la pièce essentielle de l'enquête[1]. Quoi qu'il en soit, en pleine expédition punitive, de plateaux télé en studios radio, ce journaliste retraité avait lâché quelque chose comme : « Dominici. Kennedy. Et pourquoi pas, demain, Marilyn Monroe ! »

Pourquoi pas ?

La progression était somme toute logique. Elle me renvoyait même au 26 octobre 1998 quand, ce soir-là, le service public – encore ! – se penchait sur la mort de l'actrice. Dans *D'un monde à l'autre*, Paul Amar recevait Don Wolfe. L'Américain venait de publier chez Albin Michel un livre explosif consacré aux dernières heures de la star[2]. Le programme de l'émission était donc alléchant : « Marilyn Monroe : assassinat ou suicide ? À l'occasion de la sortie du livre de Don Wolfe qui a mené une enquête pendant près de dix ans sur la mort de

---

1. Il s'agit du prétendu journal intime d'Elizabeth Drummond, la jeune victime du triple meurtre de Lurs. In *Dominici non coupable, les assassins retrouvés*, William Reymond, Flammarion, 1997.

2. *Marilyn Monroe : enquête sur un assassinat*, Don Wolfe, Albin Michel, 1998.

Marilyn Monroe. Don Wolfe présente sa thèse qui accuse la Mafia et le clan Kennedy de la mort de la star[1]. »

Je n'avais pas lu l'ouvrage de Wolfe. La couverture médiatique importante obtenue à sa sortie avait suffi à satisfaire une curiosité limitée. Pour faire simple, l'auteur accusait Bobby Kennedy, frère du président et Attorney General[2] des États-Unis, d'avoir ordonné l'assassinat de Marilyn Monroe. Non seulement Wolfe racontait les dernières heures de l'actrice, mais encore il dévoilait une impressionnante manipulation au sommet du pouvoir afin d'empêcher l'éclosion de la vérité.

Sur le plateau d'Amar, Wolfe, en gentleman posé, se montrait plus que convaincant. À l'entendre énumérer ses preuves et ses nouveaux témoins, la démonstration semblait pouvoir tenir la route.

Minuit approchait, les yeux d'Amar brillaient et France 2 venait donc de répondre : Marilyn Monroe avait été assassinée.

*

Lors de la sortie du livre de Don Wolfe, sans qu'une quelconque coordination entre les deux maisons d'édition ait été organisée, je publiais moi-même ma première enquête sur les événements du 22 novembre 1963. Et, de fait, comme ils l'avaient déjà été prétendument en 1962, JFK et Marilyn se retrouvaient liés.

Aussi était-il difficile de résister à la tentation de tracer des correspondances entre les deux destins tragiques. Forcément, on me demanda mon avis sur les révélations de Wolfe.

Ma position était simple. Je n'avais jamais été séduit par l'icône Kennedy. L'homme, comme le président, avait des qualités remarquables. Mais aussi des défauts à la hauteur de

---

1. http://www.humanite.fr/FRANCE-2,427059.
2. Robert F. Kennedy était l'équivalent américain de notre ministre de la Justice.

celles-ci. Je connaissais, menées par Joseph, le père tyrannique, les différentes étapes de la marche vers le pouvoir. Et je savais que, pour le clan, l'obligation de réussir pardonnait tous les excès.

L'esprit de compétition poussé à son extrême suffisait-il pour autant à justifier le meurtre ?

C'était en tout cas le cœur de la théorie de Wolfe. D'après lui, Marilyn avait mal vécu sa séparation d'avec John, puis, quelques mois plus tard, d'avec Robert. L'actrice nourrissait le sentiment d'avoir été abusée par les deux hommes les plus puissants du pays. Toujours selon Wolfe, la Blonde avait donc menacé JFK et RFK de rendre publique cette double relation adultérine. Et, pis encore, de dévoiler les confidences reçues sur l'oreiller. Des secrets consignés dans un journal intime à la couverture rouge où se mêleraient contacts avec la Mafia et opérations clandestines de la CIA. Selon Don Wolfe, ce contenu, forcément explosif, aurait marqué la fin de la dynastie Kennedy, emportée par l'infamie d'un scandale d'État

Il fallait l'admettre. Si tout cela était vrai, l'élimination d'une telle menace paraissait plus... compréhensible. Presque logique. Tout en me refusant à critiquer un travail que je ne connaissais pas suffisamment, je remarquai toutefois qu'un aspect de la thèse Wolfe heurtait ma logique.

À l'entendre, Robert Kennedy se serait rendu à plusieurs reprises au domicile de Marilyn Monroe le 4 août 1962. Y compris en fin de soirée, lorsque le sort de l'actrice aurait été définitivement scellé.

Sans connaître les preuves de Wolfe, ce que je savais du parcours électoral de John et Robert éveilla mes doutes. Durant la campagne présidentielle de 1960, le clan avait inventé la politique moderne. Et outre l'aspect jubilatoire d'une communication fondée sur l'accessibilité de son candidat, les Kennedy étaient devenus des experts dans le contrôle de cette fameuse image. Dès lors, l'idée que l'Attorney General courût le risque de se trouver sur les lieux même d'un futur assassinat me paraissait hautement improbable.

*

Tous ces souvenirs, ces interrogations, remontèrent à la surface durant le fort médiatique automne 2003. Où, pour la première fois, le cas Marilyn me parut moins futile.

À mieux y réfléchir, au-delà du mystère supposé de sa fin, son univers correspondait au mien. Du moins, à celui qui, depuis longtemps, me fascinait.

Pas celui des stars et des paillettes de la célébrité hollywoodienne, non, celui d'une autre Amérique. Quand je regardais de près son parcours, Marilyn avait en effet traversé celle qui ne cessait de m'interpeller. Où se retrouvaient les mêmes lieux, les mêmes sons, les mêmes noms. Et, forcément, les mêmes « acteurs ».

Les Kennedy bien sûr, dont j'avais suivi les traces ensanglantées dans les rues de Dallas, mais aussi tous les autres. Se plonger dans l'univers Monroe, c'était croiser J. Edgar Hoover, l'infâme patron du FBI. C'était aussi apercevoir Sam Giancana, le parrain de Chicago. Et, derrière lui, entendre les accents familiers et sentir l'odeur de poudre accompagnant les porte-flingues de Cosa Nostra. Là-dessus, tout en finesse, Franck Sinatra chantonnait la bande originale.

Blue Eyes ne venant pas seul dans ce film-là, car Vegas, le *Rat Pack* et Hollywood l'accompagnaient. Celui des années 1950, l'âge d'or des studios régnant sur Los Angeles comme des maquereaux sur leur cheptel de filles.

Corruption, drogue, pouvoir, vengeance, mensonge et petites pépées. Le programme Marilyn était, au final, plus alléchant que ne l'avait laissé penser des années d'ignorance.

*

Demain Marilyn Monroe ?
Le temps ne pressait pas. Ma route allait prendre d'ici là d'autres directions. Mais je venais de trouver la porte d'entrée et je tenais en main la clé.

Aussi, entre les secrets de Coca-Cola[1] et ceux de notre alimentation[2], entamais-je mon exploration. Avec comme improbable boussole une promesse : cette chimère ne deviendrait un livre qu'à une condition ! Faire autrement, différemment des autres.

Ressasser la biographie de l'actrice ne m'intéressait pas. Je ne souhaitais pas non plus cultiver une des multiples théories de la conspiration entourant déjà sa mort. Mon idée était naïvement simple : oublier le cadre pour reprendre l'affaire au commencement, enquêter et tenter de trouver.

Pour, seulement alors, en cas de succès, m'installer devant mon Mac.

*

En vérité, je ne me faisais guère d'illusions. Je savais parfaitement qu'il s'agissait d'une excuse malhabilement déguisée. D'un garde-fou me permettant de dire non à n'importe quel moment et de m'en sortir dignement, la conscience tranquille.

Le mystère Monroe était un vieux cheval sur lequel tant de chercheurs s'étaient acharnés, que, même avec beaucoup de chance, la probabilité de découvrir ce qui était réellement arrivé dans la nuit du 4 au 5 août 1962 s'avérait de l'ordre du ridiculement petit.

*

Je n'avais jamais aimé Marilyn Monroe.

J'en étais certain : au bout de la route, j'allais m'épargner l'écriture d'un livre sur sa mort.

Je me suis trompé.

---

1. *Coca-Cola, l'enquête interdite*, Flammarion, 2006.
2. *Toxic. Obésité, malbouffe, maladies : enquête sur les vrais coupables*, Flammarion, 2007.

4. Chien

En novembre 1997, j'assistais à une conférence consacrée à l'assassinat de John F. Kennedy. Qui, comme chaque année à la même période, se tenait à Dallas. Si, depuis, j'ai oublié l'essentiel du programme de ces trois journées, je me souviens de l'entrée en matière, consacrée aux gestes et déplacements de Lee Harvey Oswald dans l'après-midi du 22 novembre 1963. Le chercheur avait entamé sa conférence par un exercice peu conventionnel : demander l'heure à certaines personnes présentes dans la salle. À l'étonnement croissant de l'assistance, chacune des réponses fut différente.

Avant même de commencer son exposé, sa démonstration était imparable : établir une chronologie en se fiant uniquement au témoignage humain, c'était courir à la catastrophe. Qui plus est lorsqu'une différence de quelques minutes peut transformer un suspect en victime d'une machination politique ou, pis, en assassin d'un président.

Pourquoi raconter cela ? Parce que l'affaire Marilyn Monroe recèle ce type d'écueils. Et que, dans ce dossier, comme tout est condensé sur quelques misérables heures, la moindre erreur se révèle fatale.

*

Or tout, dans la vie de l'actrice, semble perdu dans un brouillard d'illusions, d'heures erronées, d'informations contradictoires. Qu'il s'agisse de sa dernière journée, du moment exact de sa mort, de la composition de son dernier repas et même d'autres étapes de son existence, on doit naviguer entre des myriades de données souvent impossibles à emboîter.

Que l'information soit capitale, comme lorsqu'elle touche à sa relation avec le clan Kennedy, ou insignifiante, comme lorsqu'elle concerne son... chien, chaque détail de l'existence de Marilyn offre différentes versions. Qu'on en juge sur la question de Maf, son caniche blanc.

Pour certains, c'était un cadeau de Frank Sinatra à Marilyn. Pour preuve, avancent-ils, le nom de l'animal constituerait le diminutif de Mafia, clin d'œil appuyé aux contacts du chanteur avec les hommes de la Cosa Nostra. Plus précisément, assurent certains auteurs, le chien aurait été offert à l'actrice pour « amortir » le choc de la séparation d'avec Sinatra. Pour d'autres, Maf aurait été au contraire acheté par Frank afin de réconforter Marilyn après une fausse couche. Une grossesse prématurément achevée qui, si elle avait été menée à terme, aurait vu la naissance de l'enfant du couple le plus *glamour* d'Hollywood.

L'ennui, c'est que certains ouvrages affirment que la fausse couche était en fait un avortement. Non pas de l'enfant de Frank Sinatra, mais de celui, terriblement illégitime, de John F. Kennedy ! Sans compter ceux qui évoquent une paternité de Robert F. Kennedy !

Comme si ces divergences majeures ne suffisaient pas, il existe une autre option d'explication. Maf, le mystérieux caniche, n'aurait rien à voir avec Frank Sinatra. Et son nom serait lié à la nature et au son de ses jappements. Mieux, il s'agirait d'un cadeau de Pat Newcomb, l'attachée de presse de Marilyn, pour marquer le début de leur collaboration... ou réconforter l'actrice tandis que son mariage avec Arthur Miller s'orientait inexorablement vers un divorce.

Mais alors, pourquoi, après le décès de Marilyn, Gloria Lovell avait-elle hérité de la garde de l'animal ? Gloria n'était-elle pas la secrétaire de Frank Sinatra ? Était-ce à ce titre, ou à celui d'amie de Pat Newcomb ? Et puis, élément majeur pour certains adeptes du « tout est dans tout », n'était-ce pas sous sa garde que le chien s'était échappé et avait fini broyé par une voiture ? Accident ? Vengeance ? Ou, comme le chuchotent d'autres, un signal envoyé à ceux qui chercheraient à connaître les circonstances du décès de la star ?

Plus de quarante-cinq ans après les faits, ne demeure en vérité qu'une certitude : Maf n'a joué aucun rôle dans la disparition même de Marilyn Monroe !

*

Au-delà de l'anecdote et de ses rebondissements tragi-comiques, l'épisode Maf est emblématique des difficultés rencontrées en enquêtant sur la mort de Marilyn Monroe.

Revenir sur les circonstances du décès, tenter d'oublier ses préjugés et son intuition, accepter la possibilité qu'il s'agisse d'un meurtre orchestré au cœur même du pouvoir américain constituent des étapes nécessaires mais insuffisantes. Tenter de faire fi de la distance séparant le monde de Marilyn et celui, plus vieux de quarante-cinq ans, dans lequel nous vivons, en est une autre. Car c'est dans le tri que réside la véritable complexité.

Celui des rumeurs devenues vérités ; celui des affirmations motivées par l'appât du gain ; celui des approximations transformées en certitudes. En essayant – donnée capitale – de séparer ce qui tient de l'erreur involontaire et ce qui provient de la désinformation.

Avant d'enquêter, de remonter le cours du temps, de me replonger dans les dernières heures de l'actrice pour tenter de percer l'énigme de sa « dernière séance », il me fallait débuter par cela. Oublier la légende et imprimer la réalité.

5. Sujet

Marilyn a construit sa carrière sur une illusion. Celle de la blonde à forte poitrine et faible cervelle. Une gentille fille, sûrement facile et pas bien futée. Une image dans l'air du temps, cultivée à l'écran et renforcée à chaque intervention médiatique. La blonde était *sexy* mais, forcément, un peu conne.

Un miroir déformant dont Marilyn a tout au long de sa vie tenté d'éviter le reflet.

Ainsi, il ne faut pas être grand clerc pour comprendre à cette aune le désir de Monroe d'épouser Arthur Miller, icône de l'*intelligentsia* américaine. Grâce à lui, et à son départ d'Hollywood vers New York et ses théâtres, elle pourrait enfin se parer des qualités que la 20th Century Fox, son studio, lui refusait. La Blonde allait devenir une « actrice sérieuse », une de ces comédiennes que l'on respecte et qui, les soirs d'Oscars, se retrouvent, statuette à la main, à remercier l'ensemble de la profession.

Il ne faut pas croire pour autant que l'union de la « belle et du génie[1] » relevait d'une opération marketing fomentée par l'actrice. Il y avait de la passion entre eux. Mais Marilyn était réellement hantée par le contraste de cette union : celui né de

---

1. En anglais, *The Beauty and the Brain*, surnom donné au couple par la presse américaine.

la collision entre sa réalité à elle, qui lui avait offert un firmament fabriqué, et sa renommée à lui. De fait, dès leur première rencontre en décembre 1950, le titulaire du prix Pulitzer pour *Mort d'un commis voyageur* avait constaté ce décalage. Et compris que Marilyn était une créature bicéphale. Que sa « malédiction » – selon les termes mêmes de Miller – résidait dans l'obligation de satisfaire un public dont les exigences ne correspondaient en rien à sa véritable personnalité. D'où, *in fine*, le poids d'une schizophrénie conduisant à des élans destructeurs.

*

Deux anecdotes illustrent ce paradigme, dont l'ironie sied au contenu du prochain chapitre. Elles concernent le rapport de la star à l'écriture.

En 1945, Marilyn est une starlette. Pour quelques dollars la séance, elle prête ses formes et son sourire aux objectifs de nombreux photographes plus ou moins professionnels. Publicités, calendriers, photos de charme, Marilyn, pourtant maladivement timide, adore l'exercice. Le tête-à-tête la rassure et, instinctivement, elle se sent comme accrochée à l'œil de l'appareil. Mais elle a compris aussi que l'avenir est au cinéma. Qu'il convient de passer à l'étape suivante et de quitter le papier glacé des magazines. Tandis qu'elle multiplie les essais, tandis qu'elle s'affiche aux bras des décideurs d'Hollywood, tandis qu'elle termine ses soirées dans leurs draps froissés, tandis qu'elle commence à modeler le personnage qui ne va plus la quitter jusqu'au point de la dévorer, Monroe lit.

Cette année-là, Marilyn s'inscrit en effet à la Westwood Public Library, l'une des bibliothèques de Los Angeles. Sous son vrai nom, Norma Jean Baker dévore des ouvrages historiques, politiques, philosophiques et classiques. Ernest Hemingway, Léon Tolstoï, Albert Camus, Marcel Proust, Antoine de Saint-Exupéry, Rainer Maria Rilke, Edgar Allan

Poe [1]... Les goûts littéraires de la Blonde sont aussi éclectiques que son registre cinématographique se révèle monocorde.

Mieux. Un an plus tard, Marilyn commence à gagner de l'argent. Rien d'exceptionnel, mais suffisamment pour s'autoriser l'ouverture d'un compte client dans un magasin de la ville. Et là, son goût la porte vers une... librairie. Pas de soins de beauté, pas de robes à la mode, pas d'ordonnances pour une poignée d'anxiolytiques. Non, loin, très loin des mélopées sirupeuses de Sugar Kane, Norma Jean Baker dépense ses premiers cachets pour s'offrir de la lecture.

*

Cette passion méconnue culmine en 1951 lorsque Marilyn s'inscrit aux cours du soir de l'université de Los Angeles [2]. UCLA, les origines de la littérature, puis Miller... La boucle pourrait s'arrêter là.

En vérité, elle ne fait que débuter. Mieux, depuis sa disparition, Monroe s'est métamorphosée en sujet littéraire à part entière. Un genre qui englobe le témoignage, le roman, la biographie, le beau livre, le traité médical et, aussi, l'enquête.

Avant août 1962, six ouvrages avaient été consacrés au sex-symbol. Depuis, on atteint la bonne centaine. Un afflux éditorial venu compliquer la donne. De son vivant, Marilyn avait eu à lutter contre son image. Or celle-ci, au fil des publications, s'est enrichie d'une autre dimension. Celle, élaborée à coups de mots et de pseudo-révélations, par les auteurs de sa légende.

---

1. Liste compilée in *The Unabridged Marilyn*, Randall Riese et Neal Hitchens, Congdon & Weed, 1987.
2. « Backgrounds in Literature », UCLA.

6. Lucratif

Le premier ouvrage publié sur Marilyn remonte à 1953. Sobrement intitulé *The Marilyn Monroe Story*[1], il est le premier à surfer sur le succès grandissant rencontré par la Blonde. Un esprit critique remarquera toutefois que ce livret ressemble surtout à une maladroite compilation d'informations fournies – et très souvent inventées – par la 20th Century Fox, à une sorte de publi-reportage s'étalant sur soixante-six pages de texte et seize de photos. En somme, un catalogue de banalités calibrées pour ajouter un étage à la construction en cours d'une future légende.

Reste qu'aujourd'hui l'ouvrage de Joe Franklin[2] et Laurie Palmer est devenu une pièce de collection difficile à trouver. Chez les bouquinistes, quand il y en a un, son prix dépasse souvent 1 500 dollars. Ce qui fait chère la page. Mais voilà, Marilyn rapporte. Et plus encore morte que vivante.

*

---

1. *The Marilyn Monroe Story*, Joe Franklin & Laurie Palmer, Greenberg Publishers Rudolf Field Company, 1953.
2. Joe Franklin est un géant de la télévision américaine. Après un début à la radio, il a animé *un talk-show* pendant 43 ans. Http://en.wikipedia.org/wiki/Joe_Franklin.

Pour continuer à s'en convaincre, il suffit d'aller sur le site officiel de l'actrice, www.marilynmonroe.com. Qui, comme tout ce qui relève de son image, est géré par Marilyn Monroe LLC. Car, voilà quelques années, cette compagnie a réussi à transformer le nom de la star en marque déposée. À titre posthume, l'artiste a donc cédé sa place à la griffe.

Laquelle est apposée sur une multitude de produits dérivés. De la boîte de biscuits à la salière en passant par le tee-shirt et le briquet[1]. Mieux, au moment où Halloween approche, pour une poignée de dollars, il est possible de s'offrir la perruque officielle « Marilyn ».

À côté des nouveautés à son effigie, on trouve sur le site un *must* : l'objet de collection. Celui que, sous prétexte d'une pseudo-rareté, on écoule à prix d'or. Ainsi, la paire de verres à vin affublée de l'image et de la signature de la star. Du cristal Swarovski à acquérir pour la « modique » somme de 999 dollars frais de port non inclus. Le plus cocasse, alors que les services à martini et à bordeaux ne manquent pas, c'est de constater que le fabricant ne propose pas de flûtes à champagne, boisson qui fut pourtant le carburant presque officiel de la star !

*

Cette aptitude à capitaliser sur la dimension iconique de Marilyn n'est en rien une surprise. Après tout, la carrière de l'actrice a été partiellement construite par des génies du marketing.

C'est d'ailleurs sans doute pour cela que Marilyn Monroe LLC, continuant à porter la flamme, ne fait guère mystère de ses objectifs et intentions[2]. Au contraire, la société les affiche

---

1. http ://online.cmgww.com/njstore/index.asp
2. MMLLC est contrôlé par l'héritier de Lee Strasberg, directeur de l'Actors Studio à New York. À la mort de l'actrice, il a été un des bénéficiaires principaux du testament de Marilyn. Depuis mai 2007, le droit de MMLLC

dans la partie « affaires » de son site, où elle cherche à convaincre d'autres sociétés de « louer » les droits d'utilisation de la marque Marilyn Monroe pour promouvoir leurs produits. En anglais, cette pratique s'appelle du *licensing*. Et depuis George Lucas et *Star Wars*, c'est une source majeure de revenus, dépassant souvent les recettes propres de la vente d'un film [1].

Certes, dans l'argumentaire de vente, on retrouve ici et là les incontournables références à « l'héritage et la dignité [2] » de Marilyn Monroe, mais globalement, le texte ne s'encombre pas de fioritures. « Dans cette section, découvrez les raisons incitant à développer votre marque en conjonction avec Marilyn Monroe. (...) Marilyn Monroe bénéficie d'une énorme popularité qui continue de croître année après année. Grâce à une image mondialement reconnue, Marilyn Monroe Licensing offre un ensemble d'opportunités lucratives [3] », annonce sans ambages l'introduction.

Et lorsque vient le moment d'évoquer le « cœur de cible », le document ne manque pas d'un certain... lyrisme consumériste : « Une base de consommateurs variée (...) touchant différents groupes démographiques. Hommes et femmes, jeunes et vieux, reconnaissent, apprécient et se souviennent de Marilyn Monroe. (...) Les nouvelles générations de préadolescents et d'adolescents prennent désormais part à cette folie. Ce large spectre se reflète dans la variété des produits disponibles à la vente et dans les campagnes publicitaires qui, continuellement, utilisent sa beauté et son image. (...) Lorsque l'on

---

à gérer l'image de l'actrice est cependant attaqué devant les tribunaux. Au cœur du problème, un détail historique : en 1962, les droits publicitaires post mortem n'existaient pas. Par extension, cela pourrait signifier que l'image de Marilyn n'appartient... à personne. http ://www.metrocorpcounsel. com/current.php?artType=view&artMonth=July&artYear=2007&EntryNo= 6903

1. En 2004, le marché global de la licence représentait 49 milliards de dollars de produits vendus.
2. http://www.marilynmonroe.com/press/viewheadline.php ?id=4274
3. http://business.marilynmonroe.com/licensing/index.htm

associe la célébrité globale de Marilyn Monroe aux groupes de consommateurs s'intéressant à son image, le marché pour les produits et services à l'effigie de Marilyn Monroe se compte en millions. (...) Le public associe Marilyn Monroe aux notions de glamour, de mode, de mystique et d'élégance. En utilisant la marque Marilyn Monroe, un produit est donc automatiquement associé avec l'ensemble des vertus que l'actrice incarne [1]. »

*

De fait, en 2006, Marilyn Monroe figurait encore à la neuvième place du classement *Forbes* des revenus générés par les personnalités décédées [2].

Grâce à Marilyn Monroe LLC et à son partenaire CMG Worldwide, grâce aux 400 licences vendues, grâce au vin Marilyn Merlot, à l'univers virtuel des Sims [3] et à la publicité pour Visa [4], Marilyn a attiré plus de huit millions de dollars cette année-là.

Quarante-cinq ans après sa mort, elle continue donc à être l'une des actrices les mieux payées d'Hollywood [5].

---

1. *Idem.*
2. http://www.associatedcontent.com/article/77935/forbes_list_of_13_topearning_dead_celebrities.html?page=2
3. http://www.cmgworldwide.com/news/viewheadline.php ?id=1973
4. http://www.marilynmonroe.com/business/ads/videoad1.html
5. Pour la même année, le magazine *Forbes* estimait à huit millions de dollars les revenus de Julia Roberts. http://www.forbes.com/2006/02/23/cx_lr_0223actorslide_15.html?thisSpeed=6000

7. Braises

Ce bref détour par les coulisses de l'empire Marilyn était nécessaire. Parce qu'à lui seul, il explique une partie de la profusion éditoriale consacrée à l'actrice depuis son décès en août 1962. À cela deux raisons. La première, la plus évidente, basique même, confirme le discours des héritiers des droits de la star : Monroe demeure une formidable machine à gagner de l'argent. La seconde touche aux mécanismes mêmes de cette vogue qui, près d'un demi-siècle plus tard, ne cesse de prospérer. Pour survivre dans nos mémoires, pour rester au panthéon du *glamour* made in Hollywood, pour continuer à vendre, Marilyn a besoin de voir son mythe entretenu. Des braises que, pages après pages, une bonne centaine de livres continuent à attiser. Quand elles ne les créent pas.

*

David Marshall est un auteur installé à San Francisco. À en croire ses parents, sa passion pour Marilyn remonte à sa petite enfance puisque, avec celui du président Eisenhower, c'est le nom de l'actrice qu'il a reconnu en premier. Cette ferveur pour la Blonde l'a poussé à rejoindre les rangs de Forever Marilyn, un fan-club dédié à l'entretien de la mémoire de l'actrice. Car, évidemment, il existe toujours des associations réunissant des inconditionnels de la star décédée. Forever Marilyn se détache cependant du lot en préférant l'éducation à l'idolâtrie. Ici, on étudie Marilyn comme d'autres se penchent sur leurs éprouvettes. Avec sérieux, les membres du club dissèquent, observent et analysent minutieusement le parcours de l'étoile.

Marshall a poussé cette démarche à son paroxysme en se focalisant presque exclusivement sur sa mort. Comme une sorte de spécialisation dans un champ déjà très étroit. Mais, parce qu'il fait preuve d'une réelle ouverture d'esprit, son travail se révèle de qualité.

À ce titre, lui-même a été confronté, comme tout chercheur critique, à l'opacité entourant ces heures dramatiques, créée par l'élaboration du mythe. « Le meilleur exemple reste la dimension apportée par les Kennedy, raconte-t-il. Est-ce que Marilyn Monroe tiendrait une place toujours aussi importante dans notre conscience nationale si elle n'avait pas été liée à la mystique Kennedy [1] ? »

La star la plus *sexy* du monde, le président le plus jeune de la planète... Los Angeles, 5 août 1962, Dallas, 22 novembre 1963... Tout était en effet lié pour attiser les passions. De quoi alimenter le rêve de n'importe quel auteur. Destinées brisées, sexualité, tragédies et, pour l'éternité, deux sourires figés sur papier glacé, quoi de plus attirant et vendeur ?

Mais au-delà de l'aspect « glamoureusement » noir des choses, la question de Marshall n'est pas innocente. Or, comme nous le verrons, y répondre revient à s'approcher de la solution.

Mais David, lui, préfère y opposer une remarque rhétorique : « Aujourd'hui, on peut très bien retourner la question, avance-t-il. Est-ce que John Kennedy occuperait une telle place dans nos mémoires s'il n'avait pas été lié à la légende de Marilyn [2] ? »

À titre personnel, je n'irai pas jusque-là, pensant plutôt que la présence de Marilyn et de John dans nos esprits est surtout

---

1. Entretien avec l'auteur.
2. *Ibid.*

liée à la soudaineté de leurs disparitions. Il est peut-être difficile de l'accepter, mais les coups de feu de Dealey Plaza ont plus largement contribué à la légende Kennedy que n'importe quelle décision politique prise par lui durant son mandat présidentiel. Et la mort de Marilyn, cocktail mariant vapeurs d'alcool, mélanges médicamenteux et rumeurs d'affaire d'État, a plus compté dans la survie du mythe que l'ensemble de sa filmographie.

David Marshall poursuit : « L'union entre les destins posthumes de Marilyn et de John Kennedy a pris une dimension essentielle au milieu des années 1970 et n'a depuis jamais cessé de se renforcer. Un peu comme si les deux avaient conçu un pacte *post mortem* : reste avec moi et personne ne t'oubliera [1]. »

*

Peut-être David Marshall a-t-il raison. Peut-être la popularité de l'un se nourrit-elle de celle de l'autre. Peut-être chaque livre, chaque documentaire, chaque article ressassant la légende du couple maudit renforce-t-il l'immortalité du souvenir du président et de l'actrice. Mais c'est un autre aspect de cette déclaration de David qui m'interpella. Sans vraiment s'en rendre compte, il venait de mettre à jour un élément essentiel de la vérité Marilyn.

Lui, le spécialiste de la vie et « des morts » de l'actrice ne reconnaissait-il pas que la relation de JFK et Marilyn avait pris une dimension nouvelle au milieu des années 1970 ?

Or pourquoi le milieu des années 1970 ?

John F. Kennedy était mort en 1963, Marilyn un an plus tôt et Robert Kennedy avait été assassiné en 1968. Certains proches de l'actrice et des deux politiques n'étaient également plus de ce monde.

Dès lors, pourquoi le milieu des années 1970 ?

---

1. Entretien avec l'auteur, *op. cit.*

La phrase ne cessait de tourbillonner en moi. Suivie d'une avalanche de questions sidérantes.

Pourquoi avait-il fallu attendre une décennie pour commencer à imprimer et à vendre l'histoire secrète entre John et Marilyn ? Était-ce parce que les principaux acteurs avaient disparu ?

Décrypter la remarque de David Marshall devenait capital. Mais avant, il fallait inverser la marche du temps et revenir en 1964.

Avec une destination étonnante. Qui n'était ni Washington et ses secrets, ni Los Angeles et ses mensonges. Non, ma première étape menait à Statten Island dans l'État de New York.

Là où tout avait commencé.

8. Croisade

Frank A. Capell était entré en croisade. Et encore, ce mot se révélait en dessous de la vérité. Dans l'Amérique de l'après-Seconde Guerre mondiale, il tentait de sauver le monde libre. Cet ex-flic devenu patriote à plein-temps s'en persuadait : l'ogre rouge, le monstre communiste, menaçait de détruire l'*american way of life*.

Depuis son modeste meublé de Statten Island, Frank A. Capell menait un combat sans relâche. Avec des armes loin d'être conventionnelles. Toutes les deux semaines, il expédiait en effet au cœur de l'Amérique son *Herald of Freedom*, une lettre paranoïaque recensant l'influence grandissante des *Commies* dans les couloirs de Washington. Outre le venin de sa publication, Capell s'était fait une spécialité de la fiche d'informations. Si bien qu'en 1964, il trônait sur un stock de plus de deux millions d'entre elles. Une base de données privée sans précédent rassemblant « ceux qui, aux États-Unis, avaient aidé la conspiration communiste internationale [1] ».

*

---

1. In *The Strange Death of Marilyn Monroe*, Frank A. Capell, *Herald of Freedom*, 1964.

Il faut dire aussi que Capell avait été à bonne école. Celle de J. Edgar Hoover, le patron du FBI, autre obsédé de la menace communiste et de la fiche de renseignements. Tout comme Capell, Hoover considérait que l'ensemble des problèmes rencontrés par l'Amérique étaient liés à la propagande soviétique. Une fixette monomaniaque qui, soit dit en passant, le conduisit à négliger la montée en puissance du crime organisé sur l'ensemble du territoire[1].

Si Capell avait entamé sa carrière comme enquêteur en civil auprès de différents services de police, il avait ensuite rapidement trouvé sa voie. Puisque le conflit en Europe avait accentué la nécessité de gagner la guerre du renseignement, chef enquêteur au bureau du shérif du comté de Westchester dans l'État de New York, il avait créé et pris la tête du Bureau des activités subversives et supervisé plus de cinq mille investigations consacrées à « des individus et des organisations nazies, fascistes et communistes[2] ».

Un travail mené en étroite collaboration avec le FBI, le plus souvent sous le contrôle de J. Edgar Hoover lui-même. Les années de guerre avaient donc appris à Capell une méthode particulière et lui avaient permis d'entretenir une relation privilégiée avec le premier flic du pays. À ce titre, Hoover figurait parmi les abonnés de la feuille bimensuelle de Frank A. Capell, et prêtait une oreille attentive à ses informations glanées sur le terrain.

*

En 1964, Frank A. Capell affichait fièrement ses « vingt-six années à combattre, de manière officielle ou non, les ennemis des États-Unis[3] ». Et s'apprêtait à porter le fer au cœur de la

---

1. Voir *Mafia S.A : les secrets du crime organisé* et *JFK, autopsie d'un crime d'État*, de William Reymond, Flammarion.
2. In *The Strange Death of Marilyn Monroe, op. cit.*
3. *Ibid.*

bataille. Là où, peut-être, personne ne l'attendait : du côté du 12305 Fifth Helena Drive et du décès de sa très célèbre occupante.

9. Collage

The Strange Death of Marilyn Monroe de Frank A. Capell fut le premier ouvrage consacré aux circonstances entourant la disparition de l'actrice.

Sous une couverture au rouge approprié, l'objet ressemble à un cahier d'écolier. Pas de couverture cartonnée, de nom d'un grand éditeur new-yorkais ou de réseau de distribution, non, car les soixante-quatre pages de cet opuscule étaient d'abord vendues aux abonnés de la lettre bimensuelle de Capell. Ou proposées au public à travers quelques librairies affichant clairement leur couleur politique. Ainsi, l'exemplaire en ma possession a d'abord été mis en vente chez « Poor Richard's, 5403 Hollywood Bd, Los Angeles 27, Calif. », établissement qui, d'un coup de tampon sur la première page, clamait sans vergogne sa mission : « Des livres pour patriotes ! »

*

L'ensemble, négligeant tout effort de mise en page, a des allures de collage, de compilation même. Car alternent coupures de presse, extraits du rapport du *Los Angeles Police Department*, clichés de l'actrice et des principaux acteurs du drame, le tout encadré par la prose extrémiste de Capell.

Car ce dernier, comme il l'avait déjà fait dans *857 Raisons*

41

d'enquêter sur le Département d'État[1] et le fera dans *Henry Kissinger, agent soviétique*[2], se sert de la mort de Marilyn pour exposer sa vision déformée du monde.

Ainsi, dès le début de l'ouvrage, l'ancien flic assène . « Lorsqu'une personne devient un risque ou tout simplement est hors de contrôle, le Parti communiste ne fait preuve d'aucune hésitation à ordonner sa liquidation. De nombreux "suicides", "crises cardiaques", "morts accidentelles" sont en réalité des meurtres commandités par le Parti communiste. Marilyn était profondément liée à des gauchistes et autres communistes établis. Et sa mort recèle de nombreux aspects suspects[3]. » Rien de moins.

*

The Strange Death of Marilyn Monroe pourrait être traité de manière anecdotique, signalé comme le pionnier maladroit d'un genre pathétique à ranger sur une étagère de collectionneur. Mais ce serait négliger trois aspects essentiels de cette publication.

D'abord, comme nous le verrons, le fait que les thèses du patriote de Statten Island soient omniprésentes dans la plupart des ouvrages consacrés, depuis, à la mort de Marilyn. Bien souvent, oubliant de signaler les excès de la croisade de Capell, leurs auteurs le présentent comme un enquêteur de talent, celui qui, le premier, a osé ouvrir la boite de Pandore du mystère Monroe.

Ensuite, parce qu'évoquer Frank A. Capell signifie aussi tenter de décrypter le rôle joué par le FBI en général et J. Edgar Hoover en particulier dans ce dossier. Là encore, et nous le découvrirons plus tard, il s'agit d'un élément essentiel dans la quête de la vérité.

---

1. *The Herald of Freedom*, 1964.
2. *The Herald of Freedom*, 1974.
3. *The Strange Death of Marilyn Monroe, op. cit.*

9. Collage

Enfin, ignorer *The Strange Death of Marilyn Monroe* reviendrait à courir le risque de passer à côté d'un aspect capital de l'affaire. Bien avant Norman Mailer[1] et Robert Slatzer[2] dans les années 1970, bien avant Anthony Summers[3] et Don Wolfe[4] plus récemment, Frank A. Capell fut le premier à pointer du doigt le clan Kennedy. Et, plus précisément, celui qu'il surnomme le V.I.P : Robert Francis Kennedy.

---

1. Norman Mailer, *Marilyn : A Biography,* Grosset & Dunlap, 1973.

2. Robert Slatzer, *The Life and Curious Death of Marilyn Monroe*, Pinnacle House, 1974.

3. Anthony Summers, *Goddess : The Secret Lives of Marilyn Monroe*, Macmillan Publishing Company, 1985. Paru en France sous le titre : *Les Vies secrètes de Marilyn Monroe*, Presses de la Renaissance, 1992.

4. Don Wolfe, *Marilyn Monroe : enquête sur un assassinat*, Albin Michel, 1998.

10. Tract

Avant toute chose, n'oublions jamais que Franck A. Capell était un idéologue. Et que la présence de Robert F. Kennedy dans son opus consacré à la mort de Marilyn trahit d'abord ses sentiments anticommunistes. Car dans l'Amérique des années 1960, les frères Kennedy sont considérés par les milieux conservateurs comme des traîtres à la cause américaine. Avant Dallas, JFK était la principale cible de leurs attaques politiques. Les raisons ? Son refus d'engager les forces américaines lors de la débâcle de la Baie des cochons à Cuba, puis sa main tendue à Khrouchtchev. De quoi, à leurs yeux, le classer définitivement dans la catégorie des ennemis de la patrie.

Comme en 1964 le pays est encore sous le choc de l'assassinat du président, il faut trouver un autre bouc émissaire. « De nombreuses critiques dirigées contre le président Kennedy et pour lesquelles il a assumé la pleine responsabilité étaient en réalité des recommandations et des décisions venant de Robert F. Kennedy, le ministre de la Justice des États-Unis [1] », écrit Capell.

Aux yeux de ce boutefeu extrémiste, RFK est donc le vice sur terre, l'incarnation de tout ce qu'il déteste. L'ancien flic lui reproche par exemple sa proximité avec la jeunesse

---

1. *The Strange Death of Marilyn Monroe, op. cit.*

contestataire en général, et le milieu noir en particulier [1]. Pour l'illustrer, un cliché « parlant » de Kennedy apparaît dans le petit livre rouge. On le voit attablé à un comptoir, entouré de jeunes à la barbe naissante, avec, à sa droite, épaule contre épaule, un Noir. Une photographie légendée d'un commentaire lourd de sens : « Bobby Kennedy et ses amis ».

Pour Capell, il y a pis encore. À l'en croire, Kennedy serait un sympathisant de la cause communiste et, à ce titre – rappelons qu'à l'époque, héritier politique de son frère décédé, il fait figure de postulant sérieux à la Maison Blanche –, empêcherait le FBI de travailler correctement. « Sous la direction de Bobby Kennedy, le FBI a été frustré comme jamais auparavant. (...) Robert F. Kennedy a ainsi annoncé que le Parti communiste aux États-Unis n'avait virtuellement pas le pouvoir de causer un préjudice au pays. Cet avis n'est pas partagé par le directeur du FBI, J. Edgar Hoover, dont les services surveillent les activités des communistes américains. M. Hoover a, à de multiples reprises, mis en garde contre le danger de cette influence dans notre pays [2]. »

*

Le rapport avec la mort de Marilyn peut sembler lointain, penseront certains. Or, selon Capell, nous sommes au contraire au cœur même du mystère. Comme nous l'avons vu, dès l'introduction de son opuscule, il insiste sur les relations gauchistes de la star et en dresse une liste. Dans ce catalogue, on retrouve quelques réalisateurs et, bien entendu, Arthur Miller, l'ancien mari de Monroe : « Le mariage a été effectué par le rabbi Robert E. Goldberg (...) qui a cinquante et une relations établies avec des organisations paravents du Parti communiste.

---

1. Comme d'autres « patriotes », Franck A. Capell reproche à RFK de vouloir devenir le leader de la « révolution de la jeunesse », un mouvement mondial de contestation qui atteindra son point culminant en 1968.
2. *The Strange Death of Marilyn Monroe, op. cit.*

(...) La demande d'adhésion d'Arthur Miller au Parti communiste porte le numéro 23345[1]... »

Mieux, si je puis dire, dans un chapitre intitulé « Les vautours », il passe à son aune les acteurs principaux des derniers jours de l'actrice, à commencer par Ralph Romeo Greenson, le psychiatre de Marilyn. S'il n'évoque pas de lien avec le parti de Moscou, il accuse ce médecin de mener une activité « encourageant des pratiques que la plupart des Américains considéreraient comme immorales[2] ». Ensuite, c'est au tour du second médecin de l'actrice, le docteur Hyman Engelberg, d'être cloué au pilori. Spécialisé en médecine interne, il représente le bras pharmacologique de Greenson, les deux médecins tentant, depuis le début de 1962, d'aider Marilyn à se défaire de sa dépendance médicamenteuse. À Greenson les séances sur le divan, et à Engelberg les injections de doses décroissantes de calmants, somnifères, vitamines et excitants. Or, pour Capell, Engelberg a entretenu « une longue histoire avec le Parti communiste ». Et d'expliquer : « Il a été instructeur dans une école communiste durant l'automne et l'hiver 1937 », avant d'ajouter : « En juillet 1940, il était abonné au journal communiste *People's Daily World*[3]. »

Greenson, Engelberg... Pour Capell, il ne faut pas chercher plus loin les véritables assassins de Monroe. « Marilyn est décédée d'une overdose de barbituriques dont les traces ont été uniquement découvertes dans son sang, avance-t-il. Il semble donc que les médicaments lui ont plutôt été injectés qu'administrés de manière orale. (...) Un moyen qui semble nécessiter le recours à un médecin. Un de ses docteurs était un communiste établi. Les communistes sont entraînés à obéir aux ordres, y compris ceux de tuer[4]. » CQFD !

---

1. *The Strange Death of Marilyn Monroe, op. cit.*
2. *Ibid.*
3. *Ibid.*
4. *Ibid.*

À l'en croire, la star aurait donc été victime d'une conspiration directement fomentée de Moscou.

Poussant sa logique pour le moins spécieuse et paranoïaque, il y voit aussi la main de Bobby Kennedy. Non pas comme commanditaire du crime mais parce qu'il a refusé de poursuivre et condamner les communistes présents sur le sol américain. Dans sa « logique » bien particulière, en n'ayant pas lutté de toutes ses forces contre eux, donc en les laissant agir aux États-Unis, il a indirectement contribué à l'assassinat. Une sorte de culpabilité par responsabilité morale !

*

Si l'opuscule de Capell se résume évidemment à un virulent tract ultraconservateur quelque peu délirant, le passer au décryptage d'une analyse en profondeur s'imposait. Parce que, insistons une nouvelle fois, *The Strange Death of Marilyn Monroe* est une source à laquelle de nombreux ouvrages sont venus puiser. Des textes qui, dans un étrange élan unanime, oublieront d'évoquer les scories délirantes et anticommunistes de l'homme de Statten Island afin de ne retenir de sa prose que deux conclusions hâtives : Marilyn a été assassinée et Robert F. Kennedy est impliqué dans ce meurtre.

11. Radical

Comme s'il avait obtenu une information de dernière minute, comme s'il s'était empressé de la reproduire avant que son livret ne parte à l'impression, Frank A. Capell conclut *The Strange Death of Marilyn Monroe* par un étrange paragraphe constellé de questions.

« Est-ce que les problèmes ont débuté lorsque Marilyn a réalisé que son V.I.P n'avait pas l'intention de divorcer et de l'épouser ? A-t-elle insisté pour qu'il tienne ses promesses ou l'a-t-elle menacé de rendre publique leur relation ? Deux alternatives sans aucun intérêt pour Mr V.I.P. Puisque Marilyn pouvait le détruire en parlant ou en dévoilant des preuves écrites, il a pris une décision radicale [1]. »

Si l'on substitue à V.I.P. les initiales de Robert F. Kennedy, l'ouvrage de Capell prend une autre dimension. De libelle accumulant des accusations fondées sur des délires propagandistes, il se transforme en révélation. Car en quelques lignes, l'ancien flic valide tout bonnement la relation adultérine unissant Marilyn et Bobby, explique que RFK a refusé de se séparer d'Ethel, sa femme, et de ses huit enfants [2]. Décision qui serait à l'origine d'un chantage opéré par l'actrice. Pis,

---

1. *The Strange Death of Marilyn Monroe, op. cit.*
2. Matthew, Douglas et Rory compléteront la famille entre 1965 et 1968, portant le total de la progéniture de Ethel et Robert Kennedy à onze enfants.

plus que la menace de rendre publique sa relation avec le ministre de la Justice, Marilyn aurait été en mesure de la prouver. Une démarche qui, à elle seule, justifierait quasiment l'assassinat.

*

La piste ouverte par la conclusion de Capell est d'autant plus importante qu'elle nous plonge directement dans le rapport que nous entretenons tous avec la mort de Marilyn. Plus de quarante-cinq ans après les faits, notre « opinion » sur les événements de sa dernière journée a en effet été modelée par une succession de livres, films, témoignages, articles de presse et documentaires... se fondant pour la plupart sur cette thèse.

Une masse d'idées et conceptions dans laquelle il est bien difficile de discerner le faux du vrai.

Il était dès lors évident que le chemin de mon enquête devrait en passer par une remise à plat de tout. Par la nécessité de résumer les éléments inscrits dans notre croyance collective pour ensuite, point par point, séparer le bon grain de l'ivraie. Seule la clarté m'approcherait de la vérité.

DEUXIÈME PARTIE

Logique

12. Religion

Le monde de Marilyn se divise en deux camps.

Avec, d'un côté, ceux qui adhèrent à la version officielle selon laquelle, le 4 août 1962, le plus grand sex-symbol de la planète s'est suicidé. Certes, des variantes peuvent être admises, comme un accident, une overdose de somnifères noyés dans un flot de champagne, cocktail familier concluant des années d'abus en tout genre. Globalement, donc, un accident ou un acte désespéré, sans aucune « main extérieure » derrière ce drame.

De l'autre, se tient une communauté grandissante, convaincue de l'assassinat. Un meurtre aux motifs parfois flous, mais qui impliquerait la famille Kennedy. Et plus particulièrement Bobby, dont le rôle supposé a cependant évolué au fil des années. Responsable moral chez Capell, il est devenu, livre après livre, l'un des acteurs principaux du crime, usant de son pouvoir politique et policier pour étouffer l'enquête ou intimider les témoins gênants. Certains vont même jusqu'à affirmer que RFK aurait été présent durant les dernières heures de l'actrice, voire pendant ses ultimes instants. Une accusation grave, et récente, dont Anthony Summers et Don Wolfe sont les actuels promoteurs.

*

Comme j'ai pu l'expérimenter dans le cadre des affaires Dominici et Kennedy, ces univers parallèles semblent inconciliables. Parce qu'il en va du mystère Marilyn comme d'une religion : on trouve des croyants, des athées et très peu d'agnostiques.

Pour ma part, avant de tenter d'éclaircir l'énigme, j'appartenais au ventre mou de la minorité, autrement dit le clan des sans opinion. Avec, reconnaissons-le, un léger penchant pour l'explication qui me semblait la plus logique : le suicide. Comme quoi, on peut affirmer que Lee Harvey Oswald n'est pas l'unique assassin de JFK sans voir pour autant des complots partout !

*

La thèse du suicide ne se résume pas à une approche purement logique. Elle correspond à la réponse la plus simple. Celle qui atténue la rumeur d'une manipulation post mortem. D'une intervention venue du plus haut de l'État pour empêcher, décennie après décennie, la vérité d'émerger. En outre, cette version confirme, au final, l'enquête du Los Angeles Police Department (LAPD), le point de vue de Thomas Noguchi, médecin légiste en charge de l'autopsie de Marilyn, ainsi que les conclusions de la Suicide Prevention Team, groupe formé de douze psychiatres par Theodore Curphey, responsable des services médico-légaux du comté de Los Angeles. Le 17 août 1962, Curphey bouclait son enquête d'une manière on ne peut plus claire : « Ma conclusion est que la mort de Marilyn Monroe tient à une overdose auto-administrée de médicaments sédatifs. Donc que la cause du décès est probablement un suicide [1]. »

Un avis corroboré le 12 août 1974 par le refus du Grand Jury de Los Angeles de rouvrir le dossier Marilyn faute

---

1. Statement by Theodore J. Curphey, M.D. Chief Medical Examiner-Coroner, County of Los Angeles, August 17th, 1962.

d'éléments nouveaux. Puis confirmé le 22 octobre 1975 lorsque le LAPD rendit publique une contre-enquête entamée afin de répondre aux accusations lancées par un magazine pour adultes[1], travail considéré par les spécialistes comme plus complet et plus étayé que l'investigation initiale.

Le « verdict » du suicide est, depuis, sorti renforcé des conclusions de deux travaux sérieux. Une première fois, le 28 décembre 1982, quand sont publiées trente pages du rapport de John Van de Kamp, District Attorney[2] du comté de Los Angeles, dans lesquelles on peut lire : « Il apparaît que sa mort puisse être un suicide ou le résultat d'une overdose accidentelle[3]. » D'autant que le même document, rédigé par Ronald Carroll et Alan Tomich, explique par ailleurs n'avoir trouvé aucun élément probant confirmant les accusations d'assassinat évoquées fréquemment dans les médias. Puis, le 22 novembre 1985, lorsque le Grand Jury du comté de Los Angeles, suivant l'avis du nouveau procureur Ira Reiner, estima à nouveau qu'une énième enquête sur la disparition de Marilyn serait inutile. Une investigation supplémentaire dont l'unique but, selon cette autorité majeure, aurait été « de prétendre exercer la justice pour, en réalité, satisfaire une curiosité historique[4] ».

*

LAPD, Noguchi, Curphey, Van de Kamp, Reiner, 1962 à 1985...

Les raisons de glisser vers le camp des tenants du suicide ne manquaient donc pas. En outre, le parcours même de l'actrice, et plus particulièrement ses derniers mois, procuraient à cette hypothèse de tristes mais convaincants accents de vérité.

---

1. Investigation Re : Article in *Oui Magazine*, « Who Killed Marilyn Monroe ». Un rapport qui fait désormais parti du dossier (Death Report) du LAPD consacré au décès de l'actrice.
2. L'équivalent américain du procureur de la République.
3. *Los Angeles Times*, 29 décembre 1982.
4. *Los Angeles Times*, 23 novembre 1985.

13. Peur

Marilyn avait 36 ans. Et jamais les ravages du temps n'avaient été aussi difficiles à dissimuler. Des tâches de vieillesse commençaient à apparaître sur ses mains. Une cicatrice, reliquat de l'ablation de sa vésicule, barrait son abdomen. La peau de ses hanches et de ses cuisses portaient les stigmates d'années de privation, puis de boulimie. Sa chevelure platine, brûlée par les teintures chimiques, exigeait une attention soutenue. Seule une épaisse couche de fond de teint parvenait à camoufler la présence embarrassante de rides. Quant à la poitrine, elle perdait son combat contre les lois de l'attraction terrestre et Marilyn s'était mise à porter des soutiens-gorge. Dont certains largement rembourrés pour en accentuer le volume. Marilyn avait 36 ans et ses seins, après l'avoir imposée, la trahissaient.

*

Marilyn avait 36 ans. Et bientôt les talents d'Allan Snyder, Sydney Guilaroff et Agnes Flanagan s'avéreraient insuffisants.

Le premier, surnommé « Whitey », avait créé le look « Marilyn » en 1946. Prodige du maquillage, c'était lui qui avait inventé les lèvres pulpeuses et le regard lancinant de la future star[1]. Seize ans passés à ses côtés lui avaient conféré

---

1. Pour découvrir les secrets du maquillage de Marilyn par Allan Snyder voir : http://getglamorous.blogspot.com/2007/07/how-to-do-marilyn-monroe-makeup-step-by.html

le statut, aussi rare que privilégié, d'ami et de confident. Mais, désormais, sa présence et ses pinceaux magiques étaient requis en dehors des plateaux. Dîners en ville, rendez-vous galants ou premières à Broadway... il fallait qu'il soit là. Si Marilyn avait à affronter le regard des autres, Snyder devait d'abord opérer. La confiance que Marilyn lui accordait était telle qu'elle lui avait déjà confié une tâche impossible : la maquiller lorsque viendrait sa dernière représentation publique, star allongée dans un cercueil semi-ouvert. L'actrice, soucieuse d'une bonne image jusque dans son apparence post mortem, avait même offert à Snyder une pince à billets signant ce pacte dans l'argent puisqu'y était gravé : « Whitey chéri, tant que je suis encore chaude, Marilyn. »

Né à Montréal, Sydney Guilaroff, lui, avait été découvert en 1935 par Joan Crawford. Impressionnée par ses talents de coiffeur, l'actrice lui avait proposé de la suivre à Hollywood. Où, rapidement et durant plusieurs décennies, il devint le coiffeur des stars. À côté d'Elizabeth Taylor, Liza Minnelli et Shirley MacLaine, Guilaroff fit office de conseiller capillaire de Marilyn. Bien que spécialisé dans le *glamour*, il avait réussi, un an plus tôt, à lui inventer une image plus sobre et plus moderne à l'occasion du tournage du film d'Arthur Miller, *The Misfists* [1].

Agnes Flanagan, quant à elle, était chargée d'appliquer chaque jour la coupe inventée par Guilaroff. Une collaboration qui dépassa vite le cadre des activités uniquement professionnelles de Marilyn, puisqu'elle entra dans sa vie elle aussi. Marilyn avait 36 ans, et de plus en plus souvent, la tâche d'Agnes Flanagan consistait à couvrir la chevelure abîmée de la star d'une perruque blond platine [2].

---

1. http://fr.wikipedia.org/wiki/Les_Désaxés_(film).
2. Ce fut, entre autres, le cas, pour la cérémonie funéraire de Marilyn. Les cheveux de la Blonde avaient été trop détériorés par les produits chimiques utilisés lors de son autopsie. Flanagan opta pour la perruque que l'actrice portait dans *The Misfists*.

*

Marilyn avait 36 ans, mais, désormais, elle évitait les miroirs. Contrairement à son appartement new-yorkais, la chambre de sa maison californienne n'accueillait aucun de ces miroirs de plain-pied devant lesquels l'actrice aimait, nue, examiner le moindre aspect de sa plastique.

Dorénavant, Marilyn avait peur. Peur de vieillir, peur de ne plus plaire, peur de ne plus séduire, peur de ne plus compter. Peur du temps, son pire ennemi. Consciente que son répertoire et son succès tenaient à son apparence, elle confiait parfois son désarroi : « Je ne veux pas vieillir, dit-elle ainsi. Je veux rester comme je suis aujourd'hui. Je ne sais toujours pas réellement jouer la comédie. [...] Je ne vais pas me raconter d'histoires, lorsque mon visage ne sera plus à la hauteur, lorsque mon corps suivra, alors je ne serais plus rien. Plus rien de tout [1]. »

C'est d'ailleurs pour cela que Marilyn avait rejoint l'Actors Studio des époux Strasberg. Dans le but de devenir une actrice... sérieuse. Une comédienne qui ne dépendrait plus de son âge.

Son mariage avec Arthur Miller relevait de la même logique. Tout comme, en 1961, le fait qu'elle ait participé au financement et tenu à obtenir le premier rôle féminin des *Misfists*. Mais voilà, Marilyn en Roselyn n'avait pas convaincu. Malgré Clark Gable et Montgomery Clift, le film de John Huston avait été un échec public et les critiques s'étaient, au mieux, montrés réservés.

*

Marilyn avait 36 ans et se trouvait prisonnière, cadenassée dans son personnage. Comme avant, histoire d'assumer ses

---

1. In *Marilyn Monroe Confidential*, Lena Pepitone et William Stadiem, Pocket Books, 1980.

obligations contractuelles et de satisfaire son public, Monroe devait se résoudre à jouer encore et encore la gentille blonde aux formes parfaites. Ce qui ne correspondait plus ni à sa plastique, ni à son état d'esprit, ni à ses envies. La star se sentait piégée

14. Reflet

Marilyn Monroe « souffrait de troubles psychiatriques depuis un long moment[1] ». En présentant les conclusions de l'enquête conduite par la Suicide Prevention Team, le Dr Curphey dressa de l'actrice le portrait type de la candidate idéale au suicide. « Elle vivait avec des peurs sévères et des crises de dépression fréquentes, écrivit-il. [...] Durant notre investigation, nous avons découvert que Mlle Monroe avait souvent exprimé la volonté de tout laisser tomber, d'abandonner sa carrière et même de mourir[2]. »

Grâce aux confidences des proches de la défunte, l'équipe de psychiatres avait même révélé que les événements survenus la nuit de sa mort n'étaient en rien des incidents isolés. « Il existe plus d'une occasion où, dans le passé, parce qu'elle était déçue ou en phase de dépression, [Marilyn Monroe] a tenté de se suicider en utilisant des sédatifs. À chaque fois, elle a recherché de l'aide et a été secourue. [...] Le même schéma a été répété la nuit du 4 août 1962, à l'exception de la phase de secours[3]. »

*

1. Statement by Theodore J. Curphey, M.D.Chief Medical Examiner-Coroner, County of Los Angeles, August 17th, 1962, *op. cit.*
2. *Ibid.*
3. *Ibid.*

Bien que la conclusion soit ferme, Theodore Curphey avait toutefois fait preuve de retenue dans ses propos. Car il aurait pu aussi souligner combien l'existence même de Monroe accumulait les troubles psychiatriques. Dont certains directement liés à son passé.

Ainsi, Stanley Gifford, que les spécialistes considèrent comme le père « inconnu » de Marilyn, était un consommateur dépendant d'héroïne. Della, la grand-mère de l'actrice, était maniaco-dépressive. Et jusqu'à son décès par crise cardiaque lors d'un accès de folie, elle constituait un danger pour son entourage. Elle aurait même, dit-on, tenté d'étouffer avec un coussin Marilyn alors qu'elle était bébé... Voilà en tout cas des atavismes familiaux qui n'aident pas à se construire une personnalité équilibrée.

La suite fut pire encore. À l'âge de huit ans, elle fut subitement enlevée à la famille qui la gardait depuis toujours pour être placée en orphelinat[1]. Un traumatisme qui a ouvert une période de complète instabilité, puisque la future actrice passe de foyers en foyers, multiplie les séjours en institutions, attendant à jamais une famille qui voudra bien d'elle. Et c'est à la même période que la petite Norma Jean est à plusieurs reprises victime d'un prédateur sexuel présent dans l'entourage d'une de ces familles d'accueil !

*

Or en 1962, le présent de Marilyn lui apparaissait comme un angoissant reflet de son passé.

Sentimentalement, rien ne marchait selon ses désirs. Son union avec Arthur Miller s'était conclue par un divorce au

---

1. Sa mère a confié la garde de Marilyn à la famille Bolender alors que l'enfant était tout juste âgée de six semaines. Huit ans plus tard, les services en charge de la protection de l'enfance de l'État de Californie décidèrent son placement en orphelinat parce que Gladys, sa mère naturelle, n'avait jamais rempli les formulaires officialisant le don de la garde aux Bolender.

début 1961. Un revers, le troisième, très mal vécu par la comédienne, qui se réfugia dans l'alcool et l'excès de nourriture. Une humiliation d'autant plus publique et éprouvante que le dramaturge lui avait très rapidement trouvé une remplaçante en la personne de la photographe autrichienne Inge Morath. Triste ironie du sort, les deux nouveaux amants s'étaient rencontrés lors du tournage des *Misfists*, film censé être l'apothéose du mariage Monroe-Miller.

1961, une année délicate, 1962, une suite plus terrible encore. Comme si Marilyn appartenait définitivement au passé, Arthur avait épousé Inge le 17 février. Et, dans la foulée, il avait annoncé la grossesse de sa nouvelle épouse. Un futur enfant qui renvoyait Monroe à ses propres échecs. Si le désir de maternité était profondément ancré en elle, de fausse couche en fausse couche l'actrice n'était jamais parvenue à concrétiser son rêve. Selon les intimes de la star – et plus particulièrement son psychiatre, le Dr Greenson –, ce « succès » d'une femme qu'elle voyait en rivale risquait d'entraîner un peu plus Marilyn dans son délire autodestructeur.

*

Son incapacité à devenir mère résumait, à ses yeux, les fiascos de sa vie sentimentale. Et l'épisode Miller lui avait confirmé ses difficultés à aimer et être aimée. Quant au rejet d'Yves Montand qui, sous l'œil de la presse internationale, avait refusé les avances de celle que l'on considérait pourtant comme la femme la plus belle du monde, elle l'avait vécu comme une humiliation.

L'acteur français, selon les volontés de la Blonde, avait partagé avec elle l'affiche de *Let's Make Love*[1], comédie musicale de George Cukor, et durant le tournage, Marilyn était tombée sous le charme du *french lover*. Selon de multiples

---

1. En français : *Le Milliardaire*. http://fr.wikipedia.org/wiki/Le_Milliardaire

témoignages, les deux comédiens auraient eu une aventure, relation intime facilitée par une proximité géographique, puisque Monroe avait exigé que la suite du couple Montand-Signoret au *Beverly Hills Hotel* soit voisine de la sienne. Miller à New York, Simone en tournage, des répétitions en tête en tête dans l'intimité de la chambre de Montand qui s'enchaînent, la suite était inévitable. Mais s'agissait-il d'une relation passagère ou d'une passion platonique ?

Si la réponse appartient à la légende d'Hollywood, il semble que Monroe ait réellement espéré que Montand quitte sa femme pour elle. C'est d'ailleurs dans cet état d'esprit qu'elle le retrouva en novembre 1960 à New York. Marilyn, épuisée par l'éprouvant tournage des *Misfists* et la rupture avec Arthur Miller, espérait ouvrir une nouvelle ère de son existence avec un homme attentif. Le choc ressenti s'avéra donc à la hauteur de l'attente. Surtout que Montand mit fin à toute ambiguïté en lui expliquant clairement qu'il ne se séparerait pas de Simone Signoret... entre deux avions.

Plus douloureux encore, derrière les volets de ce qui aurait dû rester une affaire privée, attendaient les médias du monde entier. Les rumeurs d'une idylle entre l'Américaine et le chanteur français occupaient une telle place dans les journaux que Montand se répandit dans la presse en attestant de la solidité de son mariage. « Elle a été très gentille avec moi, mais c'est une fille plutôt simple sans la moindre once de duplicité, déclara-t-il. Peut-être ai-je été trop tendre, pensant qu'elle était aussi sophistiquée que les autres femmes que j'ai connues... Si Marilyn avait été sophistiquée, rien de tout cela ne se serait passé... Peut-être qu'elle a eu un coup de cœur amoureux comme pourrait avoir une adolescente ? Si c'est le cas, j'en suis désolé, mais rien ne viendra briser mon mariage [1]. » Des propos qui ne purent que la blesser, tant ils renvoyaient sur elle les raisons profondes d'une rupture, tant ils laissaient croire qu'elle seule avait éprouvé un béguin, tant ils

---

1. Cité in *The Unabridged Marilyn, op. cit.*

mettaient en évidence sa fragilité affective et son immaturité sentimentale.

*

Arthur Miller, Yves Montand, le ressac de ses échecs amoureux noyait chaque jour un peu plus l'actrice. En ce début 1962, il ne lui restait qu'une seule chose à faire : quitter New York et rejoindre Los Angeles. Où l'attendait Frank Sinatra.

15. Nausée

La voix de Frank Sinatra accompagnait souvent les nuits sans sommeil de Marilyn. Selon un rituel immuable.

D'abord, la Blonde se calfeutrait, détestant plus que tout la lumière. À New York ou Los Angeles, avant même d'y avoir fait installer ses meubles et objets préférés, Marilyn exigeait la pose d'une lourde et épaisse toile noire dissimulant tout un pan de mur.

Dans cette obscurité presque étouffante, la seule à même de la rassurer, Monroe choisissait ensuite un album de Frankie. Selon une sélection au diapason de ses pensées. Comme à ses yeux Sinatra incarnait la mélancolie, elle se tournait en priorité vers ses titres les plus tristes, les écoutant jusqu'à la nausée. Lena Pepitone, bonne à tout faire du couple Miller, racontera plus tard que Marilyn, une coupe de champagne à la main, écoutait Sinatra en permanence et en pleurant[1].

*

Marilyn l'avait rencontré pour la première fois en 1954. Le studio 20th Century Fox, pour lequel elle était sous contrat, voulait alors l'associer à une star montante de la variété

---

1. In *Marilyn Monroe Confidential, op. cit.*

américaine. Le projet ? Un film intitulé *Girl in Pink Tights*[1] où Monroe incarnerait une institutrice devenue... danseuse de cabaret. Un scénario étrange pour mettre en valeur une comédienne récemment sortie du succès de *Les Hommes préfèrent les blondes* mais typique des usages de la Fox. Elle aurait son nom en haut de l'affiche, donc pas besoin d'en savoir plus, de lire le scénario ou d'avoir un rôle plus probant. Darryl Zanuck, le boss du studio, décidait et tout le monde devait obéir. Même ses revenus ne variaient pas : Sinatra allait toucher 5 000 dollars par semaine pour le tournage, mais elle plafonnait à 1 500 dollars.

C'était, de la part de la 20th Century Fox, méconnaître la capacité de Monroe à montrer son désaccord. Car, refusant d'incarner la fille aux bas roses, elle disparut tout simplement durant plusieurs semaines, avant de resurgir au bras de Joe Di Maggio, talentueux joueur de base-ball de l'équipe des New York Yankees, qui bénéficiait du statut de héros aux yeux de l'opinion américaine. Fort de cette aura, il plaida la cause de sa nouvelle conquête. Et Zanuck dut plier. Conséquence, le film ne se fit pas et le choc Marilyn-Sinatra fut annulé.

La rencontre entre l'actrice et le *crooner* était seulement reportée. Mais pas pour longtemps puisque Di Maggio et Sinatra, tous deux d'origine italienne, se fréquentaient. Marilyn se greffa donc au clan... pour ne plus jamais vraiment le quitter. Au point de la conduire à vivre des situations pour le moins particulières. Ainsi, lorsqu'elle rompait avec Joe Di Maggio, elle se réfugiait dans les bras de Sinatra. Mais plus tard, comme dans un mauvais remake américain d'un vaudeville douteux, elle revenait vers le premier. Et quand tous les deux l'ennuyaient, quand elle les abandonnait, jaloux, ils la faisaient suivre. Un jour, persuadés que Marilyn entretenait une relation homosexuelle avec son professeur de comédie, Di Maggio et Sinatra engagèrent un privé pour la prendre en flagrant délit. Un épisode qui s'acheva en février 1957 devant

---

1. Littéralement *La Fille aux bas roses.*

les tribunaux puisque, croyant une information du détective, ils avaient enfoncé la porte d'un appartement afin de la surprendre en de chauds ébats. Las, ils s'étaient trompés d'étage, offrant à une paisible retraitée la peur de sa vie... et recevant en retour une plainte pour violation de domicile.

*

Malgré ce rocambolesque épisode, l'aventure avec Sinatra se poursuivit. Par intermittence certes, mais de manière régulière quand même. De fait, alors que Marilyn habite New York pour relancer sa carrière, quitter les rôles absurdes proposés par la Fox et devenir une actrice sérieuse, on la voit en compagnie de Sinatra faire le tour des clubs appartenant à ses amis de la Mafia. Notamment au *Copacabana Club*, boîte appartenant en sous-main à Sam Giancana, l'un des parrains les plus puissants du crime organisé.

En 1958, après quatre ans d'attente, le couple doit enfin se retrouver sur grand écran. Marilyn vient en effet d'accepter le premier rôle de *Some Like It Hot*, tandis que le *crooner*, au côté de Tony Curtis, est prêt à partager l'affiche de cette comédie de Billy Wilder. Hélas, le macho renâcle. Sinatra déguisé en femme ? Difficile à envisager. Aussi, c'est Jack Lemmon qui hérita du rôle. D'autres motifs animèrent-ils *Old Blue Eyes* ? Pour certains, Frankie ne se serait jamais présenté à la première réunion de travail avec Wilder, par fidélité à Sam Giancana : dans le scénario, les héros devaient fuir Chigago, poursuivis par les sbires du parrain local qui ressemblait furieusement à Don Sam...

Quoi qu'il en soit, la Blonde ne jouera jamais avec l'homme à la voix d'or. Entre eux demeure seulement une relation qui, au lendemain du divorce avec Arthur Miller, prend une tournure plus sérieuse. Effondrée, Marilyn quitte en effet son appartement new-yorkais pour emménager dans la villa californienne du *crooner*. Là, à Coldwater Canyon, elle se met à nouveau à rêver. Et si Frank était l'homme de sa vie ? Celui avec qui elle accepterait de tout arrêter pour fonder une famille ?

Mais tandis que la star rêve de mariage, Sinatra, lui, collectionne les conquêtes et les aventures. Colères, querelles, scènes, le couple fragile se déchire. Rapidement Marilyn quitte Coldwater. Reste que l'ombre de Frankie persiste à la suivre. Ainsi, elle s'installe dans un appartement situé sur Doheny Drive. Juste à côté du pied-à-terre de Sinatra. Électrique, leur relation le demeure. Car, dans cet endroit ou à Cal-Nevada Lodge, casino à la frontière de l'État, les deux amants ne cessent de se retrouver, de se brouiller, de se rabibocher... Et c'est seulement l'année 1962 qui viendra définitivement changer cette aventure erratique. Car après Montand privilégiant son amour pour Signoret, Miller affichant son mariage avec Inge Morath, c'est au tour de Sinatra de trahir Marilyn.

*

« J'ai quarante-six ans maintenant et il est temps de me caser[1]. » Frank Sinatra venait de prendre une grande décision. Celui qui, depuis son divorce en 1957 avec Ava Gardner, avait alimenté à son corps défendant les journalistes et échotiers avides de ragots liés à la vie nocturne d'Hollywood, décidait de franchir le Rubicon. De fait, quelques jours plus tôt, dans le cadre intime d'un salon privé du restaurant des stars *le Romanoff*, il avait demandé l'élue de son cœur en mariage. Et celle qu'il décrivait « comme sa seule véritable histoire d'amour[2] » ne s'appelait pas Marilyn.

Frank avait succombé au charme de Juliet Prowse en 1959 lors du tournage du film *Can-Can*[3]. Cette Sud-Africaine

---

1. *Time*, 19 janvier 1962.
2. *Ibid.*
3. Dirigé par Walter Lang, Sinatra y partage l'affiche avec Maurice Chevalier, Louis Jourdan et Shirley Maclaine. http://en.wikipedia.org/wiki/Can-Can_film
http://www.commeaucinema.com/film=can-can,90070.html

incarnait une danseuse dont les longues jambes avaient réussi le double effet de révolter Nikita Khrouchtchev [1] et de séduire Frank Sinatra. Or ce détail physique ne pouvait que blesser la délaissée. « Le fait que Juliet soit de 10 ans plus jeune que Marilyn était, en soi, déjà difficile, mais le fait que ses jambes soient parfaites s'avérait bien pire, admettaient ceux qui la connaissaient. Marilyn et Ava étaient ridiculement complexées par leurs jambes. Trop courtes, trop grosses, tel était leur drame [2]. »

Le plus douloureux pour Monroe résidait encore ailleurs : alors que la Blonde espérait une demande en mariage, une autre, une jeune qui n'avait pas 36 ans, avait reçu les faveurs du *crooner*. « Si le but de *Mr. S.* était de blesser Marilyn, alors il y était parvenu. [...] Personne ne vivait aussi mal le rejet que Marilyn. Elle était obnubilée par cela et voyait un rejet quand une autre personne aurait perçu le contraire. Elle était sensible sur la question [3]. »

*

Montand, Miller, Sinatra. Son triptyque amoureux se résumait à une succession de déceptions douloureuses. Loin du *glamour* sur papier glacé des magazines, à l'aube de l'été 1962, la vie sentimentale de Marilyn apparaissait comme un désastre. Il ne lui restait qu'une alternative : se tourner vers sa carrière. S'offrir à son public et reprendre, en haut de l'affiche, la place que tant d'autres convoitaient.

---

1. En 1959, dans le cadre d'un voyage officiel aux États-Unis, le premier ministre soviétique s'était rendu sur le tournage de *Can-Can* alors que Juliet Prowse tournait une scène de danse, osée pour l'époque. À la fin de la séquence, Khrouchtchev, outré, avait déclaré que la danseuse était « immorale ». Un coup de colère que la 20th Century Fox utilisa largement pour faire la publicité de sa comédie musicale.
2. *S. : My Life with Frank Sinatra.* George Jacobs et William Stadiem, Harper Collins, 2003.
3. *Ibid.*

16. Violet

Doris Day, Kim Novak, Jayne Mansfield, Sheree North, Diana Dors... La liste des clones de la Blonde n'en finissait plus [1].

Un phénomène ancien puisqu'il avait débuté en février 1953 au moment où la carrière de Marilyn décollait à peine. À l'époque, pour espérer percer, les apprenties vedettes devaient proposer aux producteurs et spectateurs deux atouts essentiels : une chevelure blonde virant vers le platine et une paire de seins à rendre fou le mâle américain. Mais le mimétisme ne s'arrêtait pas là : la cohorte de « nouvelles Marilyn » s'exprimait comme elle, affichait la même moue, adoptait son maquillage et son déhanchement.

Le plus étrange, c'est que ce type de concurrence naissait au sein même du studio qui l'employait. La 20th Century Fox poursuivait en effet très activement cette quête au double. Zanuck n'avait guère le sentiment de torpiller la star maison, ayant déjà vécu l'émergence de starlettes éphémères, il était en vérité persuadé que le succès de Marilyn relevait du fugace, du phénomène de mode. À lui et à la Fox, dès lors, de demeurer aux aguets pour surfer en tête sur la prochaine vague.

Mais Darryl Zanuck se fourvoyait : Marilyn était unique.

---

1. Dans *The Unabridged Marilyn*, Randall Riese et Neal Hitchens listent 39 actrices qui, alors que la carrière de Monroe battait son plein, furent présentées dans les médias comme de « nouvelles Marilyn ».

Un constat – doublé d'un compliment – proféré par le réalisateur Billy Wilder, lequel, pourtant, admettait avoir eu des pulsions de meurtre à l'encontre de la star durant le tournage mouvementé de *Some Like It Hot*. Mais voilà, Wilder ne pouvait nier l'évidence : « Le qualificatif d'unique est utilisé à tort et à travers. Mais dans son cas, il s'applique parfaitement. Il n'y en aura jamais une autre comme elle et pourtant, Dieu sait combien il y a eu d'imitations [1]. »

Billy Wilder ne se trompait pas. Et, au bout du compte, l'aveuglement teinté de machisme de Zanuck importait peu. Son charisme crevait la pellicule. Sa présence éclipsait les pâles copies. Marilyn elle-même, pourtant si immature et peu sûre d'elle, ne doutait pas de ce pouvoir sur les foules. Aucune blonde n'était en mesure de lui faire de l'ombre. Non, le problème venait d'une autre teinte. Une menace qui avait l'allure d'une brune aux yeux violets.

*

Elizabeth Taylor représentait tout ce dont Marilyn rêvait : une actrice reconnue et à succès. Elle était en effet considérée comme une comédienne sérieuse, de qualité, intello parfois, statut qui fuyait Marilyn bien qu'elle ait passé des centaines d'heures à essayer d'approcher ce type de jeu en suivant les cours de l'Actors Studio. Pis, sa seule tentative pour tenter de s'extraire de son carcan de blonde pas futée s'était soldée par un échec : *The Misfists*.

Or Elizabeth Taylor poursuivait une trajectoire parfaite. L'actrice avait débuté à 9 ans et rapidement rencontré le succès. En 1943, elle jouait dans *Lassie*. Les aventures du colley, produites par MGM, fascinèrent le public américain et elle se métamorphosa en enfant-star, idole des adolescentes. Alors que d'autres gamins ne parviennent jamais à négocier le tournant de l'arrivée à l'âge adulte, elle opta pour de vrais

---

1. *The Unabridged Marilyn, op.cit.*

rôles. Et s'imposa rapidement comme l'une des actrices majeures des années 1950, cumulant dans cette décennie pas moins de trois nominations aux Oscars.

Or le meilleur restait à venir

*

En 1960, Marilyn incarna Amanda Dell, une actrice de cabaret, dans *Let's Make Love*, film de Cukor imposé par la 20th Century Fox. Or le scénario original ne tenait pas la route, et ce malgré les modifications apportées par Arthur Miller. Un naufrage. Marilyn détestait le projet mais se résolut à aller sur le tournage quand même. À cela deux raisons : les avocats de la Fox lui avaient clairement rappelé les conditions de son contrat signé en 1956 la liant pour quatre films. Et le premier rôle masculin était tenu par Yves Montand.

La sortie du film, le 8 septembre 1960, confirma le fiasco. Échec sur toute la ligne. Le public bouda l'histoire et la critique lamina la performance de l'actrice. Pour la première fois depuis son arrivée au firmament de la célébrité, la Blonde semblait avoir perdu la main. Hollywood bruissait de rumeurs annonçant sa chute imminente.

*

La même année, Elizabeth Taylor accumula les succès, publics et critiques. Si son rôle, un an plus tôt, dans *La Chatte sur un toit brûlant*, lui avait apporté une troisième nomination aux Oscars, son prochain allait lui offrir la récompense suprême, pour son interprétation de Gloria Wandrous dans *Butterfield 8*[1], tragédie adaptée d'un roman populaire des années 1930. Certes, Taylor n'apprécia guère le résultat final, mais la qualité de son jeu enflamma la presse.

------

1. *Butterfield 8* correspond à un indicatif téléphonique. Le titre français est *La Vénus au vison* http ://en.wikipedia.org/wiki/BUtterfield_8

Le 17 avril 1961, le Tout-Hollywood se rassembla au Civic Auditorium de Santa Monica, en Californie. Animée par Bob Hope, la Nuit des Oscars symbolise parfaitement ce passage de relais entre Monroe et Taylor. Alors que *Let's Make Love* échoue dans sa tentative de remporter le prix de la meilleure bande originale pour une comédie musicale, l'actrice aux yeux violets, elle, triomphe. Sous les applaudissements frénétiques de l'assistance, Elizabeth Taylor, 29 ans à peine, remporte l'Oscar de la meilleure actrice.

Enfonçant un peu plus encore Marilyn dans la dépression.

*

Bien sûr, Monroe n'ignorait pas que le succès se mesurait également à d'autres outils, dont le nombre de couvertures de magazines. Mais cette fois encore, sa rivale prenait l'ascendant. À croire même que la vie de Taylor avait été écrite par l'un des meilleurs scénaristes du métier, tant elle cumulait les atouts et les frasques pour passionner la presse.

Car si côté salles obscures tout semblait lui sourire, sur un plan personnel, son existence se teintait souvent de drames. En 1957, son mariage avec Mike Todd, producteur du *Tour du monde en 80 jours*, avait fait la une. Un peu plus tard, ce fut la naissance difficile de sa fille qui alimenta les couvertures, l'accouchement s'étant mal déroulé et Elizabeth Taylor ayant manqué mourir. Quelque temps plus tard, Todd se tuait dans un accident d'avion. Nouvelles manchettes. Mais la veuve se vit bientôt consolée par le très populaire Eddie Fisher. De quoi remplir des colonnes. Comme le comédien et chanteur étaient mariés chacun de leur côté, la polémique enfla, transformant Taylor en briseuse de ménage. Une mine d'or pour la presse tabloïd à peine balbutiante.

Le plus croustillant restait à venir : Fisher divorça pour épouser Taylor en 1959. Et un an plus tard débuta l'aventure *Cléopâtre*. Avec une première partie de tournage en Angleterre durant laquelle, à cause de mauvaises conditions météorologiques, l'actrice contracta une pneumonie sévère, se retrouvant entre la vie et la mort et ne devant son salut qu'à une trachéotomie pratiquée d'urgence. Une agonie et six mois de convalescence qui redorèrent son blason.

En 1962, alors que Marilyn tentait d'organiser son retour au premier plan, Elizabeth Taylor continuait à monopoliser l'attention. De Rome, où se poursuivait le tournage du film de Joseph Mankiewicz, montait la rumeur de sa liaison sulfureuse, mâtinée d'alcool, de sexe et de violence, avec son partenaire Richard Burton. Une aventure adultérine étayée par les paparazzi italiens et officiellement condamnée par le pape !

*

Les récompenses et les médias boudant Marilyn, il lui restait un dernier atout. Le seul peut-être qui comptât réellement dans cette machine à fric qu'est Hollywood. Un respect couleur dollar.

Depuis plus de dix ans, Monroe était la « gagneuse » de la 20th Century Fox. Ses films coûtaient peu et rapportaient beaucoup. De New York à Paris, de Berlin à Londres. Alors, s'il y avait une bataille que Taylor devait perdre, c'était celle de l'argent.

17. Rabais

La blague était cruelle.

Et c'est pour cela qu'elle avait si rapidement fait le tour de la profession.

Elle commençait par une question : « À quoi reconnaît-on une star au rabais ? »

La réponse visait directement Marilyn : « Il s'agit d'une fausse blonde à forte poitrine. »

La blague était cruelle.

Mais la réalité pire.

*

Lorsqu'en 1960 la 20th Century Fox avait entamé la production de *Cléopâtre*, elle poursuivait un seul objectif : créer le film le plus spectaculaire de l'histoire du cinéma.

L'intention était tellement affichée que les services de relations publiques de la Fox diffusèrent des publicités avant même le début du tournage. À l'image de la vie de la reine d'Égypte, *Cléopâtre* se devait d'être épique. Fox débloqua donc un budget conséquent et, pour assurer le rôle-titre, s'offrit l'actrice la plus populaire du moment. Délaissant les comédiennes déjà sous contrat, parmi lesquelles figurait Marilyn Monroe, les démiurges du studio se tournèrent donc vers Elizabeth Taylor.

*

Il faut ouvrir une parenthèse ici tant, aujourd'hui, l'idée d'imaginer Monroe incarnant Cléopâtre peut paraître saugrenue. Or l'attirance de l'actrice pour le drame historique en général, et le péplum en particulier, remontait à 1954. Ainsi, un an auparavant, Marilyn avait obtenu un triomphe dans *How to Marry a Millionaire*, suivi d'un flot de lettres d'admirateurs enthousiastes l'aidant à convaincre la Fox de lui proposer des rôles plus intéressants. Elle rêvait ainsi de celui de la princesse Néfertiti pour *The Egyptian*, adaptation épique d'un roman à fort tirage, où elle aurait aimé partager l'affiche avec son ami Marlon Brando. Déterminée à décrocher cet engagement, elle avait été jusqu'à enregistrer un bout d'essai pour le réalisateur Michael Curtiz, vêtue d'une toge et portant une perruque brune. Hélas, *in fine*, Darryl Zanuck, à qui Marilyn avait été imposée, avait mis son veto.

Aussi, quand en 1959 une première version du scénario de *Cléopâtre* circula à Hollywood, Monroe, par l'intermédiaire de son agent, clama immédiatement son intérêt. D'après certains biographes, elle poussa même sa candidature jusqu'à effectuer un essai en costume d'époque.

L'histoire pourrait s'arrêter ici, la 20th Century Fox préférant miser sur un physique plus adapté au personnage, celui d'Elizabeth Taylor. Mais elle connut un ultime rebondissement quand l'actrice choisie tomba sérieusement malade durant le tournage londonien. La gravité de son état de santé ayant entraîné beaucoup de retard, quand elle put reprendre son rôle, le film avait changé de réalisateur et d'acteurs principaux, obligeant la Fox à détruire les bobines existantes. Cette période d'atermoiements, qui dépassa six mois, coûtait fort cher au studio et à sa compagnie d'assurance, la Lloyds de Londres. Voulant coûte que coûte stopper l'hémorragie financière, la Lloyds ordonna une réunion d'urgence à Los Angeles pour aboutir à une solution de remplacement. Or elle voulait, idée rejetée immédiatement par la Fox, Marilyn Monroe !

*

Certes, Elizabeth Taylor était une grande actrice. Et les premiers essais filmés le confirmaient. À tel point que la 20th Century Fox était persuadée de tenir un futur triomphe, que *Cléopâtre* allait tout rafler et s'inscrire au panthéon du septième art. Dès lors, quitte à risquer la santé financière du studio, *Cléopâtre* devait recevoir tous les égards. Au point d'accepter les moindres exigences de Miss Taylor.

Si Liz ne manquait pas de talent, elle était aussi une redoutable femme d'affaires. Qui, conseillée par l'agent chevronné Kurt Frings, plaça la barre de ses caprices à des sommets jamais atteints.

Son salaire ? Un million de dollars, record de l'époque [1]. Un pactole. Insuffisant, puisque pour se glisser dans le fourreau de Cléopâtre, elle exigeait en bonus 10 % des recettes brutes. En somme, la Fox se retrouvait contrainte de lui verser un dixième de chaque dollar engrangé avant même que le studio ait commencé à rentrer dans ses frais ! Une requête inédite, mais Taylor avait réponse à tout. Alors que certains dirigeants du studio s'interrogeaient sur la faisabilité du projet, elle expliquait, flattant leur ego : « Pourquoi parler de misérables dollars et cents, alors que nous allons faire le plus grand film de l'histoire du cinéma [2] ? »

La litanie de ses désirs ne s'arrête toutefois pas là. Toujours usant de cet esprit de grandeur, la star avait en outre exigé que *Cléopâtre* soit tourné en Todd-Ao. Une technique exigeant des caméras spéciales puisque nécessitant du 70 mm pour obtenir une image de meilleure définition au format large. La Fox détenait les droits d'utilisation du Cinémascope, procédé quasiment identique, mais Liz avait fait du Todd-Ao la condition *sine qua non* de sa participation. Était-ce parce que le

---

1. Soit sept fois plus, si on le compare au taux courant.
2. In *Marilyn, The Last Take*, Peter Harry Brown et Patte B. Barham, Dutton, 1992.

Todd-Ao avait été co-inventé par le regretté... Mike Todd et que, veuve, l'actrice détenait une part importante de la société l'exploitant ? Quoi qu'il en soit, la 20th Century Fox obtempéra et accepta le système concurrent de son propre brevet Cinémascope. Et dix millions de dollars supplémentaires tombèrent dans les caisses de la compagnie dont la star brune était actionnaire.

La facture allait-elle s'alourdir encore ? Oui. À Rome, Taylor exigea qu'une Rolls Royce Silver Cloud avec chauffeur soit mise à sa disposition. Par sécurité, craignant la panne autant que le refus de la star d'user d'un autre véhicule, la Fox avait prévu une seconde limousine. Or les trajets de la vedette se résumaient au parcours studios de Cinecitta-Villa Papa, lieu où elle résidait. Une luxueuse bâtisse de quatorze pièces, décorée comme un palais, où se pressait une armée de serviteurs. En plus des cuisiniers et majordomes, la Fox prenait en charge le salaire d'un médecin, d'un masseur-kinésithérapeute, de deux assistantes, d'une habilleuse, d'une maquilleuse et d'une coiffeuse. Une troupe à l'usage exclusif d'Elizabeth Taylor. Même Eddie Fisher, le mari de l'actrice, touchait 1 500 dollars hebdomadaires pour tenir compagnie à son épouse.

En mai 1962, une nouvelle clause contractuelle rendit Taylor plus riche. Le calendrier de tournage ayant été dépassé, se mit en action la disposition lui accordant 10 000 dollars supplémentaires... par jour. Sans ce bonus, elle refusait de travailler.

Toute cette débauche de dépenses était d'autant plus incongrue, voire ahurissante, que la santé du studio n'était pas florissante. « Elizabeth Taylor connaissait parfaitement les difficultés financières de la 20th Century Fox [1] », affirme du reste Brad Geagley, historien du cinéma qui a passé cinq ans à enquêter sur les conditions de tournage de *Cléopâtre*. Ce travail, par lequel il a eu accès à une partie des archives du

---

1. In *Marilyn, The Last Take, op cit*

studio américain, lui a permis de découvrir comment des dizaines de millions de dollars ont été gaspillées. Ainsi que de voir comment sa rivalité avec Marilyn Monroe excitait les désirs d'Elizabeth Taylor. « Dès que le tournage du nouveau film de Marilyn débuta, écrit-il, Elizabeth Taylor commença à douter de la faculté de la Fox à la payer. Elle insistait alors pour recevoir ses dix mille dollars en début de journée ou cinquante mille dollars en début de semaine. Et c'est uniquement après avoir vérifié que la somme se trouvait bien sur son compte bancaire qu'elle acceptait de se rendre sur le plateau de tournage [1]. »

*

S'il ne fallait pourtant retenir qu'un chiffre de l'avalanche de billets verts déversée dans ce gouffre égyptien, ce serait... le prochain. Celui consacré à l'enveloppe des « faux frais » que Taylor toucha pendant le tournage de *Cléopâtre*. Un montant dont on se demande encore à quoi il correspondait, puisque son train de vie luxueux était déjà entièrement à la charge de la 20th Century Fox.

Quoi qu'il en soit, cette somme est capitale parce qu'elle renvoie directement à Marilyn. Elizabeth Taylor recevait 228 000 dollars, en plus de son contrat de millionnaire, pour « compenser ses frais » !

228 000 dollars... Soit le double du salaire que la Fox venait d'offrir à Monroe pour tourner un nouveau film en ce début 1962.

Pas de doute, la blague traînant dans les coulisses d'Hollywood était cruelle. Car elle reflétait tragiquement la réalité : la fausse blonde à la poitrine généreuse était désormais une star au rabais.

---

1. *Ibid.*

18. Désastre

Marilyn fulminait. Les mains expertes de Ralph Roberts, masseur devenu son plus proche confident, ne parvenaient pas à apaiser son courroux. Et comme souvent ces derniers temps, elle en voulait à Elizabeth Taylor et, plus encore, à la 20th Century Fox. Depuis dix ans, Monroe était la valeur sûre du studio, sa poule aux œufs d'or même, puisqu'un contrat à long terme garantissait sa fidélité, mais les dirigeants de la firme paraissaient prendre un malin plaisir à l'humilier : « Ils font appel à Elizabeth pour le plus grand film qu'ils aient jamais produit, et moi, ils me réservent ce futur désastre [1] ! », tempêtait la Blonde. Le désastre en question, son trentième long-métrage, s'appelait *Something's Got to Give* [2]. Et la lecture, aujourd'hui, du scénario – effectivement inepte – atteste au moins d'une chose : la colère n'avait pas aveuglé la star.

*

Something's Got to Give, remake d'un film quelconque réalisé en 1940 avec Gary Grant et Irene Dunne, n'était qu'une comédie désuète. Sans originalité, sans personnalité ni

1. *Ibid.*
2. Généralement traduit par Quelque chose doit craquer. http://fr.wikipedia.org/wiki/Something's_Got_to_Give

modernité, sans envergure. Le personnage de Marilyn n'affichait aucune audace : elle incarnerait une Blonde disputant à une Brune, ici Cyd Charisse, les faveurs d'une tête d'affiche masculine appelée Dean Martin. Seul soupçon d'inattendu, Marilyn jouait Ellen, mère de famille que l'on croyait décédée dans un accident d'avion et qui, cinq ans plus tard, réapparaît et découvre son mari, officiellement divorcé, vivant avec une autre femme. La suite ? Là résidait le cœur du problème. La Fox, programmant d'emblée une sortie en salles pour Noël 1962, avait décidé la date de début de tournage alors même que le scénario bancal était encore inachevé. Mais, *business* oblige, la machine avait déjà démarré. Et, malgré sa fureur et son refus de se commettre dans cette pantalonnade inaboutie, l'actrice ne pouvait se dérober. Si elle pouvait choisir le réalisateur et l'acteur lui faisant face, son contrat ne lui accordait aucun droit de regard sur le script.

Pour Monroe, l'humiliation était donc complète. Payée en dessous de sa valeur, elle devait désormais se soumettre aux injonctions des avocats de la 20th Century Fox et assumer un film dont tout le monde ignorait la fin ! Une fois encore il lui fallait repousser son rêve, de plus en plus compromis, de se glisser un jour dans la peau d'une actrice sérieuse.

19. Enfer

Le tournage de *Something's Got to Give* débuta le 23 avril 1962. Et, pour les tenants du suicide, il conduit inexorablement, par les péripéties qui l'ont émaillé, à la tragédie de la nuit du 4 août. Car, dans le casting et l'équipe cohabitaient de multiples personnes dont les relations étaient sources de conflits.

*

À commencer par l'homme se tenant derrière la caméra, George Cukor.

Marilyn et lui avaient déjà travaillé ensemble sur *Let's Make Love*. Or le réalisateur, excédé par les retards de la star et la présence étouffante de son coach artistique, Paula Strasberg[1], s'était juré de ne plus s'y laisser prendre. Mais voilà, son nom figurait sur la liste des dix metteurs en scène que Marilyn avait communiquée à la Fox. Pour être exact, Monroe ne souhaitait plus tourner sous la direction de cet homme dont elle n'appréciait ni la misogynie ni les accès de colère, mais son agent et son avocat avaient oublié de remettre à jour le document soumis avant la douloureuse aventure de *Let's Make Love* !

---

1. L'épouse de Lee, le créateur de l'Actors Studio, endossait le rôle de coach de Marilyn sur chacun de ses tournages. Et, ignorant l'avis du réalisateur, l'actrice se fiait uniquement aux remarques de son professeur de comédie.

*

À la tête de la 20th Century Fox, on n'ignorait pas leur antagonisme. Mais, englué dans une situation financière de plus en plus critique à cause de la prolongation du tournage de *Cléopâtre*, le studio avait opté pour la facilité. Marilyn Monroe, contrainte par un contrat signé en 1956, devait assurer un rôle minablement rémunéré. Et, côté réalisation, Cukor aussi, se trouvait dans la même situation.

Deux stars à prix sacrifié, un film dont l'action n'exigeait ni coûteux décors ni plans en extérieur, pour un studio en crise, *Something's Got to Give* résonnait comme une aubaine. Certes. Mais George Cukor vit les choses autrement : la Fox pouvait bien l'obliger à réaliser un navet avec une actrice qu'il détestait, mais personne ne parviendrait à lui interdire de transformer l'épreuve en enfer !

20. Orage

Nunnally Johnson connaissait Marilyn depuis 1953. Et les relations entre l'actrice et le scénariste – dont l'un des faits d'armes était l'adaptation du roman de John Steinbeck, *Les Raisins de la colère* – avaient toujours été chaotiques. Mais si Johnson montrait peu de patience pour les caprices de la star, au fil des ans, il avait appris à la gérer, convaincu que, entourée de bonnes conditions, elle garantissait le succès de n'importe quel projet.

Marilyn, elle, possédait un don indéniable : savoir s'adjoindre des collaborateurs talentueux. Et connaître les règles de son métier : un triomphe au box-office débutait par une solide histoire et des dialogues tracés au cordeau. Précisément les qualités de Nunnally Johnson.

*

C'est donc naturellement que, effarée par la pauvreté du scénario, Marilyn demanda à Johnson de le réécrire. Le scénariste, qui résidait à Londres, vint à Los Angeles pour l'occasion. Et multiplia les séances de travail avec la Blonde, celle-ci étant consciente que son retour au grand écran dans un genre qui l'avait vue triompher devait être à la hauteur des attentes du public.

Ces échanges furent aussi propices à certaines confessions de la star. Laquelle, à quelques jours du début du tournage, paniquait à la perspective de retrouver George Cukor. « Nunnally, je suis terrifiée comme jamais de devoir travailler à nouveau avec lui, expliquait-elle. Tu n'as aucune idée de ce qu'il m'a fait vivre sur *Let's Make Love*. Il m'a traitée de la pire des manières [1]. » En se souvenant de cette période, Marilyn, en pleurs, tremblait.

Si, afin de sauver les apparences, Nunnally tenta à maintes reprises de la réconforter, en réalité, il craignait le pire. D'abord, parce que la star ne lui avait jamais paru aussi fragile. Ensuite, parce que lui-même était hanté par le souvenir d'un déjeuner, survenu quelques jours plus tôt, avec Cukor. Où ce dernier, à plusieurs reprises, avait assené : « J'en suis au point où, désormais, je déteste Marilyn Monroe. Elle n'est qu'une star capricieuse et chouchoutée. Elle représente tout ce qui fonctionne mal à Hollywood de nos jours [2]. »

Plus que par la violence des critiques, Nunnally Johnson avait été ébranlé par le ton de Cukor. Le metteur en scène s'était exprimé avec une rage que le scénariste ne lui connaissait pas.

*

L'orage était donc imminent. Et Nunnally Johnson possédait trop d'expérience pour ne pas anticiper la suite. Un studio aux abois, un film sans scénario, une star fragilisée et un réalisateur sur le pied de guerre, le cocktail serait explosif, voire fatal.

Aussi, avant de repartir en Grande-Bretagne, le scénariste abattit une dernière carte : s'adresser directement aux dirigeants de la 20th Century Fox pour tenter de les amener à la raison. Avec une démonstration d'une logique imparable : le nom de Cukor ne vendait aucun ticket d'entrée, c'était Marilyn

---

1. *In Marilyn, The Last Take, op. cit.*
2. *Ibid..*

Monroe qui déplaçait les foules. Il suffisait donc, avant qu'il ne soit trop tard, de se séparer du réalisateur pour apaiser la star et la placer dans les meilleures conditions d'expression de son talent.

La cohérence de ce raisonnement ne faisait aucun doute. Même aux yeux de la Fox. Mais, étouffé par son rêve égyptien, le studio n'avait aucune autre porte de sortie. Après tout, elle s'y ferait. Et une seule vérité importait : celle des chiffres. Accumulés, les salaires versés à Cukor et Monroe ne couvrant même pas le quart de celui d'Elizabeth Taylor, pourquoi se priver ?

*

Nunnally Johnson avait échoué.
Sur Hollywood, le ciel ne lui avait jamais paru aussi sombre.
Un éclair venait de lacérer l'horizon.
Désormais, les jours de Marilyn étaient comptés.

21. Anniversaire

Nous étions le 1er juin 1962, Marilyn fêtait ses 36 ans dans l'intimité. Le contraste entre la simplicité de la scène et ses souvenirs du Madison Square Garden était troublant. Là, quelques jours plus tôt, le temps d'une rengaine, Marilyn était redevenue la princesse de l'Amérique.

*

Le 19 mai, le Parti démocrate célébrait le quarante-cinquième anniversaire de John F. Kennedy. Une cérémonie prétexte à collecter des fonds pour les campagnes électorales à venir, avec un siège facturé mille dollars. Mais peu importe, l'instant devait être historique.

Et, vu de la scène, le parterre avait de quoi impressionner.

Au premier rang, JFK et sa garde rapprochée. Derrière, en tenue de gala et venus de tout le pays, dix-sept mille supporters, le sourire aux lèvres. Certains, mieux placés que d'autres, avaient remarqué l'absence de Jackie, la première dame du pays, mais qu'importe... Le spectacle n'était pas dans la salle. Il était là-haut, sous les lumières.

Avec la profusion de célébrités, d'actrices et d'acteurs présents. Aucun candidat avant lui n'avait autant mobilisé les stars américaines. Il est vrai que la jeunesse de « Jack » et son apparente accessibilité tranchaient avec les pontes ennuyeux et passéistes du Parti républicain. Alors qu'il était devenu président, l'état de grâce perdurait. Hollywood aimait plus que jamais l'hôte de la Maison Blanche. N'allait-on pas plus loin en disant qu'Hollywood en était la nouvelle succursale ?

Les célébrités, d'Henry Fonda à Harry Belafonte en passant par Maria Callas et Ella Fitzgerald, s'étaient déplacées en masse. Mais c'était Marilyn qui occupait les esprits. L'actrice serait la dernière à venir sur la scène où elle allait chanter une version remaniée de *Happy Birthday* au Président.

Les couloirs du Madison Square Garden bruissaient de rumeurs directement issues du plateau de *Something's Got to Give*. À les entendre, Marilyn serait devenue l'ombre d'elle-même, près de sombrer dans la folie. Sans parler de ses désormais innombrables et légendaires retards. On évoque même de pleines journées d'absence. Le ragot est récurrent et il fait souche.

La preuve, sur scène, Peter Lawford, en parfait maître de cérémonie, se sert de ce travers comme fil rouge humoristique. Plusieurs fois, il a annoncé son entrée dans la lumière avant d'inventer une excuse farfelue pour justifier cet énième retard.

*

Le gala touchait à sa fin.

Une fois encore le beau-frère du président amusait la galerie en annonçant l'arrivée imminente de Marilyn. Les éclats de rires continuaient à jaillir. Et puis, soudain, alors que son monologue s'éternisait, un murmure collectif monta de l'assistance. Comme si les travées de la salle de gala avaient été foudroyées par une décharge électrique.

Lawford suspendit sa phrase et, instinctivement, se tourna vers sa gauche, regardant l'entrée des artistes. Il se figea, la bouche entrouverte.

Comme dans un rêve, elle venait d'apparaître.

*

Marilyn Monroe irradiait dans la lumière.

D'abord abasourdi, le public du Madison se réveilla et lui offrit un triomphe.

Au premier rang, JFK se pencha sur sa droite et s'adressant à l'écrivain Gene Schoor, laissa échapper, plein d'admiration : « Quel cul, Gene... Putain, mais quel cul[1] ! »

Mais la croupe de Monroe ne fut pas le seul élément à attiser la fascination présidentielle.

« Jésus-Christ, mais tu as vu cette robe[2] ! ? », ajouta le chef de l'État.

Et pour cause, la tenue avait coûté douze mille dollars. Pour quelques centaines de grammes de tissu transparent et une constellation de brillants[3]. Une œuvre commandée au couturier Jean-Louis, un modèle unique destiné au gala de New York que Marilyn voulait capable d'accrocher les projecteurs et de renvoyer leurs scintillements. Le styliste, proche de la star, avait si bien perçu que Monroe souhaitait prouver à tous qu'à 36 ans, elle restait la femme la plus *sexy* de la planète, qu'il s'était surpassé. Et, là, sur la scène du Madison Square Garden, personne ne pourrait avoir l'outrecuidance d'accorder ce titre à une autre.

*

Marilyn s'approcha du pupitre où Lawford l'attendait. Avant de lui confier le micro, il eut un dernier trait d'humour : « Monsieur le Président, voici la retardataire, Marilyn Monroe... »

---

1. *Marilyn, The Last Take, op. cit.*
2. *Ibid.*
3. En octobre 1999, la société Christie's, à New York, vendit la robe aux enchères pour le prix record de 1,2 millions de dollars.

D'une démarche mal assurée – la star n'était pas saoule, mais l'étoffe épousait tellement ses formes généreuses comme une seconde peau qu'elle l'embarrassait. Elle s'avança. Les flashes ne cessaient de crépiter. La Blonde fit alors un léger signe de la tête en direction de l'orchestre et se lança. *A cappella.*

*

Depuis deux jours à New York, Marilyn avait répété son intervention. L'idée de départ ? Lui faire interpréter une version modifiée de *Happy Birthday*, évoquant les actes politiques de JFK. Le concept était amusant mais l'intuition de Marilyn lui offrit une autre dimension. Bien plus fascinante et mythique. Au grand désespoir de Richard Adler, son répétiteur, Monroe avait en effet décidé de s'inspirer de son rôle dans *Gentlemen Prefer Blondes*. Et, comme dans le film, de susurrer les paroles. Dès lors, par magie, l'ode politique se transforma en complainte érotique.

À en croire la réaction enflammée de la salle, dont les cris et applaudissements couvraient la musique, le refrain fut interprété par chacun comme une brûlante revendication de la sensualité de l'actrice.

*

Le Madison Square Garden tanguait. Armée d'une robe et d'une succession de murmures lascifs, Marilyn Monroe avait réussi l'impossible. Conquérir dix-sept mille invités, dont l'homme le plus puissant de la planète.

Certes, elle approchait 36 ans et n'avait plus la fraîcheur d'une jeune première. Certes, le Tout-Hollywood raillait ses absences, ses trous de mémoire et son salaire de star au rabais.

Mais tout cela ne comptait plus.

TROISIÈME PARTIE

Détruire

22. Absence

Le refus sec de George Cukor n'avait pu échapper à Marilyn. Surtout en cette journée particulière. Une humiliation supplémentaire à endurer. Elle n'en pouvait plus.

Qu'avait osé le réalisateur irascible ? Interdire à Pat Newcomb l'accès au tournage. Or la jeune femme n'était pas seulement l'attachée de presse de Monroe. Au fil des jours, des joies et des peines, des crises de larmes et des éclats de rire aussi, elle était devenue une de ses rares amies. Et, alors que l'heure de la pause déjeuner approchait, elle s'était glissée sur le plateau, quelques bouteilles de champagne sous le bras, pour célébrer l'anniversaire de la star. Après quelques heures de travail, n'était-il pas temps de fêter cet événement ?

Mais voilà, Cukor, excédé par les absences répétées de la vedette principale, avait voulu lui faire ouvertement comprendre son animosité. Et il venait de mettre son veto.

Pas d'amis, pas de bulles. Marilyn devait une journée de travail au réalisateur et aucune célébration n'aurait lieu avant qu'il n'en donne la permission.

Tandis que Newcomb partait se réfugier dans la loge de l'actrice, Marilyn encaissa.

*

Ce n'était pas la première fois que le metteur en scène la contrariait en public. Mais comme à son habitude, au lieu d'affronter directement la star, il s'attaquait à son entourage.

Certes, on avait recommandé la patience à Marilyn. On lui avait expliqué que, comme elle, George avait été embarqué de force dans cette galère. On lui avait même raconté que le réalisateur suivant un régime à base de laxatifs, la cure lui portait sur les nerfs. Mais pour Monroe, la situation empirait de jour en jour.

Comme le laissait deviner le titre du film qu'ils essayaient d'achever, quelqu'un devait craquer. Coupée de la réalité, elle n'imaginait pas un instant qu'elle serait la sacrifiée.

*

Pat Newcomb balaya du regard la loge de Monroe.

À en juger par la profusion de fleurs fraîches, Robert Wagner, Jack Lemmon et Marlon Brando s'étaient souvenus de l'anniversaire.

Frank Sinatra avait fait parvenir un copieux panier que la star n'avait pas encore eu le temps d'explorer. Dans un coin, trônait un sac rempli de télégrammes de vœux expédiés par la profession. Dans un autre, une caisse de bouteilles de champagne offerte par Pat Lawford Kennedy, la sœur de John et Bobby.

Pat Newcomb acheva son tour d'horizon mais ne put s'empêcher d'être préoccupée. Comme elle le racontera plus tard, l'attachée de presse fut brusquement saisie d'un étrange sentiment. Né au creux de son ventre, il gagnait maintenant tout son être.

Et, brusquement, la vérité la jeta sur un siège, anéantie.

Ce qui comptait, ce n'était pas ce que Marilyn venait de recevoir. Ni le nom ou le pedigree de ceux qui avaient pensé à elle. Non, en ce 1er juin 1962, le diable ne se cachait pas dans les détails.

Absence

Marilyn avait 36 ans. Et Pat Newcomb venait de réaliser que l'essentiel résidait dans ce qui manquait. Parce qu'une absence en dit souvent bien plus que n'importe quel discours.

23. Dernière

« Même pour son anniversaire, ils l'ont traitée comme une sale gamine[1]. » Bien plus tard, Joan Greenson, la fille du psychiatre de Marilyn, se souvenait encore avec colère de ce 1er juin 1962. « Leur idée était d'agir comme on le fait avec une enfant désobéissante. De la punir. C'était comme s'ils disaient : "Nous allons être aussi méchants que possible[2]". »

En vérité, George Cukor n'était pas le seul à mener une vendetta contre Marilyn. Certes, il n'avait offert aucun cadeau à sa vedette capricieuse, mais les pontes du studio non plus. Et, dans ses critiques acerbes, Joan Greenson visait directement les dirigeants de la 20th Century Fox.

*

Si Marilyn pouvait sembler sur le déclin, il était impensable de ne pas continuer à la considérer comme l'une des plus importantes stars du moment. Surtout après l'épisode du Madison Square Garden, l'anniversaire de JFK l'ayant remise à la une des médias. Deux semaines après, son interprétation incandescente de *Happy Birthday* et les transparences éclatantes de sa tenue continuaient à défrayer la chronique. Logiquement,

---

1. *Marilyn, The Last Take, op. cit.*
2. *Ibid.*

l'équipe de *Something's Got to Give* s'attendait donc à une manifestation spéciale en cette journée d'anniversaire.

De fait, la tradition remontait à l'avant Seconde Guerre mondiale. Et, depuis, les studios fêtaient leurs stars avec faste. La presse était convoquée, les dirigeants préparaient de beaux discours, les cadeaux affluaient et la vedette, radieuse, semblait ravie. Au fil des années, la Fox avait même donné à ce cérémonial un parfum de compétition. Tout anniversaire était désormais l'occasion de prouver à la concurrence la grandeur du studio. Ainsi, alors que la MGM se « contentait » de buffets apportés par les meilleurs traiteurs de Los Angeles et de pièces montées géantes généreusement arrosées de champagnes millésimés, le studio de Marilyn était réputé pour ses innovations. Les médias n'avaient-ils pas rapporté que, pour l'anniversaire de la patineuse et star éphémère Sonja Henie, la Fox avait glissé un bracelet en diamants dans une sculpture de glace [1] ? Ou que la jeune Shirley Temple avait eu droit à une maison en pain d'épices grandeur nature ?

La crise des liquidités dans laquelle se débattait la société expliquait-elle une nouvelle pingrerie ? Même pas, puisque ce genre de dépenses n'appartenait en rien au passé. Le 27 février précédent, à Rome, l'anniversaire d'Elizabeth Taylor avait offert l'occasion au studio de prouver au monde qu'il savait fêter ses stars. On avait en effet interrompu le tournage de *Cléopâtre*, pourtant bien en retard, par l'arrivée, sur chaise à porteurs et en musique, d'un gâteau géant déclinant le thème du film. Ce ne fut qu'un début, car l'équipe fut invitée à l'*Osterria del Orso*, le plus prestigieux restaurant de la capitale italienne, où le salon Borgia avait été réservé. Là, une table recouverte d'orchidées mauves – la teinte des yeux de Taylor –, croulait sous les cadeaux envoyés par les dirigeants du studio. Croyant à la prétendue passion de la reine d'Égypte pour l'or, les cadres de la 20th Century Fox avaient multiplié les offrandes en métal jaune à leur nouvelle déesse !

---

1. *Marilyn, The Last Take, op. cit.*

*

Mais voilà, le 1ᵉʳ juin 1962, rien de tout cela. Le déjeuner approchait et, de son côté, Evelyn Moriarity venait de comprendre à son tour. Doublure lumière de Marilyn Monroe depuis le tournage des *Misfists*, elle avait passé la matinée à faire le tour des coulisses, interrogeant chaque employé de la Fox croisé sur ce qui était prévu. Recueillant des réponses identiques. Cukor souhaitait travailler jusqu'à dix-huit heures, échéance syndicale de la fin de journée, et la 20th Century Fox n'avait rien organisé pour célébrer l'anniversaire de Marilyn.

*

Sur le cliché, Marilyn sourit. À sa gauche se tient Henry Weinstein, le jeune producteur exécutif du film. Et, en gants blancs et manteau assorti, Eunice Murray, sa dame de compagnie.

Quelques semaines après l'anniversaire de la star, Eunice avait envoyé des tirages de l'image à ses proches. Des photographies que, presque quatre décennies plus tard, David Stanowski, petit-neveu de Murray aujourd'hui installé à Galveston, Texas, avait retrouvées dans des affaires de famille.

L'image était instructive dans la mesure où elle confirmait ce que Evelyn Moriarity, Eunice Murray, Pat Newcomb, Joan Greenson et d'autres avaient raconté. On y découvrait une Marilyn n'ayant pas eu le temps de se glisser dans ses vêtements de ville, portant toujours le costume de son personnage, à cause de l'achèvement d'une scène centrale en compagnie de Dean Martin et Wally Cox. Ainsi que, sur une table montée à la va-vite, sans décoration ni verres en cristal, un gâteau.

Une pâtisserie sans la moindre extravagance. Et pour cause, la Fox n'y était pour rien. C'est, dans l'urgence, Evelyn

Moriarity qui avait collecté quelques dollars auprès des membres de l'équipe et s'était précipitée au Los Angeles Farmers'Market proche. La doublure lumière avait toutefois réussi à convaincre un artiste du studio de personnaliser le gâteau. Quelques jours plus tôt, Marilyn avait défrayé la chronique en tournant sa première scène de nu intégral ; le scénario avait prévu un bain de minuit, mais Marilyn s'était rapidement débarrassée du maillot couleur peau chargé de dissimuler ses formes. La séquence avait été photographiée et les clichés, en couverture des plus grands magazines, faisaient déjà le tour du monde. La pâtisserie arborait donc un dessin de Marilyn en bikini.

Moriarity était également parvenue à réunir sur une carte de vœux les signatures de l'ensemble de l'équipe. Sans surprise, celle de George Cukor manquait à l'appel.

Un dessert à cinq dollars, une carte signée par les techniciens de *Something's Got to Give* et... rien de plus. Ah si. La cafétéria de la 20th Century Fox avait quand même contribué à l'anniversaire de la star. En fournissant quelques litres de café noir. Et encore ne s'agissait-il pas d'un don puisque, quelques semaines après le décès de Monroe, Inez Melson, l'exécutrice testamentaire de la star, reçut, sur papier à en-tête, une facture de la Fox relative au café servi le 1ᵉʳ juin 1962.

*

Aucune de ces mesquineries, aussi pathétiques que pitoyables, n'avait échappé à Pat Newcomb.

Mais plus que l'absence de festivités organisées par le studio, c'est celle des *big boss* de la Fox qui la choqua le plus. Refuser de célébrer l'anniversaire de la star maison était une chose. Mais ne pas envoyer un de ses dirigeants prononcer un discours de félicitations se révélait plus grave.

Pis encore. Après avoir vérifié par deux fois, elle n'avait plus aucun doute. Dans l'amoncellement de bouquets, cadeaux, cartes et télégrammes, rien n'émanait de la 20th Century Fox.

Exactement comme si le studio avait décidé de boycotter Marilyn Monroe.

*

Les bougies venaient d'être soufflées. Selon son habitude, l'actrice avait pris le temps de remercier l'ensemble de l'équipe pour ce pot improvisé.

Marilyn venait donc d'avoir 36 ans. Mais sa journée était loin d'être terminée. Il lui fallait maintenant se rendre au stade de base-ball des Dodgers, pour assister à un match caritatif en faveur de la Muscular Dystrophy Association, dont elle était la marraine. On avait annoncé sa venue depuis longtemps et les billets d'entrée s'étaient vendus en un temps record. Surtout, Monroe avait promis au fils de Dean Martin de lui présenter les plus grands joueurs du moment.

Marilyn venait d'avoir 36 ans.

Et alors qu'elle s'engouffrait dans sa limousine, ses pensées devaient naviguer entre la joie de retrouver Joe Di Maggio et le soulagement d'avoir tenu une journée de plus dans un enfer cinématographique. Finalement, *Something's Got to Give* ne prenait-il pas forme ? Peut-être même, grâce à l'exceptionnelle alchimie de sa distribution, ce film ne serait-il pas aussi mauvais qu'elle le redoutait. Peut-être même serait-il celui qui marquerait son retour.

Mais après ? Ensuite, il faudrait penser à tout changer. À rompre son mariage usé avec la Fox. À trouver un vrai bon rôle. Pas forcément le plus sérieux, mais un qui rappellerait à tous son statut de star ultime.

Son avenir se trouvait là. Devant les caméras. Dans cet univers de carton-pâte qu'elle avait réussi à apprivoiser.

Marilyn avait 36 ans. Et elle venait de passer la dernière journée de sa vie sur un plateau de cinéma.

24. Guerre

Rendues humides par les embruns de l'océan Pacifique, les nuits californiennes du mois de juin avaient la réputation d'être traditionnellement fraîches. Mais en 1962, à cause d'un front froid venu du nord enveloppant Los Angeles, les températures furent plus basses que de coutume. Et, alors que Marilyn, sous les applaudissements de la foule, discutait avec des enfants installés dans des fauteuils roulants, le mercure frôla la barre des dix degrés.

Monroe resta cependant près d'une heure sur la pelouse des Dodgers, bravant la fine bruine qui s'abattait irrégulièrement sur le stade. Avec pour seule protection, une veste de tailleur empruntée aux costumes de *Something's Got to Give*.

Inévitablement, des maux de tête l'assaillirent dès son retour au 5th Helena. Peu après, elle tremblait, parcourue de frissons de fièvre. L'infection des sinus contre laquelle elle se battait depuis avril venait à nouveau de la terrasser.

Le 2 juin au matin, Eunice Murray informa la 20th Century Fox que Marilyn ne rejoindrait pas le tournage du film de Cukor. Le studio ne fut même pas surpris. Pour tout dire, ses dirigeants n'attendaient que cela. Cette énième absence de Marilyn leur procurait le prétexte idéal pour déclencher la guerre.

*

Depuis le 23 avril 1962, début des prises de vue de son trentième film, Marilyn Monroe avait raté douze journées entières de travail. Le réalisateur avait contourné la difficulté en aménageant le calendrier de *Something's Got to Give*, déplaçant les scènes de la vedette féminine pour mettre en boîte celles du reste de la distribution. Mais, ce 2 juin, il avertit la Fox qu'il ne pouvait plus continuer à jongler ainsi. Le film avait besoin de Marilyn et, sans elle, il ne servait à rien de demander aux techniciens de se présenter sur le plateau.

Au comble de l'exaspération, il n'en pouvait plus. D'un caractère pas facile, le cinéaste se plaignait aussi depuis des semaines de la piètre qualité des performances de l'actrice. Ses trous de mémoire, ses hésitations étaient évidents, le contraignant à multiplier les prises, même lorsque le texte de Monroe se résumait à une poignée de mots. Qui plus est, Cukor avait dû demander à son chef opérateur d'éviter les plans rapprochés sur le visage de la star, tant ses yeux sans vie et sa peau portant les traces de son excessive consommation d'alcool et de tranquillisants se remarquaient.

*

Afin de sauver son film, la 20th Century Fox devait donc remplacer Marilyn par une autre actrice.

Une qui respecterait son contrat, qui adhérerait aux désirs du studio et accepterait les desiderata du réalisateur.

Délicate, la manœuvre comportait des risques. Celui de devoir affronter l'incompréhension du public fan de Monroe. Celui, plus grave, encore, de la voir rejoindre la concurrence et, qui sait, renaître de ses cendres.

Renvoyer la Blonde ne suffisait donc pas. Le studio se devait de détruire Marilyn Monroe.

25. Créature

La manœuvre ne manquerait pas de logique. Puisqu'à l'aube des années cinquante, une cohorte de publicitaires avaient transformé la boulotte Norma Jean Baker en désirable Marilyn Monroe, un groupe composé des meilleurs d'entre eux recevrait de la 20th Century Fox la mission d'anéantir sa propre créature devenue ingérable.

*

En 1962, la Fox possédait l'une des plus redoutables machines de communication du pays. Une vingtaine de salariés installés à New York et autant en poste à Los Angeles garantissaient la promotion des films sur l'ensemble du territoire, ainsi que vers l'Asie et l'Europe.

Quelques jours avant la fin mai, soit avant la maladie liée à la présence de Marilyn au match des Dodgers, le bureau californien avait reçu une requête inaccoutumée de l'exécutif de la Fox : alimenter la presse d'anecdotes présentant Monroe sous un jour défavorable.

Avec, comme première munition à utiliser, comme venin initial à distiller, ses difficultés pour prononcer de manière exacte la plus banale des répliques. L'opération destructrice débuta sous les meilleurs auspices puisque le ragot des multiples prises arriva jusqu'au plateau de *Cléopâtre* à Rome [1]. Pour le plus grand plaisir de sa rivale brune, évidemment.

L'influente Louella Parsons y fut pour beaucoup. Sa rubrique du *Herald Examiner* étant très lue, le lendemain de la scène du « nu », elle reçut un appel officiel mais anonyme du studio, expliquant : « Marilyn était tellement droguée qu'elle n'avait aucune idée d'où elle se trouvait. C'est pour cela qu'elle s'est déshabillée [2]. » Et quand un reporter contacta le studio pour savoir si la vedette allait bientôt guérir, un attaché de presse, l'air complice, lui rétorqua : « Mais guérir de quoi ? »

Son incapacité à travailler correctement, sa propension à inventer des maladies imaginaires, sa consommation de diverses drogues, la machine à tuer usa de tout pour la broyer aux yeux du public. Et, pour la première fois, donnée laissant présager la violence de la bataille à venir, le studio émit sournoisement des doutes sur sa santé mentale. Sous le sceau de la confidence, des « sources » bien placées à la Fox osèrent parler de semi-folie. En prétendant que Marilyn restait de longues heures, nue et prostrée, devant le miroir de sa loge !

Mais tout cela n'était qu'une mise en bouche.

*

Le 6 juin 1962, moins de deux mois avant le décès de l'actrice, le studio déclenchait son offensive. Avec, à la manœuvre, Harry Brand et Perry Lieber qui avaient reçu carte blanche de la direction.

Lieber n'était pas un débutant. Réputé pour sa rudesse et ses méthodes expéditives, il avait déjà manqué de briser la carrière de Monroe. C'était en 1952 et Marilyn, nouvelle recrue de la 20th Century Fox, était la sensation du moment. Lieber officiait chez RKO, une production concurrente. Or

1. *Marilyn, The Last Take, op. cit.*
2. *Ibid.*

avant de signer avec Fox, Marilyn avait participé à un film produit par ce studio. Un rôle minime, mais Lieber était décidé à capitaliser son fulgurant succès. Convaincu que le scandale était la meilleure des publicités, il avait en effet révélé à la presse qu'en 1949, la starlette avait posé intégralement nue pour un calendrier. En omettant de préciser que les 20 dollars reçus en salaire lui avaient permis de régler ses retards de loyers et d'éviter une expulsion. Une vérité qui, au final, épargna à la débutante les foudres de l'Amérique puritaine. Mais le couperet n'était pas passé loin.

Confier au même Lieber les pleins pouvoirs pour abattre celle qu'il avait déjà fait trébucher par le passé s'avérait donc, en soi, d'un machiavélisme assumé.

Mais c'était surtout son association avec Harry Brand qui le rendait redoutable.

Car Brand était considéré comme l'architecte ayant permis l'érection du monument Monroe. À la tête du bureau de Los Angeles, il avait effectivement conduit de main de maître la mise sur orbite de la starlette dès son entrée à la Fox. En outre, en plus de ses talents de communicateur, Brand s'était imposé, au fil des années, comme le gardien de nombreux secrets. Dès lors, comme avec toutes les stars sous contrats de la Fox, il n'ignorait rien de sa vie. De ses errances et de ses dépendances. De ses vices et de ses peurs.

Mais cette fois, il n'était plus question de sentiments. De confiance affichée par l'une et trahie par l'autre. L'architecte, intronisé destructeur en chef, œuvrait en service commandé.

Bravant les interdits d'Hollywood, ceux qui, tacites, imposaient à tous de garder le silence, il allait, lui, tout révéler.

26. Attaque

Le téléphone avait commencé à sonner en début d'après-midi. Disposant du numéro personnel de l'actrice, quelques journalistes influents, ce 8 juin 1962, venaient vérifier auprès de la star la validité de la rumeur qui courait les rédactions depuis la veille.

Des sources « bien informées », installées au sein même de la direction de la 20th Century Fox, affirmaient que, fait unique, elle avait été renvoyée du tournage de *Something's Got to Give*. Et que, très prochainement, une autre actrice la remplacerait.

En ce vendredi, Marilyn s'amusa de ces ragots.

Son état de santé s'étant amélioré, elle rejoindrait le plateau dès lundi, expliquait-elle. Puis, ne soupçonnant pas la suite des événements, la star souhaitait un bon week-end à ses interlocuteurs.

*

Le premier assaut de la Fox résonna comme un coup de tonnerre, une déclaration de guerre même. Mais aussi comme le premier signe de la judiciarisation qui gangrène aujourd'hui l'Amérique. Avant la limite légale des dix-sept heures, le cabinet Musick, Peeler & Garrett de Los Angeles déposa en effet une plainte auprès de la cour supérieure de Santa Monica.

Non seulement le studio renvoyait Marilyn, mais en plus la traînait devant les tribunaux !

D'après le document, l'actrice n'avait pas respecté les termes de son contrat et, à ce titre, la 20th Century Fox exigeait le paiement de dommages s'élevant à un demi-million de dollars. Une somme provisoire que le studio doublait dès le début de la semaine suivante, portant ainsi le dédommagement réclamé à dix fois le salaire versé.

La machine judiciaire en marche, Lieber et Brand purent, sans retenue, poursuivre leur travail de sape.

*

En début de soirée, Sheilah Graham, du *Hollywood Citizen-News*, réussit le *scoop* de sa carrière en obtenant la confirmation exclusive du renvoi de la star. Des informations en provenance de Perry Lieber, qu'elle comptait parmi ses amis. Le moment choisi par le studio ne devait évidemment rien au hasard. Avertissant la presse en fin de semaine, la Fox s'offrait une couverture médiatique exceptionnelle d'au moins quarante-huit heures. Un week-end durant lequel le camp de Marilyn ne serait pas en mesure de répliquer, avantage décisif et difficile à rattraper.

Le papier de Graham, repris par l'ensemble des médias internationaux dès le lendemain, ne laissait planer aucune ambiguïté sur le comportement douteux prêté à Marilyn. Il y était clairement affiché le désir de la Fox de combattre la dictature des stars et de ne plus céder à leurs caprices. La journaliste avançait même le nom de Kim Novak pour reprendre le rôle. Mais le passage le plus pernicieux du papier concernait les absences de l'actrice. Une source anonyme haut placée affirmait en effet : « Marilyn ne s'est pas présentée sur le tournage depuis plusieurs jours alors qu'elle était hors de Los Angeles à écumer les boîtes de nuit[1]. »

---

1. *Hollywood Citizen-News*, 9 juin 1962.

*

L'indiscrétion de Graham faisait office de prélude. Dès l'article publié, les lobbyistes de la Fox s'intéressèrent aux deux cents journaux paraissant le dimanche. En distillant des « informations » autour du thème : Marilyn préfère la fête au travail. De nombreux articles citèrent ainsi un dirigeant anonyme prétendant que le tournage avait viré au cauchemar parce que Monroe, « sortant toutes les nuits, passait ses journées à dormir ».

Lorsque certains notaient que le scénario de *Something's Got to Give* n'était toujours pas achevé, la Fox répliquait, outrée, que la fautive s'appelait Monroe : « Nous avions un scénario terminé mais Marilyn elle-même exigeait qu'il soit réécrit quotidiennement », osaient-ils.

*

Le samedi, Sheilah Graham signa un second papier à sensation dans le *Hollywood Citizen-News*. La journaliste publia les extraits d'un communiqué qu'Henry Weinstein, producteur du film, lui avait fait parvenir. Un texte d'une dureté féroce et complètement en décalage avec le sourire qu'il affichait sur le cliché du 1ᵉʳ juin au moment où Marilyn s'apprêtait à découper son gâteau d'anniversaire. « Marilyn n'est pas malade, assène le texte. Je n'ai jamais reçu le moindre certificat d'un médecin. [...] Sur les trente-trois jours de tournage, Marilyn ne s'est rendue sur le plateau que douze fois. Où elle ne tournait qu'une page par jour, portant l'ensemble de travail effectif à quatre journées seulement[1]. »

Après avoir dépeint une actrice ne remplissant pas les conditions de son contrat, le producteur revint sur l'état de santé de la star : « Elle m'a semblé en parfaite forme vendredi dernier lorsque nous avons fêté son anniversaire sur le plateau,

---

1. *Hollywood Citizen-News*, 10 juin 1962.

persifla-t-il. Il y avait un gâteau d'anniversaire, du caviar et du champagne. Depuis, elle ne s'est plus présentée pour travailler. Les absences de Marilyn ont coûté au studio plus d'un demi-million de dollars. Et pourtant, nous lui avons offert tout ce qu'elle désirait : l'acteur de son choix en la personne de Dean Martin, deux de ses cameramen préférés, son coiffeur et Jean-Louis pour dessiner ses robes[1]. »

Enfin, tirant une ultime salve, Weinstein entonna le refrain de ce qui allait devenir la pierre angulaire de l'entreprise de diabolisation dès le lundi suivant, le chantage aux emplois mis en péril par ses inconséquences : « À chaque fois qu'elle se déclare malade, nous obligeant à fermer le plateau, ce sont cent quatre personnes qui perdent une journée de salaire[2]. »

*

Après avoir critiqué le mode de vie de Marilyn, dénoncé ses pseudo-absences et divulgué sa prétendue dépendance aux émotions fortes ressenties dans le monde de la nuit, les porte-flingues du studio ne s'arrêtèrent évidemment pas là. Ils enclenchèrent même la vitesse supérieure.

Weinstein continua à marteler l'accusation. Cette fois dans les colonnes du *Los Angeles Herald Examiner,* où il reprit l'une des attaques du papier de Graham : « Par son comportement volontairement irresponsable, Marilyn Monroe arrache le pain de la bouche d'hommes et de femmes qui dépendent de ce film pour nourrir leurs familles[3]. » Une accusation dévastatrice dans un pays où le respect du travail constitue une valeur phare.

À en croire Weinstein, capricieuse et machiavélique, Marilyn, la star millionnaire, se moquait comme d'une guigne du petit peuple. Ce petit peuple qui accueillait l'essentiel de

---

1. *Hollywood Citizen-News*, 10 juin 1962.
2. *Ibid.*
3. In *Los Angeles Herald Examiner*, 10 juin 1962.

ses fans. Si le producteur, à la différence de la Blonde qui aimait s'afficher avec les représentants de l'Amérique profonde, goûtait peu ce genre de promiscuité, son argument allait faire mouche. D'autant que le mardi 12 juin, l'hebdomadaire *Weekly Variety*, bible de la profession lue par le Tout-Hollywood, publiait un encart signé de l'équipe de *Something's Got to Give*. Un texte court fait pour marquer les esprits, notamment par sa dernière phrase, terrible : « Merci Marilyn pour avoir détruit nos vies[1]. »

Les employés du plateau ne furent pas les seuls à exprimer leur colère. En début de semaine, la 20th Century Fox annonça que Lee Remick reprendrait le rôle. Mais dans la foulée, l'actrice diffusa un communiqué de presse vengeur où elle tirait à vue sur sa consœur. « Tout cela est extrêmement non professionnel de la part de Marilyn, accusait Lee Remick. Elle refuse de comprendre que l'industrie du film est d'abord une industrie et qu'à ce titre, elle ne peut pas supporter un tel comportement. [...] J'ai le sentiment qu'il était nécessaire de remplacer Marilyn. Je ne crois pas que les acteurs doivent rester impunis et ne pas payer les conséquences de tels actes. L'industrie du film est en train de s'effondrer précisément à cause de ce type de comportement[2]. »

*

Dans ce concert de critiques ne manquait plus qu'une voix. Celle de l'homme ayant décidé de donner des accents faustiens au tournage du trentième film de Marilyn Monroe.

Le tour vint donc pour George Cukor d'entrer dans la danse. Sans surprise, le réalisateur ne fit preuve d'aucune pitié pour la star déchue. « La pauvre petite chose vient de vivre son chant du cygne, ricana-t-il dans une interview. [...] Le pis dans tout cela, c'est que le peu que nous avons déjà en boîte n'est

---

1. *Variety*, 12 juin 1962.
2. Citée in *The Unabridged Marilyn*, *op. cit.*

pas très bon. Il y a toujours une vulgarité dans sa manière de jouer. Comme celle qui se voit dans ces actes lorsque l'on songe que le studio lui a tout donné[1]. »

La sentence ressemblait à une oraison funèbre réservée à son pire ennemi. Et quand on demanda au cinéaste ce que Marilyn allait devenir, il rétorqua, cinglant : « Je crois que nous assistons à la fin de sa carrière[2]. »

*

Mais les propos de Cukor en forme de coup de grâce ne suffirent pas encore à la 20th Century Fox.

La statue Marilyn vacillant, il convenait maintenant de lui donner la poussée finale.

Dans la soirée du vendredi 15 juin, l'ensemble des médias américains reçut un dossier de presse expédié des bureaux de la Fox. Contenant de larges extraits d'une conférence de presse donnée par Henry Weinstein et George Cukor. Si le producteur évoquait une nouvelle fois les absences non justifiées de Marilyn, le réalisateur, lui, s'étendait surtout sur la « qualité » de ses prestations scéniques.

Avec une cruauté implacable, il détailla ainsi comment, en salle de montage, il avait été obligé de récupérer un mot ici, une phrase là, pour offrir un peu de cohérence aux dialogues ânonnés par la Blonde !

Cette fois, Marilyn se trouvait réellement à terre. Mais, un animal blessé doit être achevé. Une besogne dont Harry Brand, exécuteur des basses œuvres, se chargea non sans plaisir

---

1. Interview de George Cukor par Hedda Hooper citée in *Marilyn, The Last Take, op. cit.*
2. *Ibid.*

27. Folie

Au cœur de cette tempête, Monroe n'éprouvait qu'une crainte.

Sachant par définition le succès éphémère, n'ignorant pas, comme toute star, que les liens tissés avec le public sont fragiles, n'étant, en outre, pas motivée par l'argent, elle redoutait plus encore que la Fox, dans son opération de destruction, ne dévoile son seul vrai secret.

*

La nudité ? Monroe assumait les clichés du calendrier de 1949 comme ceux, plus récents, pris durant la scène de la piscine pendant le tournage de *Something's Got to Give*. Ses formes voluptueuses étant à la fois une composante essentielle de sa réussite et de sa personnalité, le studio pouvait bien désigner d'un doigt moralisateur sa facilité à se déshabiller sous les objectifs ; cela lui importait peu. Et à en juger par les scores des magazines où la Blonde apparaissait, cette liberté perturbait encore moins ses admirateurs.

Ses libertés sexuelles ? Là encore, en avance sur son époque, Marilyn les assumait. Mieux, elle les revendiquait : « Dieu merci, nous sommes tous des créatures sexuelles. Et c'est une honte que certaines personnes méprisent et tentent de salir ce cadeau divin [1]. »

Depuis des années, on prêtait à Marilyn, en plus de ses nombreuses conquêtes masculines, des aventures lesbiennes. Lesquelles n'avaient jamais freiné l'enthousiasme de ses fans. Hollywood était par ailleurs mal venu de donner des leçons à la star, le sexe y servant de monnaie d'échange et d'outil de pouvoir. Une réalité que, là encore, Marilyn avait déjà ouvertement évoquée, et même raillée : « La vertu d'une fille a moins d'importance que sa coupe de cheveux. Vous êtes jugé sur votre apparence, non pour votre personnalité. Hollywood est un endroit où l'on vous offrira mille dollars pour un baiser et cinquante cents pour votre âme. Je le sais parce que j'ai refusé la première offre un paquet de fois et que j'ai toujours dit non aux cinquante cents [2]. »

Son penchant pour la fête et plus particulièrement les soirées trop arrosées ? Sur ce chapitre non plus, Monroe ne craignait pas grand-chose. Ses sorties nocturnes, de Las Vegas à Los Angeles, étaient de notoriété publique. Et rares les clichés où elle n'apparaissait pas une coupe de champagne à la main.

Non, si la Fox voulait anéantir sa star, il lui fallait fouiller, plonger plus bas encore. Et sortir de la boue les peurs de son inconscient et les fêlures de son passé.

*

Depuis l'enfance, Marilyn Monroe cohabitait avec la peur. Une terreur dont les nausées ne la quittaient ni le jour ni la nuit.

Hantée par les souvenirs épars et noirs de ses jeunes années, elle craignait d'en devenir folle. « Elle savait que, d'une manière où d'une autre, ses colères devaient être maîtrisées. Au risque, sinon, de sombrer dans la folie qui avait envoyé sa

---

1. Cité in *The Unabridged Marilyn, op. cit.*
2. *Ibid.*

mère et sa grand-mère à l'asile[1] », raconte ainsi l'un de ses biographes.

En juin 1962, le docteur Ralph Greenson essayait déjà depuis plus d'un an d'apaiser la star. Mais l'obsession de Marilyn était encore forte lorsque survint la crise avec la 20th Century Fox. « Elle n'était pas folle, mais ses craintes étaient intenses », avait-il confié à Lucy Freeman, une de ses proches. « Elle avait une peur absolue, quasiment une terreur morbide de la maladie mentale[2]. »

Le jeu de miroirs de la célébrité croisé avec la réalité faisait partie intégrante de la vie d'une actrice mondialement reconnue. Mais il accentuait les tendances schizophrènes de la star. D'autant que tout Hollywood participait au processus d'intensification de ces peurs.

Monroe ne se fourvoyait pas : c'est bien sur ce terrain, dans sa logique de terre brûlée, qu'Harry Brand avait décidé de frapper.

*

Murray Schumach, journaliste au prestigieux *New York Times,* reproduisit le 20 juin une indiscrétion venue d'une source anonyme travaillant au siège de la Fox. Une information d'une brutalité inouïe puisque, pour la première fois, sans user des moindres précautions d'usage, elle remettait directement en question l'équilibre psychiatrique d'une personnalité publique. En l'occurrence, Marilyn Monroe.

L'article débutait par une énumération des caprices de la star, citant des incidents ayant émaillé de nombreux tournages. Dans le ton de ce que l'on pouvait lire depuis une dizaine de jours. Mais cette fois, la conclusion fut bien plus violente : « Mademoiselle Monroe n'a pas seulement des sautes

---

1. Carl Rollyson, biographe de Marilyn cité in *Marilyn, The Last Take,* *op. cit.*
2. *Marilyn, The Last Take, op. cit.*

d'humeur. Elle est mentalement malade. Peut-être même très sérieusement [1]. »

La brèche ouverte, le barrage allait céder, entraînant dans ses courants un flot de « révélations » consacrées à l'état mental de la star.

*

Bien évidemment, les « sources » de ces tombereaux d'insanités avançaient masquées derrière l'anonymat. Mais il ne fallait pas être grand clerc pour deviner l'œuvre de Brand. Ne compila-t-il pas dans ses dossiers les absences de l'actrice pour raisons médicales depuis le début des années 1950 ? Ne possédait-il pas le nom des médecins, le contenu des ordonnances, l'avis des experts ? Il savait même que « l'hospitalisation pour fatigue extrême » vendue par son bureau aux médias correspondait à un avortement ou aux lendemains d'une tentative de suicide ratée.

Gardien scrupuleux des secrets les plus lourds, Harry Brand pouvait, une fois n'est pas coutume, les partager et les divulguer.

De fait, dans les semaines qui suivirent la rupture engagée par la Fox, la presse se complut à multiplier les détails sur les troubles psychologiques de Marilyn. Et l'Amérique, choquée, découvrit qu'entre 1957 et 1962, elle avait consacré plus de cent cinquante mille dollars à des thérapies. Une somme insensée pour l'époque, qui plus est dans un pays où on considérait encore les séances sur le divan comme des pratiques de charlatanisme. Une impression accentuée par le fait que Marilyn elle-même doutait des effets de sa propre thérapie.

Autre sujet de passion de la presse, liée à ses ennuis personnels, sa brusque disparition de la scène publique en février 1961. Liée à une décision de sa psychiatre new-yorkaise, le docteur Marianne Kris, qui, inquiète de la dégradation

---

1. *New York Times*, 20 juin 1962.

de son équilibre psychique, avait ordonné l'internement en asile de sa patiente. Pendant quelques jours, avant que Joe Di Maggio ne vienne l'en libérer, la comédienne avait séjourné à la clinique spécialisée Payne Whitney. Une expérience traumatisante, puisque la Blonde, phobique de l'enfermement, n'avait pas supporté d'être confrontée aussi directement à ses peurs et avait très mal vécu son isolement en cellule capitonnée.

La presse révélait donc que la femme la plus *sexy* de la planète avait non seulement été internée en hôpital psychiatrique, mais encore avait refusé de se laver, déambulait nue devant les autres patients et, un jour, au bord de la folie, avait dû être immobilisée par une camisole de force afin d'éviter qu'elle se fracasse le crâne contre la porte de sa chambre.

La victoire du studio s'avérait donc presque totale. Pourtant, en connaisseur des systèmes médiatiques, Harry Brand avait gardé une ultime cartouche pour la fin.

*

L'étoile arrivait en fin de course.

On pouvait même se demander, à en croire les égarements de la star colportés par la presse américaine, pourquoi la Fox avait tant tardé à se séparer d'elle. Marilyn folle, voilà qui seul justifiait le refus de poursuivre une collaboration.

Mais, après tout, la folie pouvait être subjective. Et les multiples séances de thérapie se résumer à une coquetterie très tendance chez les artistes en général, et à Hollywood en particulier. Et l'internement en asile psychiatrique relever d'un incident isolé lié aux difficultés inhérentes au divorce d'avec Arthur Miller. Il convenait donc d'asséner le coup de grâce.

Or un seul élément pouvait accréditer l'intensité de la maladie mentale évoquée : le flirt prolongé de Marilyn Monroe avec le suicide.

*

Le plus triste, c'était que Marilyn elle-même avait fourni les informations que les publicitaires de la Fox utilisaient désormais pour la détruire.

C'était elle qui, avec candeur, en début de carrière, pour participer à l'élaboration de sa fiche biographique, avait révélé ses deux tentatives de suicide avant d'atteindre sa majorité. La première fois en laissant le robinet de gaz ouvert, la seconde en avalant une surdose de calmants !

Et au fil des ans, ce mode opératoire était devenu sa marque de fabrique. La presse se mit ainsi à raconter qu'en 1950, la star avait tenté de se suicider de cette manière après le décès de Johnny Hyde, l'agent qui l'avait découverte et imposée à Darryl Zanuck, le magnat de la 20th Century Fox. Un homme qui avait été son amant et était tombé fou amoureux d'elle au point de lui proposer le mariage, demande que Marilyn avait repoussée à cause du physique difficile de Hyde. Dépité, Hyde tomba malade et mourut dans la foulée, provoquant chez Marilyn un sentiment de culpabilité conduisant à son geste fatal.

Peu avant son union avec Joe Di Maggio, la Blonde avait aussi dû être hospitalisée d'urgence après une overdose de barbituriques. À l'époque, Marilyn endurait mal une importante crise professionnelle, s'opposant – déjà ! – à la Fox dont les projets de films ne lui convenaient pas.

Ensuite, son mariage puis sa séparation d'avec Arthur Miller avaient été jalonnés de nombreuses tentatives de suicide, dont la plus grave avait conduit à la suspension du tournage des *Misfists*.

Enfin, il se murmurait qu'en mai 1962, à l'aube de ses trente-six ans, avant ou juste après sa prestation pour JFK, elle avait tenté une énième fois de mettre fin à ses jours.

*

Paradoxalement, quand on l'observe avec du recul, on constate que l'entreprise de destruction perpétrée par les responsables de la Fox permet de voir les tragiques événements de la nuit du 4 août 1962 sous un nouveau jour. Aussi détestable qu'elle soit, cette manœuvre délétère offre un état précis de la situation de Marilyn deux mois avant son décès.

Les membres du Suicide Prevention Team menés par le docteur Curphey ne s'y trompèrent d'ailleurs pas, eux qui puiseraient par la suite dans la chronologie du violent conflit entre Marilyn et le studio pour justifier l'acte final et conclure au suicide.

Au-delà de ses répercussions sur son équilibre psychologique, la campagne de la Fox avait révélé à l'opinion que la star *sexy* était en vérité une femme rongée par les doutes. Une star sur le déclin, rejetée par ses pairs et trahie par son propre corps. Elle-même n'avait-elle pas apporté de l'eau au moulin des tenants de la thèse du suicide en se montrant comme une habituée de l'autodestruction ? En signant, le 4 août 1962, le triste épilogue d'une vie gangrenée par la peur ?

*

L'ensemble de ces éléments allant tous dans le même sens ne pouvait que rendre ma conversion d'agnostique au statut de croyant bien plus aisée. Désormais, appartenant au camp de la raison, je pouvais, sans regret, me métamorphoser en croisé du suicide.

Je n'avais, après tout, qu'à me laisser glisser sur le même chemin que tant d'autres, bien plus savants, avaient emprunté avant moi.

Le dossier ne mentait pas : Marilyn était sur sa fin et, accidentellement ou pas, elle avait choisi de tirer sa révérence.

Tout cela tenait la route. L'affaire pouvait être classée et moi, retourner à autre chose.

Sauf que...

*

Sauf que, nichée au cœur même des raisons logiques que je venais d'évoquer, se dissimulait celle qui, justement, rendait le suicide improbable.

Une révélation qui conduisait directement aux secrets de la dernière nuit de Marilyn Monroe.

28. Onze

Un élément de réponse essentiel se trouve aujourd'hui, contre une poignée de dollars, accessible à tous.

Certes, sa remontée vers la lumière fut des plus tortueuses, résultat de l'opiniâtreté des hommes de bonne volonté, soucieux de comprendre le mystère des dernières semaines de la vie de l'actrice, qui l'ont extrait à cent mètres sous terre d'une mine d'Hutchinson, au centre du Kansas !

Mais cet entêtement se révélait payant : il était désormais possible de prouver que Marilyn avait bel et bien été victime d'une conspiration.

*

Le 18 avril 1963, le dernier film avec Marilyn Monroe – il ne s'agissait évidemment pas de l'avorté *Something's Got to Give* – était à l'affiche des cinémas américains. La star étant décédée huit mois plus tôt, la 20th Century Fox lui rendait hommage. Ou, comme le chuchotaient certains, capitalisait cyniquement sur l'émotion ayant étreint le pays depuis le 4 août 1962.

C'était d'ailleurs pour cette raison que Frank Sinatra avait refusé de participer à ce documentaire d'une heure trente, intitulé *Marilyn*, retraçant la carrière de l'actrice et dont il devait assurer le commentaire. Rock Hudson l'avait remplacé.

Mais si l'ensemble ne manquait pas d'émotion, le résultat final décevait. Peut-être parce que, pour de mesquines économies budgétaires, la Fox avait refusé de payer l'utilisation d'extraits de films tournés par la star pour d'autres studios ! Ainsi, les absences de *Some Like It Hot*, le chef-d'œuvre de Wilder, et du controversé *The Misfists*, réalisés pour United Artists, sautaient aux yeux.

Mais, assemblé par Pepe Torres, *Marilyn* avait au moins un mérite : il contenait des images que jamais personne n'avait vues.

Celles du film inachevé de Monroe.

*

De l'épreuve de force ayant opposé Marilyn à George Cukor restaient seulement sept minutes trente plutôt insignifiantes. Torres en avait utilisé une bonne partie dans son hommage commandité par le studio, renforçant le statut de *Something's Got to Give* comme légende maudite d'Hollywood. Mais, sans le courage d'un archiviste anonyme et curieux, puis la ténacité d'un producteur, l'histoire en serait restée là. Et la vérité n'aurait jamais percé.

*

Le 4 août 1988, le fan-club Marilyn Remembered célébra le vingt-deuxième anniversaire de la disparition de la star. Sans rentrer dans les détails, l'organisation avait d'avance promis à ses membres une soirée mémorable.

Risquant le renvoi, un employé des archives de la Fox était en effet parvenu à sortir du studio une partie du film de George Cukor À savoir un collage de scènes, montées rapidement bout à bout, réalisé à partir de la bobine numéro 17, en date du 14 mai 1962.

L'excitation était à son comble : les cent soixante-dix membres du club présents allaient découvrir des images qui, officiellement, n'existaient pas.

Certes, il est facile d'imaginer l'émotion de l'assistance en voyant l'ultime prestation de son idole. Mais l'intérêt de ce montage résidait surtout dans les multiples interrogations que ce visionnage alimentait.

D'abord, parce que l'existence même de cette compilation remettait en cause la version défendue par la 20th Century Fox depuis la sortie en salles du documentaire de Pepe Torres. Malgré ses innombrables dénégations, le studio possédait bien plus que les sept minutes trente utilisées dans le film de 1963.

Une première constatation qui entraînait une autre question : pourquoi avait-il fallu, deux décennies plus tard, une projection clandestine et semi-privée pour dévoiler ces images majeures ?

La réponse se trouvait peut-être dans le contenu de la bande.

*

La scène du jour, filmée par Cukor, marquait le retour du personnage joué par Marilyn après cinq années d'absence. Cette première confrontation avec sa vie antérieure la plaçait face au chien de la famille. Un animal, à en juger par les images, peu intéressé par les contraintes du cinéma, si distrait qu'il obligea le réalisateur à effectuer plusieurs prises.

Comme si le monteur anonyme de cette compilation fantôme avait tenté d'aiguiller l'audience vers un début de solution, le collage présentait onze fois la même scène. Où Marilyn, obligée de répéter son dialogue à cause d'un partenaire impatient d'en finir, nous donnait onze fois l'occasion de l'admirer en plein travail.

*

Après toutes les déclarations agacées de Cukor et du studio, selon lesquelles elle ne retenait pas son texte, bredouillait et se montrait mauvaise, le pire était donc à craindre.

L'évocation même du titre de cet ultime projet ne résonnait-il pas aux oreilles de tous comme ces moments dramatiques où il lui était impossible d'enchaîner deux mots à la suite ? Parler de ce tournage ne renvoyait-il pas à son état psychologique chancelant, les semaines avant son suicide ? Autant de douloureux souvenirs habités par son regard vague et son expression de femme noyée dans les nuages chimiques d'une consommation permanente de barbituriques. Pour tous, la débâcle de *Something's Got to Give* était intimement ancrée dans le processus d'autodestruction de la star.

Le choc fut donc à la hauteur de l'appréhension.

Car les membres de Marilyn Remembered, entre tristesse et colère, assistèrent à une pure rédemption.

À onze reprises, une Marilyn qu'ils avaient rarement connue aussi radieuse jouait sa scène à la perfection.

Sans hésitation, oubli, absence.

*

Le silence avait gagné l'assemblée.

Le moment était historique.

Un coin du voile venait de se déchirer.

29. Sel

Henry Schipper ne se satisfaisait pas de la réponse des avocats de la 20th Century Fox[1]. Depuis 1963, le studio campait sur ses positions : les seuls extraits disponibles de *Something's Got to Give* étaient ceux repris autrefois dans le documentaire de Torres et le reste avait été détruit. Les protestations des membres d'un fan-club dévoué à Marilyn n'allaient pas changer la donne.

Comme d'autres, Henry Schipper, producteur chez Fox Entertainment News, l'une des nombreuses branches de la désormais tentaculaire Fox Inc., avait eu vent de la projection fantôme du 4 août 1988. S'il connaissait pertinemment la version officielle du studio pour s'être confronté à ses hommes de loi, la perspective de mettre la main sur la désormais légendaire bobine 17 méritait plus qu'une simple requête officielle.

S'il tenait à découvrir les dernières images de Marilyn, Schipper devait conduire ses propres recherches.

Une chance, ce producteur savait parfaitement par où commencer.

---

1. Le récit de la découverte des bandes inédites de *Something's Got to Give est* fondé sur le documentaire de Schipper diffusé pour la première fois en 1990, ses interviews données à différents médias américains, dont *Time* et *New York Times* ainsi que *Marilyn, The Last Take, op.cit.*

*

Il y a 230 millions d'années, les plaines du Kansas étaient recouvertes par une mer intérieure. Qui, en s'évaporant, abandonna quantité de sel dans le sous-sol.

Le 26 septembre 1887, Benjamin Blanchard fut le premier à mettre à jour le trésor iodé enterré sous la ville de Hutchinson, située à 350 kilomètres au sud-ouest de Kansas City. Un filon si large qu'en 1923, la société Carry Salt inaugurait la première mine à sel de la région.

Quatre-vingt-cinq ans plus tard, creusée à deux cents mètres de profondeur, l'exploitation est toujours ouverte.

Mais, les activités de la mine se sont diversifiées puisque depuis plus de vingt ans, les galeries de la Hutchinson Salt Company abritent les trésors d'Hollywood.

Là, dans une température constante de vingt degrés et un taux d'humidité de 50 %, dort l'essentiel des films produits en Amérique. Des classiques tels que les négatifs originaux de *Ben Hur* et *Autant en emporte le vent* comme la plus moderne *Guerre des étoiles*.

Une mine de sel du Kansas se montre donc essentielle à la survie de notre mémoire cinématographique, puisqu'elle permet d'éviter le triste sort connu par la moitié des films produits avant 1951, lesquels, rongés par leur émulsion chimique, sont aujourd'hui entièrement détruits [1].

Une mine de sel du Kansas, État du centre du pays, où, au début des années 1980, la 20th Century Fox avait transféré ses bobines.

Henry Schipper, en était convaincu : s'il existait des traces du dernier film de Marilyn, c'est à Hutchinson qu'il convenait de s'adresser.

*

---

1. Une deuxième mine, de chaux, creusée dans la Iron Mountain en Pennsylvanie, abrite le reste de la production américaine.

En moins de temps qu'il n'en faut pour l'espérer, à sa grande surprise, il eut gain de cause. Après quelques heures de recherches dans la base de donnée de la 20th Century Fox et un coup de téléphone à la mine de sel, il obtint ce qu'il voulait. Certes, il ne se faisait guère d'illusion : son statut de producteur maison l'avait aidé à franchir tous les garde-fous d'ordinaire opposés aux autres. La Fox Inc. était une entreprise bien trop importante pour que l'on vérifie si le département News, pour lequel travaillait Schipper, avait le droit de mettre son nez dans les archives du studio. Après tout, l'essentiel, c'était qu'il soit un producteur « maison ». « Il aurait été extrêmement difficile pour moi d'avoir accès au film si j'avais travaillé à l'extérieur de la compagnie », reconnut-il d'ailleurs lui-même[1].

De fait, après quelques vérifications d'usage, l'archiviste avait tout bonnement annoncé à Schipper qu'il expédiait par Fed-Ex « ce qu'il avait ».

La quête du producteur touchait à sa fin. Bientôt, il serait le premier à diffuser le contenu de la bobine numéro 17.

Et à offrir à tous l'un des derniers sourires de Marilyn devant une caméra.

---

1. *New York Times*, 13 décembre 1990.

30. Clap

Henry Schipper venait de passer deux journées entières dans l'un des studios de montage de son bureau de Los Angeles. Deux jours harassants mais passionnants. Deux jours pour visionner le « colis » de Hutchinson arrivé quarante-huit heures plus tôt.

Les prises du 14 mai 1962 découvertes par les fans de Marilyn durant l'été 1988 étaient dans le paquet. Tout comme les sept minutes utilisées par Pepe Torres pour son documentaire hommage de 1963. Mais aussi d'autres choses. Pas de doute, l'archiviste de la mine de sel du Kansas avait parfaitement fait son travail.

Alors qu'il n'en avait jamais espéré autant, Henry Schipper se retrouvait désormais en possession de six heures de bandes. Certaines gravement endommagées, d'autres sans le son, mais toutes bénéficiant d'un point commun excitant : officiellement, elles n'existaient pas !

Henry Schipper s'installa devant son écran.

Après le noir, la lumière.

*

L'image tremblait légèrement, les dépôts de poussière étaient fréquents.

Une main anonyme tenait un clap devant la caméra.

Le titre, inscrit à la craie sur l'objet en bois, venait de lever les derniers doutes du producteur.

Something's Got to Give...

Vingt-huit ans après son interruption brusque et controversée, l'ultime film de Marilyn Monroe pouvait enfin révéler sa vérité.

QUATRIÈME PARTIE

Manipulations

31. Mensonge

Le 13 décembre 1990, de nombreuses stations affiliées à la chaîne Fox diffusèrent le documentaire d'Henry Schipper sur l'ensemble du territoire américain[1]. Avec l'émotion et la stupéfaction que l'on imagine ! Certes, le producteur n'avait eu ni le temps ni les moyens de restaurer et monter la totalité des images reçues, et il faudra onze ans de plus pour découvrir, achevé par d'autres, la suite de ce travail, mais *Marilyn Monroe : The Final Days*[2] fut un choc pour les fans de la star. Et dans la version commercialisée 20 dollars en 2001, ils purent visionner d'autres moments mémorables du tournage, mais aussi apprécier, parfaitement restaurées, trente-sept minutes du long-métrage de Cukor !

*

Parcourir une œuvre inachevée est souvent une expérience douloureuse. Quelle que soit la qualité du travail en cours d'élaboration[3], l'absence de fin s'avère forcément frustrante,

---

1. Dont le titre, très proche de celui du film inachevé de George Cukor, était *Marilyn : Something's Got to Give.*

2. *Marilyn Monroe : The Final Days,* Prometheus Entertainment, 2001.

3. Je pense ici aux sentiments mitigés que j'ai éprouvés en lisant *Tintin et l'Alph-art.* La frustration de ne pas savoir comment se termine l'album d'Hergé l'emporte tant le récit disponible paraît inabouti.

puisqu'elle ne répond pas à nos habitudes et à nos attentes. Le sentiment de vide en devient même dérangeant, tant l'exigence d'une conclusion s'avère une nécessité humaine. Or, dans le cas du documentaire de Schipper, rien de tel. Car la curiosité, un peu morbide, de voir les derniers mots et regards d'une star comme Marilyn balayait tout regret.

John O'Connor, critique au *New York Times,* l'avait d'ailleurs parfaitement compris. Relevant rapidement les défauts de ce programme parfois laborieux et souvent répétitif, le journaliste passait vite à l'enjeu essentiel du sujet, la prestation de la Blonde. « Les fans de Monroe ne seront pas déçus, écrivit-il. Elle y est sensationnelle malgré les problèmes émotionnels jalonnant à l'époque son existence. Dans certaines séquences – une scène au bord de la piscine avec les jeunes acteurs jouant ses deux enfants dans le film, une autre seule où elle nage nue –, elle incarne à la perfection cette déesse séductrice et vulnérable, conforme à la mythologie populaire l'entourant[1]. »

Des impressions confirmant le visionnage clandestin de l'été 1988 : les membres du fan-club avaient, eux aussi, parlé d'une actrice radieuse, au sommet de son art.

Des remarques en totale contradiction, donc, avec le lynchage médiatique entrepris par la 20th Century Fox en 1962.

*

Si, dans son film, Henry Schipper avait pris soin de ne pas creuser trop profondément cet aspect sensible de la biographie professionnelle de l'actrice – difficile pour lui de dynamiter sa maison mère –, lui-même était particulièrement conscient de ce décalage.

Et son avis – d'autant plus important qu'il était le seul à avoir pu visionner les six heures de bande – valait à lui seul l'absolution de l'actrice sur ce plan. « Le studio avait décrit

---

1. *New York Times*, 13 décembre 1990

une Marilyn à la dérive, submergée dans chaque scène par un trop-plein de drogues, commente-t-il. Depuis, l'idée que *Something's Got to Give* constituait la triste conclusion d'une carrière exceptionnelle était acceptée de tous. Tout le monde a cru le studio, mais le film prouve qu'il avait tort. En fait, Monroe n'a jamais paru aussi bien que sur ce tournage. Son travail y est superbe, égalant les autres grands moments cinématographiques de sa carrière. Elle est drôle, touchante et, parfois, exceptionnelle. Elle irradiait le film de sa lumière comme elle seule savait le faire [1]. »

Et de conclure avec audace et prudence : « Pour des raisons qui leur sont propres, les responsables dirigeant à l'époque le studio ont menti [2]. »

*

La manipulation médiatique de 1962 n'était donc ni accidentelle ni limitée. Et, comme nous allons le voir, en plus des membres du staff de la 20th Century Fox, elle impliquait d'autres personnes.

Pourtant, le plus troublant résidait ailleurs : puisque, depuis la mort de Monroe, les mensonges de la Fox avaient déformé notre analyse des véritables circonstances entourant son décès, la résurrection – providentielle et tardive – des extraits de *Something's Got to Give* changeait considérablement la donne. Il fallait voir les choses autrement.

---

1. *Marilyn, The Last Take, op. cit.*
2. *Ibid.*

32. Confrontation

George Cukor avait joué au chat et à la souris avec la Fox durant deux ans. Vingt-quatre mois à fuir les projets improbables que lui présentait un studio à la dérive. Mais les avocats de la 20th Century Fox venaient de siffler la fin de la partie. Le metteur en scène n'avait pas le choix : son prochain film s'intitulait *Something's Got to Give* et on lui communiquerait le calendrier de tournage sans qu'il ait son mot à dire.

Les mauvaises nouvelles arrivant toujours par paire, non seulement le metteur en scène gaspillerait son talent à réaliser une comédie insignifiante, mais Marilyn Monroe avait hérité du premier rôle. Bien entendu, prudent, Cukor avait pris ses précautions en écrivant au studio : « Marilyn Monroe est l'actrice la moins professionnelle avec laquelle il m'ait été donné l'occasion de travailler[1]. » Une mise en garde sans effet.

Les protestations du metteur en scène n'y changeaient rien : à lui la délicate mission de gérer la Blonde.

*

La suite fut tristement connue, colportée et amplifiée. Les absences répétées, la prestation pitoyable, le tournage jamais achevé, l'actrice virée et, *in fine*, le suicide d'une star.

---

1. *Marilyn, The Last Take, op. cit.*

George Cukor avait joué un rôle essentiel dans cette suc-cession d'événements plus pitoyables, puis dramatiques, les uns que les autres. Sa mauvaise foi, son intransigeance, ses mémorandums à la direction du studio puis ses déclarations à la presse avaient accéléré la chute de Marilyn.

Or, grâce aux archives oubliées retrouvées dans la mine de sel d'Hutchinson, il était désormais possible de comparer les commentaires du réalisateur aux images qu'il avait lui-même tournées.

Des confrontations explosives... et peu à son honneur.

*

Henry Schipper s'était intéressé à deux dates plus particu-lièrement. Celles liées aux scènes clés du film, qui nécessi-taient une prestation impeccable de l'actrice principale.

La première correspondait au 14 mai 1962 et se trouvait dans la fameuse bobine 17. Ce matin-là, Monroe s'était pré-sentée au maquillage à sept heures trente. Son entourage avait confié qu'elle se sentait en pleine forme et était décidée à jouer une quinzaine de pages du scénario. Mais le miracle n'avait pas eu lieu. Entre le 14 et le 18 mai, Marilyn avait seulement mis en boîte l'équivalent de deux pages et demie. Vingt-sept heures de travail et plus d'une centaine de prises avaient été nécessaires pour capter neuf misérables lignes de dialogue, assuraient ses adversaires. Si bien que Cukor, désespéré, avait immédiatement contacté Philip Feldman, l'un des patrons du studio, pour se plaindre. Les notes conservées par ce dernier après leur entretien ne laissaient d'ailleurs planer aucun doute quant à la responsabilité de Monroe. À plusieurs reprises était vilipendée l'inaptitude de la star à mener une scène à terme et son incapacité à être constante d'une prise à l'autre.

Cukor avait expliqué qu'il lui fallait tourner la même scène à des dizaines de reprises pour tenter de saisir une improbable continuité dans son jeu.

*

La sentence, sans appel, ne correspondait pourtant en rien aux souvenirs de David Bretherton, monteur de l'époque chargé, à chaque fin de journée, d'effectuer le bout à bout des prises, puis de l'expédier à la direction du studio. « Je ne me souviens pas d'une erreur majeure dans la totalité du film que j'ai monté. Marilyn Monroe n'avait jamais été aussi belle. Et n'avait jamais aussi bien joué la comédie. Bien sûr, je l'avais connue dans un piteux état pour le tournage de *Let's Make Love*, mais ce n'était pas le cas sur le tournage de *Something's Got to Give*. »

De fait, au-delà de la force de ce témoignage, la vérité des images en disait bien plus long et vrai que les médisances et accusations de Cukor.

Car, comme la diffusion de la bobine 17 l'avait déjà démontré en 1988, Marilyn apparaissait tout bonnement au sommet de son art. Et l'ensemble des archives disaient la même chose : les 131 scènes enregistrées par Cukor ne témoignaient d'aucune erreur de la star.

Sa diction est parfaite, son jeu en tout point conforme aux indications du scénario et du metteur en scène. Répétant encore et encore le même passage et suivant scrupuleusement les diktats du cinéaste, Monroe conservait même une fraîcheur de jeu déroutante.

Et même lorsque, à cinq reprises, le réalisateur opta pour des gros plans, sa prestation fut excellente, ne laissant planer aucun doute quant à sa capacité à jouer excellemment tout au long de ce mois de mai 1962.

*

Peut-être les scènes filmées du 14 au 18 mai constituaient-elles des exceptions ? Une sorte de miracle sans lendemain avant rechute ?

Afin d'en avoir le cœur net, il convenait de visionner d'autres images. Et de suivre Schipper dans sa démarche comparative. Le réalisateur avait en effet décidé de regarder de près la dernière apparition de Marilyn devant une caméra. Autrement dit, celle du jour tristement célèbre de son anniversaire, lorsque la Fox avait « oublié » de fêter ses 36 ans et George Cukor interdit toute célébration avant la fin d'après-midi.

Ce 1ᵉʳ juin, après le passage au maquillage, Marilyn, Dean Martin et Wally Cox avaient entamé le tournage dès neuf heures et demie. Le programme de la journée s'avérait dense et compliqué puisqu'on devait mettre en boîte la scène la plus complexe du scénario. Multiples plans, déplacements, jeux de mots, sous-entendus, effets dramatiques, rebondissements... non seulement le menu était copieux, mais il dépendait entièrement de Marilyn, pièce centrale de l'ensemble.

C'était donc logiquement vers la Blonde que les regards s'étaient tournés lorsque Cukor demanda le silence et lâcha, à neuf heures trente-sept, son premier « moteur ! »

*

David Bretherton n'avait jamais oublié l'excellence des prises qu'à l'accoutumée, il avait montées dès la fin de journée : « Marilyn était magnifique dans l'ensemble de ces dernières scènes. Pour tout dire, elle n'avait jamais été aussi bonne. Jamais auparavant, elle n'avait fait preuve d'un tel sens du rythme. Je me souviens avoir effectué un montage assez complet de la scène où Marilyn tente de séduire le très timide Wally Cox. Et, face aux images, d'avoir pensé qu'il s'agissait de la plus brillante prestation de sa carrière [1]. »

Une fois encore, les souvenirs du technicien ne manquaient pas de pertinence. Car, comme l'indiquèrent Peter Harry Brown et Patte Barham dans un ouvrage consacré à une étude

---

1. *Marilyn, The Last Take, op. cit.*

comparative du dernier film de Marilyn et du tournage de *Cléopâtre* avec Liz Taylor, après avoir visionné ces quatorze séquences dormant dans les archives de la Fox, les interruptions n'étaient en rien dues à la star. Et si l'une d'elles tenait à un éclat de rire de Dean Martin et Marilyn Monroe, c'était parce que le troisième larron, Wally Cox, s'était emmêlé dans les passages du dialogue.

Mieux – ou pis – le reste frôlait la perfection. La scène d'ouverture par exemple, voyait Marilyn descendre, en dansant, vingt-deux marches avant de livrer sans aucune fausse note ni erreur sa repartie. Et, tournée plusieurs fois par Cukor, la prestation de Monroe se révélait aussi identique que parfaite d'une prise à l'autre.

*

Le 8 juin 1962, le renvoi de Marilyn avait fait la une, suscitant une multitude de commentaires fielleux relatifs à l'état pitoyable présumé de l'actrice. Si, dans le camp de la star, Pat Newcomb tentait vaille que vaille de faire entendre une version discordante, son effort n'avait reçu aucun écho, ses démentis se voyant étouffés par le torrent de confessions malsaines fournies par les dirigeants de la 20th Century Fox, et George Cukor lui-même.

Bien évidemment, l'intérêt des médias s'était focalisé sur le dernier jour de tournage. Dès lors, puisque le metteur en scène prétendait que la carrière de Marilyn était terminée, autant vérifier à quoi ressemblait la dernière apparition de la Blonde devant l'objectif. Puisque, selon lui, « l'ensemble est inutilisable », que « Marilyn jouait comme si elle était en train de se noyer, la tête déjà sous l'eau », et que « regarder ces images relève d'une fascination pour la folie » tant « elles ont une qualité hypnotique[1] », les voir ne pouvait que confirmer la déchéance rapide de la star. Hélas ! pour lui, rien de tel. Au

---

1. *Marilyn, The Last Take, op. cit.*

138

contraire même, ses propres prises de vue attestaient combien George Cukor avait menti.

Il restait à découvrir pourquoi et comment cette cabale insane avait affecté les événements du 4 août 1962.

33. Pion

Sans les documents inédits retrouvés dans la mine de sel d'Hutchinson, il n'aurait jamais été possible de mesurer l'ampleur de la campagne de désinformation engagée contre Marilyn Monroe au printemps 1962. Dès lors, impossible de ne pas croire que la disparition des six heures de bandes de *Something's Got to Give* soit le fruit du hasard. En vérité, pour de multiples raisons, le film devait disparaître.

Il est cependant étonnant que les responsables de la Fox ne se soient pas mieux protégés, en recourant à une solution plus radicale et efficace que l'oubli ou le barrage d'avocats affirmant que les seules reliques disponibles ne dépassaient pas six minutes.

J'imagine que la tentation, un jour, de pouvoir profiter de la manne représentée par les dernières images d'une légende a dû peser dans la balance. Et que c'est seulement la perspective de gagner plus tard sur cet autre tableau qui a sauvé le trentième long-métrage de Marilyn de la destruction pure, simple et complète.

Ce qui n'a rien de choquant à Hollywood, où le dollar est le seul vrai roi.

*

Interrogé par le *New York Times* en décembre 1990, Henry Weinstein, le producteur exécutif de *Something's Got to Give*, reconnut que « Marilyn avait été un petit pion sur un échiquier bien plus grand. Un pion manipulé par le studio [1] ».

Un aveu à double titre intéressant. Non seulement un ponte de la Fox admettait que Monroe avait été victime d'un engrenage et d'une situation qu'elle ne contrôlait pas – et qui, comme nous le verrons, ne la concernait en rien – mais en plus évoquait une machination bien plus vaste.

Car l'article employé par Weinstein dans sa déclaration valait révélation : il n'avait pas expliqué que Monroe était *le* pion, mais *un* pion. Sous-entendant ainsi qu'il en existait d'autres. Peut-être pensait-il à lui, ayant été, dans ce jeu de miroirs, manipulé lui aussi par la Fox ? Où peut-être songeait-il alors à George Cukor en personne ?

*

Il ne fait aucun doute aujourd'hui que George Cukor a tout entrepris pour saborder un film que le studio avait eu l'outrecuidance de lui imposer.

Sachant que la 20th Century Fox luttait contre de graves difficultés liées au gouffre financier de *Cléopâtre*, le réalisateur avait d'abord tenté d'inciter à des dépenses excessives. Histoire de faire flancher contrôleurs de gestion et autres comptables. Ainsi, il avait exigé que le décor reprenne dans ses moindres détails les particularités architecturales de sa propre villa hollywoodienne. Et si, d'ordinaire, les décors cultivent l'illusion, Cukor avait ordonné cette fois qu'ils soient fonctionnels. Un peu comme si, au lieu de bâtir du carton-pâte, les techniciens avaient élevé une véritable maison avec piscine.

Constatant que cette exigence n'avait pas refroidi la Fox, il avait opté pour une autre tactique. Alors que le début du

---

1. *New York Times*, 13 décembre 1990.

tournage avait été annoncé et les contrats des comédiens signés, Cukor avait usé d'une autre prérogative : contester le scénario. Puisqu'un bout de papier l'obligeait à tourner le film, mais que le même document lui réservait le droit d'approuver ou pas l'histoire et, en cas de désaccord, de demander une refonte complète, il ne pouvait laisser passer pareille aubaine. Pour faire mettre un genou à terre à la Fox, il multiplia les arguties et les refus, ce qui reporta d'autant l'instant du premier clap et plaça le studio dans une position délicate puisque, en période d'écriture, la Fox devait payer ses stars même si leur seule activité consistait à patienter.

Autre méthode destinée à dégoûter l'adversaire, l'excès de zèle, en somme, de lenteur. Alors que Cukor était réputé pour sa dextérité à enchaîner les scènes, se contentant d'une poignée de prises par séquence, qualité qui lui avait permis de venir au bout du tournage de *Let's Make Love* dans les délais, cette fois il prenait son temps. Tout son temps. Plus que son temps même. En plus de l'obligation de multiplier les prises, il avançait à un rythme de tortue !

Ainsi, une simple scène de rencontre autour de la piscine se vit inscrite au programme du tournage entre le 30 avril et le 21 mai ! Evelyn Moriarity, doublure lumière de la Blonde, n'en revenait d'ailleurs pas : « Cukor a eu besoin de deux semaines pour filmer l'arrivée de Marilyn, déclara-t-elle. Cela ne représentait même pas une page du scénario [1]. »

Aujourd'hui, grâce aux bandes inédites *de Something's Got to Give*, il est possible d'estimer que si Cukor avait suivi son rythme habituel, option d'autant plus plausible que Marilyn n'était en rien un frein à l'avancement du tournage, le film aurait pu être achevé dans les délais. Évitant ainsi le renvoi de la star, une campagne médiatique assassine et, en bout de course, peut-être, la disparition de l'actrice.

---

1. *Marilyn, The Last Take,* op. *cit.*

*

Dès lors les questions se multipliaient. Cukor avait-il chargé Marilyn pour camoufler ses propres difficultés ? Où l'avait-il métamorphosée en bouc émissaire afin de dissimuler la guerre secrète qu'il menait contre la Fox ?

Ou encore, comme l'avait peut-être sous-entendu Henry Weinstein, le réalisateur n'avait-il été qu'un pion à son tour ? Une simple pièce d'une partie d'échecs où les véritables acteurs appartenaient à la direction du studio ?

34. Tri

Affirmons-le d'emblée : George Cukor n'avait pas mis en scène la chute de Marilyn Monroe. S'il y avait activement contribué, le machiavélisme de la manipulation avait été mis au point et orchestré par la Fox.

*

Les six heures conservées dans les profondeurs du Kansas avaient montré que le réalisateur mentait sur l'état de la star. Or cette carte, il convenait de s'en souvenir, il n'avait pas été le seul à la jouer.

Ainsi, les spécialistes ès communication de la Fox avaient, dès le mois de mai 1962, fait courir des rumeurs dénonçant la santé psychologique de l'actrice. Où il était question de soirées arrosées, de dépendance aux barbituriques et d'une accumulation de prestations catastrophiques.

La première explication logique était de penser que le studio, manipulé par les rapports faussement alarmistes fournis par Cukor, l'avait cru sans vérifier quoi que ce soit. L'ennui, c'est que cette hypothèse ne tenait pas à l'analyse des faits.

D'abord parce que, comme le confirmait le monteur David Bretherton, un collage des scènes filmées était envoyé chaque jour au studio désireux de suivre les progrès du film. À l'époque, il faut s'en souvenir, la sortie de *Something's Got to Give* avait été annoncée par la Fox elle-même pour l'hiver suivant. Donc, personne ne pouvait croire que Monroe déclinait.

Ensuite, les souvenirs de Darryl Zanuck, légende de la 20th Century Fox, apportaient de l'eau au moulin du complot savamment construit sur un mensonge. Si, à l'époque, le nabab exilé à Paris n'était plus directement à la tête du studio, il avait quand même été invité, mi-mai, à une projection des premières images du film. Et Zanuck, pourtant peu fan de la star, avait reconnu les signes d'un futur succès : « Ce film va faire un carton au box-office. Marilyn y est adorable[1]. »

La direction de la Fox ayant accès aux rushes, difficile dès lors de trouver des circonstances atténuantes à ses premières attaques contre l'actrice. Un mensonge qui amenait à revisiter d'un œil fort critique le reste de ses affirmations postérieures au renvoi de Marilyn.

*

Un tri rapide à vrai dire : tout était faux.

L'usine à rêves avait viré à la fabrique de cauchemars. En machine à broyer inventant des témoignages, des déclarations, des souvenirs de tournage dans le seul but de détruire une femme.

Mais par où débuter pour montrer combien cette campagne reposait sur une succession de mensonges et de falsifications ? Commençons par la charge médiatique insensée de Lee Remick, proférée au lendemain de l'annonce qu'elle remplacerait Marilyn. Eh bien l'actrice n'avait jamais, tenu de tels propos ! Ce qu'elle confia en 1992, expliquant que son implication dans le projet maudit avait duré « une vingtaine de minutes », que « l'expérience avait été déplaisante » et qu'« il était évident que tout cela avait été organisé pour le bénéfice

---

1. *Marilyn, The Last Take, op. cit.*

de la presse [1] ». En fait, Lee Remick, devant également un film à la Fox, s'était simplement rendue à un rendez-vous avec la direction. Jamais, elle n'avait donné d'interview s'attaquant à une consœur ; jamais, sommet du ridicule, elle n'avait vanté une vertu industrielle à la profession !

L'épisode Remick n'avait pas été la seule supercherie. Ainsi, la publicité parue dans *Variety* et prétendument signée par les techniciens de *Something's Got to Give* était simplement une manipulation montée par les publicitaires chargés d'anéantir Marilyn. Objectifs : démontrer au public que les caprices de la star avaient des conséquences dramatiques sur des centaines de familles et développer chez l'actrice un sentiment de culpabilité.

Le but avait été quasiment atteint, puisque Marilyn Monroe, visiblement ébranlée par cette charge d'un groupe dont elle se croyait proche, avait pris la peine d'envoyer un télégramme à chaque membre de l'équipe pour expliquer qu'elle n'était pas responsable de l'arrêt du film.

En 1992, les auteurs de *Marilyn, The Last Take* ont pu interroger par téléphone les membres de l'équipe encore en vie. Tous ont confirmé la version défendue par Buck Hall, l'un des assistants de George Cukor, disant en substance : « Cette publicité est venue d'autre part. Pas des techniciens [2]. »

*

Mais l'immonde catalogue des tromperies, dirigé par Harry Brand et Perry Lieber, ne s'arrêtait pas là. Comme nous l'avons vu, le vendredi 15 juin, les médias américains recevaient un dossier de presse reproduisant les propos de George Cukor et Henry Weinstein tenus lors d'une conférence de presse. Un matériel suffisamment riche pour être sûr qu'il alimenterait les gros titres des éditions du week-end.

---

1. *Marilyn, The Last Take, op. cit.*
2. *Ibid.*

Souvenons-nous : le réalisateur revenait sur l'incapacité de Monroe à enchaîner son texte, évoquait à nouveau un résultat si mauvais que la seule solution consistait pour lui à coller ensemble des pièces sonores comme d'autres assemblent un puzzle improbable. De son côté, Weinstein se montrait encore plus véhément, puisqu'il parlait de comportement irresponsable, d'absences non justifiées, de manque de courtoisie et levait le spectre des maladies imaginaires invoquées par Marilyn pour expliquer les journées loin du plateau. À l'en croire, Monroe passait trop de temps dans les clubs de Vegas et ne pouvait pas assumer sa charge de travail. C'était lui aussi qui proclamait la fermeté d'un studio déterminé à s'élever contre des caprices auxquels il avait cédé trop longtemps. Condamner Marilyn, tonnait-il, c'était tout simplement sauver Hollywood.

En somme, des formules sans ambiguïté, bien calibrées, destinées à faire les choux gras de la presse.

Le problème, c'est que la conférence de presse n'avait jamais eu lieu !

À part ce kit écrit fourni par la Fox, il n'en existe aucun document photographique, aucun film ni enregistrement audio. Pis, aucun témoin ! Quant aux deux principaux protagonistes censés y avoir participé, ils n'étaient même pas à Los Angeles au moment où la rencontre médiatique se serait tenue. Ainsi, George Cukor avait-il déjà quitté la ville pour un week-end prolongé[1]. Et Henry Weinstein a assuré à Henry Schipper que non seulement il n'avait jamais pris part à la campagne de déstabilisation, mais que, de plus, ce point presse n'avait aucune raison d'être à ses yeux, lui-même ayant été congédié en même temps que la star de *Something's Got to Give* et ayant déjà rejoint la Warner Bros. En somme, au moment où il était censé attaquer Marilyn devant un parterre de journalistes invisibles, Weinstein travaillait déjà pour un studio

---

1. *Marilyn, The Last Take, op. cit.*

concurrent. Pourquoi aurait-il aidé ceux qui venaient de le licencier ?

*

Aussi fou que cela puisse paraître, ces mensonges éhontés, ces falsifications impensables, constituaient seulement le hors-d'œuvre de la manipulation. Et le plat de résistance de la chronique de cet assassinat médiatique servait plutôt, lui, une brochette de contrevérités relatives à la santé de Marilyn.

35. Malade

Joan Greenson, fille du psychiatre de Marilyn, se souvenait parfaitement du printemps 1962. Et pour cause ! L'adolescente venait d'avoir dix-huit ans et, à l'époque, elle avait eu la surprise de voir souvent l'actrice. Celle-ci, pour suivre les méthodes peu orthodoxes de son père, s'était en effet intégrée à la vie de famille du médecin. Dès lors, elle avait été un témoin privilégié des derniers mois de la star !

Et, plus particulièrement, une parfaite observatrice de son état durant le tournage de *Something's Got to Give*. « Monroe souffrait fréquemment de fortes fièvres, raconta-t-elle. La plupart du temps, elle était même incapable de parler. Et malgré cela, tout le monde croyait que Marilyn était une star capricieuse et qu'elle utilisait tout ce temps libre pour faire la fête[1]. » Un récit qui ne cadre en rien avec les prétendues agapes et la vie de bâton de chaise prêtée à la vedette.

Selon Joan, l'existence de la comédienne était en vérité bien plus triste : « Elle n'allait nulle part et ne faisait rien. Elle était chez elle, malade, à se sentir misérable et regrettant de ne pas pouvoir être sur le plateau de tournage[2]. »

Peut-être la mémoire de Joan Greenson avait-elle passé cette période au tamis idyllique du temps ? Peut-être même, par

---

1. *Marilyn, The Last Take, op. cit.*
2. *Ibid.*

fidélité envers une actrice qu'elle avait considérée parfois comme une grande sœur, ne faisait-elle que défendre l'honneur de Monroe ? Certes, les doutes semblaient plausibles. Mais si son récit traduisait la vérité, la fille du médecin de la star décrivait une Marilyn bel et bien diminuée. Un portrait en opposition complète avec les dires de la 20th Century Fox, ceux qui, aujourd'hui encore, dominent les esprits.

*

En fait, le studio ne mentait pas – une fois n'est pas coutume – lorsque dans l'un des premiers articles justifiant le renvoi, un porte-parole expliquait : « Sur un total de trente-trois jours de tournage, Marilyn ne s'est présentée que deux fois. (...) Elle a été absente trois semaines, puis a tourné trois jours, puis ce fut le tour de la soirée anniversaire du président Kennedy, ce qui a signifié que le film a dû être arrêté pour deux journées supplémentaires [1]. » L'ennui, c'est que personne ne contestait cette réalité. L'enjeu résidait ailleurs. Dans la nature de ces absences.

Car le studio doutait ouvertement de la réalité des maladies de Monroe. Chaque évocation de son absentéisme était suivie de la précision qu'elle n'était pas « excusée », autrement dit « confirmée ». Parce que Marilyn n'avait pas présenté de certificats médicaux attestant de son incapacité à travailler.

Un point essentiel qui permettait d'enchaîner sur la litanie de défauts prêtés à la Blonde. À savoir ses caprices et son habitude de sortir trop tard et trop souvent, puis sa consommation d'alcool et de drogues. Conclusion commune : si Marilyn était absente, cela signifiait peut-être qu'elle n'était pas en état de travailler. Et si elle n'était pas en état de travailler et refusait de présenter un mot du médecin, n'était-ce pas parce qu'elle supportait mal une gueule de bois permanente ?

---

1. *Hollywood Citizen-News*, 2 juin 1962.

*

Les absences sans certificat de Marilyn Monroe avaient un autre atout pour le studio : attester de sa folie. Et ce dans une démonstration relativement efficace : si la star refusait d'honorer son contrat, mettant une centaine de familles au chômage technique, c'était tout bonnement parce qu'elle avait perdu la raison. Dès lors, le comportement de la Fox devenait logique : Monroe étant folle, personne ne pouvait travailler avec elle.

Mais, là encore, les responsables du studio faisaient preuve de liberté avec la vérité.

*

La journée du 4 juin en était l'illustration parfaite. D'après la version officielle, c'est à ce moment que la Fox, excédée par une nouvelle absence, avait choisi de renvoyer définitivement sa star.

Au petit matin, Marilyn ne s'était pas présentée sur le tournage, ce qui avait déclenché la rédaction d'un mémo sanglant du bureau de Los Angeles envoyé à celui de New York. Un rapport dont le contenu, aussi bref que ferme, alimentait la presse quelques jours après : « Marilyn n'a aucune excuse possible justifiant son absence. »

Pourtant, à huit heures, le même matin, le docteur Lee Siegel s'était bel et bien présenté au domicile de Monroe. Or Siegel n'était pas n'importe quel médecin. Non seulement il la connaissait depuis 1951, mais il représentait le studio. Une information capitale dont il faut bien saisir toute la portée : Siegel ne travaillait pas pour Marilyn, mais était salarié par la Fox depuis la fin des années 1940. Sa mission ? Vérifier la validité des absences des stars. Si le studio soupçonnait l'une elles de feindre une maladie en agitant un certificat de complaisance, l'avis de Siegel se révélait déterminant. De fait, ses diagnostics avaient déjà été à l'origine de menaces de coupes salariales et, en conséquence, de rétablissements miraculeux !

Peu après sept heures, Siegel avait reçu un appel d'Henry Weinstein, lequel avait été contacté dix minutes plus tôt par Eunice Murray. L'assistante à domicile de Marilyn venait en effet de l'informer que l'actrice présentait les symptômes d'une bronchite. Et Murray avait vu juste, puisque Siegel, sur place, nota aussi la réapparition d'une infection des sinus. Et, comme si cela ne suffisait pas, une température qui dépassait les 38 degrés.

Siegel avait donc engagé la procédure habituelle : une succession de coups de téléphone aux responsables du bureau de Los Angeles pour *confirmer* la maladie.

L'indisposition de Marilyn avait bien été corroborée. Et l'absence excusée de manière officielle ! Et même dûment notée sur le plan de tournage de *Something's Got to Give*[1].

*

Le même scénario s'était répété tout le printemps. Et, à chaque fois, le médecin de la Fox avait validé les absences.

Au mois d'avril, Marilyn était revenue malade d'un séjour new-yorkais où, à l'Actors Studio, elle avait répété des scènes de son futur rôle. Le climat californien, bien plus clément, n'avait pas été d'un grand secours. À quelques jours du tournage, elle avait été hospitalisée une journée afin d'effectuer une série d'examens. Aux résultats alarmants.

Ce qui avait débuté comme une simple sinusite s'était transformé au fil des jours en infection massive des sinus. Le laboratoire de l'hôpital avait même isolé la présence de streptocoques dans son système respiratoire. Un état de santé qui nécessitait un mois complet de traitement à base d'antibiotiques.

Monroe ayant un lourd passif qui jouait contre elle, le studio avait reçu la nouvelle avec suspicion. Qui plus est dans le contexte d'alors, tant elle n'avait pas manqué d'exprimer ses

---

1. *Marilyn, The Last Take*, op. cit.

doutes sur le scénario et le metteur en scène. Aussi, afin de vérifier le mal de Marilyn, la 20th Century Fox avait-elle envoyé Lee Siegel cette fois encore.

*

Le rapport du médecin – engagé par le studio, insistons – ne laissait planer aucun doute quant aux informations possédées par la Fox au long de ce printemps 1962.

La température de la star oscillait constamment entre trente-huit et quarante degrés. Ses bronches étaient obstruées, sa faiblesse, accentuée par un terrible régime basses calories, préoccupante. Soucieux d'offrir à son employeur une estimation précise de la durée de la maladie, Siegel avait expliqué « qu'il faudrait des semaines à Marilyn pour soigner son infection ».

Mais c'était surtout sa recommandation finale qui donnait le frisson. Un conseil ferme découvert par Henry Schipper en préparant son documentaire. Fixée sur microfilm dans les archives du studio, elle changeait la donne. Ainsi, après avoir proposé de reporter d'au moins un mois le début du tournage de *Something's Got to Give*, le docteur Lee Siegel prévenait : « Si ce report n'a pas lieu, alors c'est tout le film qui pourrait s'effondrer sous le poids des conséquences de la maladie de Marilyn. »

*

Marilyn était réellement malade. Sérieusement même.

Et contrairement aux affirmations des services de communication de la Fox, chacune de ses absences avait été confirmée, validée et excusée par le médecin salarié du studio.

Pis, prévoyant le désastre, Lee Siegel avait mis en garde la direction de la 20th Century Fox contre les risques majeurs encourus si le tournage débutait trop tôt.

Aucun doute donc : le studio savait.

Ce qui n'empêcha pas ses responsables de lancer la machine et de la laisser se diriger vers une catastrophe annoncée. Une fois qu'il fut trop tard, lorsque tout l'édifice se mit à tanguer dangereusement, ils firent tout pour se dédouaner en trouvant le plus facile des boucs émissaires.

36. Financiers

Désormais, il fallait comprendre.

Découvrir pourquoi et comment la 20th Century Fox avait, malgré l'avis de son propre expert, validé le projet *Something's Got to Give*. Et, surtout, révéler les raisons ayant conduit le studio à brûler en place publique son idole.

Après tout, film après film, Marilyn n'avait-elle pas été une valeur sûre au box-office ?

La réponse se révélait purement déconcertante. Parce qu'elle matérialisait la frontière entre l'art et les affaires.

*

La crise économique de 1929 ayant poussé l'Amérique dans les salles obscures, chacun voulant se changer les idées, le septième art constitua un puissant remède contre la misère quotidienne.

Historiquement basée dans le New Jersey, la production de films avait rejoint l'Ouest du pays, la Californie offrant des décors naturels à bon marché et un climat idéal. L'âge d'or d'Hollywood pouvait débuter. Et la 20th Century Fox bouscula ce secteur en 1935.

Le futur studio de Marilyn était né de l'union entre deux sociétés illustrant le passé et le futur du cinéma américain. La

première, la Fox Film Corporation, appartenait à un propriétaire de salles disséminées sur la côte Est ; quant à la seconde,
la Twentieth Century Pictures, elle rassemblait depuis Los
Angeles de nombreux talents. Avec des associés qui, menés
par Darryl Zanuck, venaient tous du métier, et plus précisément de la production.

Le mariage des deux compagnies, puis la Seconde Guerre
mondiale créèrent un géant. En 1945, la 20th Century Fox
était déjà, en termes de rentabilité, le troisième studio du pays,
dépassant les légendaires RKO et MGM.

Comme ses concurrents, la jeune société avait, durant le
conflit, largement profité de l'engouement du public pour le
cinéma. Le retour à la paix et l'émergence de la télévision
changeaient la donne. Si, comme les autres, la 20th Century
Fox souffrait, le studio parvenait à survivre et même à prospérer. L'arrivée de Marilyn Monroe parmi son « écurie » de
stars ne fut d'ailleurs pas étrangère à cette performance.

La Fox bénéficiait aussi du légendaire flair de Darryl
Zanuck. Non seulement l'homme connaissait parfaitement son
métier, mais encore il avait également un véritable talent pour
décrypter les envies et les attentes du public. Si bien que son
départ, en 1956, fut vécu comme une catastrophe.

Zanuck, empêtré dans une relation adultérine avec une des
actrices du studio, avait préféré quitter le pays pour s'installer
à Paris. Où, en tant que producteur indépendant et actionnaire
de référence de la 20th Century Fox, il s'attelait à la prépara-
tion de son futur chef-d'œuvre, *Le Jour le plus long*.

*

Cet exil ébranla l'édifice, tant Spyros Skouras semblait incapable de combler le vide laissé par une telle figure. Le premier
choix du président du studio pour succéder à Zanuck, Buddy
Adler, véritable et talentueux producteur, décédait malheureusement un an plus tard dans un accident d'avion.

La suite ? Elle n'était guère brillante. Dans l'impossibilité de recruter un autre géant, Skouras, sous la pression de ses actionnaires, détourna son regard d'Hollywood pour le poser sur la côte Est. Où il offrit les rênes de la compagnie à des financiers.

37. Exemple

Au printemps 1962, la 20th Century Fox était dirigée par un curieux aréopage. Un ancien juge, des diplômés d'écoles de droit et des transfuges de Wall Street tentaient de maîtriser un métier qui n'était pas le leur.

Sans grande surprise, leur bilan s'avérait pour le moins catastrophique.

À Rome, *Cléopâtre* n'en finissait pas de saigner à blanc les finances déjà exsangues du studio. La barrière ahurissante des cent cinquante jours de tournage avait été franchie et les estimations les plus optimistes évoquaient au minimum quatre semaines supplémentaires de travail. Au final, le péplum allait exiger deux cent quinze jours de tournage. Bien évidemment, cet hallucinant dépassement des délais coûtait une fortune. Et propulsait le projet de Mankiewicz en tête des films les plus coûteux de l'histoire du cinéma. En dollars constants, son budget total frôlait en effet les trois cents millions. Soit plus que les fort coûteuses superproductions contemporaines que seront *Spider Man 3* ou *Titanic*[1].

---

1. Aujourd'hui, *Cléopâtre* truste la seconde place des films les plus chers de l'histoire du cinéma. La première place est occupée par l'adaptation soviétique de *Guerre et Paix*. Le film, sorti en 1968, nécessita sept années de tournage. Son budget, ramené à l'inflation courante, est estimé à 560 millions de dollars. Voir *Forbes*, 12 septembre 2005.

C'est à Los Angeles que la crise était la plus patente. À l'exception du studio 14 où se tournait le film de Cukor, les plateaux de la Fox étaient désertés, poussant au chômage une multitude de techniciens. Afin de tenter quelques économies, l'immense serre abritant des espèces exotiques utilisées dans de nombreux métrages fut laissée à l'abandon.

Pis, dans la plus grande discrétion, les dirigeants de la 20th Century Fox mirent en vente une partie de ses studios. Une transaction qui allait changer à tout jamais le visage d'Hollywood, laissant l'immobilier de bureau prendre le pas sur l'usine à rêves.

Mais pour les financiers à la tête de l'entreprise, l'important était ailleurs : la transaction, bien que signe d'un malaise majeur, assurait l'apport de liquidités nécessaires à la poursuite du tournage romain de *Cléopâtre*.

*

Validé dans l'urgence, *Something's Got to Give* était une affaire rentable. À l'exception des 250 000 dollars versés à Dean Martin, le reste du budget ne flambait pas. Le scénario n'avait rien coûté ou presque, Cukor avait été payé par l'administration précédente et le salaire de Marilyn se révélait ridiculement bas. Une bonne affaire.

Dans l'esprit de la direction financière du studio, la stratégie était aussi simple que géniale : si le film sortait comme prévu début novembre 1962, ses recettes permettraient d'absorber les coûts de fin de tournage de *Cléopâtre*. Ce qui permettrait aux dirigeants de la Fox de sauver leurs têtes et d'affronter avec moins d'appréhension la grogne grandissante des actionnaires.

La détermination du studio se mesurait à l'aune d'un fait unique dans les annales de l'histoire du cinéma. Pour la première fois, la star principale et le réalisateur d'un film avaient été contraints d'accepter un projet par des avocats. Afin d'obtenir l'accord de Marilyn Monroe, on n'avait pas usé de séduction ou suscité son envie, mais agité la menace – réelle – de la traîner devant les tribunaux. De nouvelles méthodes indiquant clairement une équipe dirigeante aux abois et prête à tout.

*

Force est de l'admettre : sur le papier, la tactique de la Fox frisait la perfection.

Le retour de Marilyn à la comédie avait éclipsé Elizabeth Taylor à la une des médias. Côté actionnaires, les perspectives d'un futur succès calmèrent les esprits. Si tout allait bien, chacun sauverait son job, donc sa peau.

Ensuite ? Eh bien ! la torpeur de l'été accorderait à tous une trêve bienvenue. Et la rentrée serait dominée par la projection aux grandes chaînes de distribution d'une première version de *Something's Got to Give*. Quelques journalistes et chroniqueurs, triés sur le volet, y seraient invités. La prestation de Marilyn générerait un *buzz* positif synonyme de prochaine victoire. Une excitation qui aiderait à attendre en toute quiétude la sortie du film quelques mois plus tard.

La vérité était aussi simple que cela : le trentième long-métrage de Marilyn serait chargé d'occuper le devant de la scène tandis qu'en coulisses on terminerait discrètement le film chargé de permettre au studio d'écrire une page de l'histoire du cinéma et de se renflouer.

Les génies de la 20th Century Fox avaient donc tout prévu.

Tout sauf la passion brûlante et médiatisée qui allait unir Elizabeth Taylor et Richard Burton.

*

Rome ne ressemblait pas à Hollywood. Si à Los Angeles les studios régnaient en maîtres, en Italie, la Fox n'était pas en mesure de contrôler la presse et ses paparazzi. Or, traquant

160

sans cesse les deux stars, les photographes s'en donnaient à cœur joie.

La relation passionnée entre les deux comédiens était un secret de polichinelle sur les plateaux de Cinecitta. Et l'histoire paraissait d'autant plus piquante que chacun d'eux était marié. Ce qui devait arriver arriva : la publication de clichés compromettants, accompagnée de rumeurs où se mêlaient consommation de drogue et d'alcool, mit le feu aux poudres en Italie comme dans le reste du monde.

Une déflagration mondiale même lorsque, sur Radio Vatican, le pape lui-même condamna Elizabeth Taylor, désormais considérée comme une briseuse de mariage, et appela au boycott pur et simple du futur *Cléopâtre*. Un énorme grain de sable venait de gripper la machine bien huilée de la Fox. Tous les plans et stratégies soigneusement élaborés tombaient à l'eau.

*

La presse américaine embraya, criant à son tour au scandale, dénonçant elle aussi le couple illégitime Taylor-Burton à longueur de colonnes.

Si la Fox avait envisagé un torrent de publicité en engageant Elizabeth Taylor, ce n'était évidemment pas celle-là qu'elle avait en tête. D'autant qu'au scandale « moral » déclenché par leur liaison, s'ajouta la révélation d'un tournage à Rome pour le moins décadent. Avec grands crus, bonnes tables et week-ends prolongés entièrement pris en charge par la 20th Century Fox !

Or, au scandale s'ajouta la crainte. Venue d'un autre front, la « garantie » Monroe paraissait avoir du plomb dans l'aile. Du plateau de *Something's Got to Give* s'élevait une rumeur persistante : Marilyn manquait l'essentiel du tournage. La bouée de sauvetage se dégonflait !

Cette conjonction ne pouvait que conduire au drame. Les

actionnaires du studio appelaient à la révolution : des têtes devaient tomber.

Vite.

*

Le 3 juin 1962, Peter Levathes s'envolait pour Rome.

Cet avocat de formation, devenu le grand patron de la production après le départ de Darryl Zanuck, avait pour mission délicate de sauver la direction du studio et, à plus long terme, d'assurer la survie de la 20th Century Fox.

La publicité négative engendrée par l'aventure Taylor-Burton et la révélation du train de vie assuré par le studio avaient mis à bout la patience du staff de la Fox. Il fallait prendre le taureau par les cornes.

Et c'est Elizabeth Taylor que Levathes avait justement été chargé de renvoyer !

*

L'ancien avocat avait prévu d'annoncer la nouvelle à la star en fin de semaine.

Une date nullement choisie au hasard, puisqu'elle permettrait au *missi dominici* de faire au préalable le point avec Mankiewicz afin d'avoir une idée précise de l'état d'avancement du tournage.

En outre, la proximité du week-end garantissait que l'information demeurerait confidentielle jusqu'au lundi suivant. Le temps nécessaire au studio pour mettre en route sa redoutable machine à communiquer.

*

Quelques heures seulement avaient suffi à Peter Levathes pour affronter la vérité.

Et, quelle que soit la manière d'aborder le problème, le

résultat était toujours le même : trop d'argent avait déjà été gaspillé, trop de décors et de costumes réalisés, trop de négatifs utilisés pour faire marche arrière.

Pour la première fois depuis sa création, la légendaire 20th Century Fox était prise au piège.

Coûte que coûte, le studio devait terminer *Cléopâtre* et s'accommoder des dégâts financiers et publicitaires incarnés par Elizabeth Taylor.

Quitte à mourir avec, le sort de la Fox était désormais lié à son rêve égyptien.

*

À New York, les conclusions de Levathes firent l'effet d'une bombe.

Et comme si cette mauvaise nouvelle ne suffisait pas, les déboires du studio alimentaient une série de cinq articles publiés par le *New York Times*. Où l'autorité même de la direction du studio, parce qu'elle cédait aux caprices de Marilyn Monroe et d'Elizabeth Taylor, était mise en cause[1].

L'enquête, menée par Murray Schumach, se révélait d'autant plus dévastatrice que ses conclusions ne s'adressaient pas à Hollywood, mais directement au milieu de la finance.

La maison Fox était en feu.

Il fallait agir immédiatement et frapper fort.

Nous étions le 8 juin 1962.

Marilyn Monroe allait servir d'exemple.

---

1. « The Fox dilemma : Weakness see in the film industry ». *New York Times*, 8 juin 1962.

38. Étape

La force d'Elizabeth Taylor était devenue la faiblesse de Marilyn Monroe.

Dans l'impossibilité de se séparer de la star aux yeux mauves, la direction de la 20th Century Fox avait opté pour le renvoi de la Blonde. Un limogeage qui dissimulait l'impuissance et les faiblesses du studio. L'assassinat médiatique de l'actrice n'était en fait qu'un écran de fumée destiné à dissimuler le vrai visage de la Fox et à la présenter dans des habits qui n'étaient pas les siens. Ceux d'une compagnie dirigée d'une main de fer, soucieuse de rassurer ses actionnaires en refusant la tyrannie du *star system*.

Désormais cela ne faisait aucun doute : Marilyn Monroe venait d'être sacrifiée sur le bûcher des vanités.

*

Le détour entrepris pour raconter les derniers mois de la vie professionnelle de Marilyn Monroe peut paraître long à certains, mais à mon sens il était essentiel dans la quête de la vérité. Parce qu'à son terme, il permet de remettre définitivement en cause l'idée répandue selon laquelle, à la veille de l'été 1962, la star était une actrice à la dérive, piégée par le temps et assommée par les calmants. Portrait qui offrait une légitimité à la thèse du suicide.

Raconter comment la Blonde avait été victime de circonstances qui ne la concernaient même pas se révélait donc d'autant plus capital que, plus de quarante-cinq ans après sa disparition, les mensonges de la Fox empoisonnent encore nos souvenirs. Ainsi, documentaire après documentaire, livre après livre, l'œuvre de destruction orchestrée par Harry Brand et Perry Lieber persistait à trahir les derniers mois de la biographie de Marilyn.

Le plus étonnant, c'est la manière dont certains auteurs s'étaient emparés de ce portrait falsifié. Ainsi, en toute logique, les défenseurs de la thèse officielle s'en servaient pour mettre en avant le comportement suicidaire de la star. Mais ces balivernes propagandistes étaient également utilisées par les promoteurs de la théorie de l'assassinat pour étayer leurs déductions. Selon eux, les faiblesses prétendues de l'actrice durant le tournage illustraient à merveille l'impasse émotionnelle dans laquelle elle se trouvait à cause des frères Kennedy !

Or, peint par des illusionnistes dont la mission consistait à détruire une star, le tableau dramatique du mois de juin 1962 ne contenait pas une once d'authenticité.

Les six heures de bandes extraites de la mine de sel du Kansas prouvaient que Marilyn se trouvait à l'époque au sommet de son art.

Les archives même de la 20th Century Fox démontraient que les absences de l'actrice étaient justifiées.

La même source confirmait que les dirigeants du studio avaient autrefois tenté – en vain – de se séparer d'Elizabeth Taylor. Et que Monroe avait été, pour eux, un plan de secours.

39. Offensive

La manipulation des médias et de l'opinion avait été si efficace que les derniers mois de la vie Marilyn étaient plongés dans un flou absolu.

Comme si, entre son renvoi le 8 juin 1962 et son décès quasiment deux mois plus tard, l'actrice était restée murée dans son échec, n'avait ni agi, ni vécu, ni parlé à quiconque. Comme si elle était rentrée dans une sorte de long tunnel dépressif qui, une fois encore, corroborait les vitupérations de la Fox, justifiait sa décision et même, au final, le suicide.

Mais là encore, l'opinion, confortée par quatre décennies d'erreur, avait été abusée. Non, Marilyn ne s'était pas terrée chez elle, noyant l'échec et les rides dans un cocktail fatal de pilules et d'alcool.

Oui, la vindicte du studio avait été vécue comme une injustice, mais c'était justement pour cela que l'actrice, révoltée, avait choisi l'offensive.

*

Marilyn connaissait trop bien Hollywood pour ignorer où se gagnerait la guerre entamée contre elle.

La première bataille serait publique. Le studio ayant mis en branle sa machine à tuer, monopolisant l'espace médiatique,

166

la logique voulait que les mêmes organes de presse se tournent vers la star pour recueillir sa version des faits.

Brillamment conseillée par Pat Newcomb, Marilyn Monroe ne se déroba pas et contra ses adversaires tous azimuts. D'abord, en accordant des entretiens aux plus grands magazines du pays. Où elle n'esquiva aucune question embarrassante sur sa situation avec la Fox et où, en plus, elle s'efforça de présenter son meilleur profil. Après des années passées à lutter contre le poids de son double cinématographique, Norma Jean avait en effet enfin trouvé la paix. Tout sourire, elle revendiquait désormais son personnage, rangeant au placard ses rêves d'interprétation dramatique. La Blonde incarnait la séduction, le charme, la bonne humeur et la légèreté, autant de qualités, expliquait-elle, qu'elle désirait retrouver dans un scénario. Dans *Life* du 3 août 1962, par exemple, elle n'éluda rien. Évoquant la dérive purement financière des studios, elle déclara : « Je ne me suis jamais considérée comme une marchandise qu'on vend ou qu'on achète. Par contre, il y a une quantité de gens qui ne m'ont jamais considérée autrement, y compris une certaine compagnie que je ne nommerai pas. » Et d'ajouter : « Lorsqu'on est célèbre, chacune de vos faiblesses est amplifiée au maximum. Le cinéma devrait se conduire à notre égard comme une mère dont l'enfant vient presque de se faire écraser par une voiture. Mais au lieu de nous prendre contre lui et de nous consoler, le cinéma nous punit. C'est pour cela que l'on n'ose même pas attraper un rhume. Tout de suite, ce sont les grands cris : "Comment osez-vous attraper un rhume ?" (...) Mais moi je voudrais qu'eux, les directeurs, soient obligés un jour de jouer une scène avec une grippe ou une forte fièvre, peut-être qu'ils comprendraient. Je ne suis pas le genre d'actrice qui ne vient au studio que pour respecter la discipline. Cela n'a aucun rapport avec l'art. Bien sûr je souhaiterais être un peu plus obéissante. Mais lorsque je viens au studio, c'est pour jouer, pas pour être enrégimentée ! Après tout, ce n'est pas une école militaire, c'est un studio de cinéma. » Avec une sérénité incroyable, elle parla même de l'après-célébrité : « En fait, rien n'est jamais terminé, expliqua la Blonde. Il faut toujours recommencer, toujours. Mais moi, je crois qu'on obtient toujours le succès que l'on mérite. Maintenant, je ne vis que pour mon travail, et pour les quelques amis sur lesquels je puisse vraiment compter. La célébrité passera ? Eh bien, qu'elle passe. Adieu célébrité ; je t'ai eue, et j'ai toujours su que tu ne valais pas grand-chose. Pour moi, tu auras été au moins une expérience. Mais tu n'es pas ma vie. »

Et puisque les images avaient souvent plus de poids que les mots, dans un amusant clin d'œil à ses débuts, elle décida aussi de poser pour l'objectif des plus grands photographes de l'époque.

Bert Stern fut le premier à découvrir une Marilyn régénérée. La séance, commandée par *Vogue*, dura trois jours. Durant lesquels, confirmant ses déclarations aux médias, l'actrice démontra qu'elle s'assumait désormais pleinement. Les marques sur son corps, à commencer par la cicatrice qui barrait son estomac, n'étaient même plus taboues. Alors que sur le tournage de *Something's Got to Give*, la star avait exigé un bikini dessiné spécialement pour elle afin de dissimuler son nombril, là, elle s'offrit sans réserves. Et la mousseline transparente qu'elle tint devant son corps nu ne couvrait ni le poids de l'âge ni la marque du bistouri.

George Barris, représentant *Redbook*, avait opté, lui, pour des images en extérieur. À savoir dans la maison située en bord de mer de Peter Lawford et Pat Kennedy. Comme Marilyn aimait le lieu, le photographe cultiva l'ambiance décontractée qui s'en dégageait.

Sa dernière séance, elle, se déroula le 20 juillet 1962 au studio de Douglas Kirkland[1]. Pour *Look*, cette fois, l'actrice,

---

1. On remarquera que le magnifique album de Bert Stern, intitulé *The Last Sitting*, soit en français *La Dernière Séance*, est... fâché avec la chronologie. Mais on imagine que, pour des raisons commerciales, ce titre sonnait mieux, car en vérité, c'est bien Kirkland qui eut l'honneur de la véritable dernière séance.

en totale confiance, ne refusa pas la nudité. Glissée dans des draps en satin blanc, serrant contre elle un coussin de la même teinte, Marilyn fut sublime.

Sans surprise, et au-delà des conditions tragiques qui allaient accompagner leur parution, les clichés de Kirkland s'offraient une carrière internationale. En France, par exemple, c'était *Paris-Match* qui répondait à son confrère américain *Look* en offrant à la star une sublime couverture.

*

La présence de Marilyn à la une des médias ne fut que la partie visible de son opération reconquête. La Fox avait porté l'affaire sur le devant de la scène, il aurait donc été catastrophique pour l'avenir de la star de laisser ses attaques sans réponse. Mais l'essentiel se jouait évidemment en coulisses.

*

Malgré le tapage médiatique des as de la communication du studio, la cote de l'actrice ne semblait pas être atteinte. Ni auprès du public ni, et c'est sans doute plus important encore, au sein de la profession.

Au lendemain même de l'annonce de son limogeage, Marilyn avait en fait commencé à recevoir des offres. Certaines particulièrement lucratives, comme celle d'un conglomérat italien lui proposant un contrat colossal de onze millions de dollars pour venir tourner quatre films à Rome.

À Paris, le *Moulin-Rouge* s'était également manifesté, convaincu que la Blonde ferait une extraordinaire meneuse de revue. Si la proposition ne correspondait vraisemblablement pas aux plans de l'actrice, le télégramme de la direction du cabaret fut quand même retrouvé, après son décès, sur sa table de chevet. L'offre avait dû la flatter.

Côté cinéma, United Artists et au moins deux autres studios envoyèrent de pressants appels du pied à ses agents.

Mais Marilyn voulait autre chose que changer de compagnie : sa revanche.

Non contre la 20th Century Fox en elle-même, mais contre les hommes qui, désormais, dirigeaient le studio.

Et dans cette optique, seul le retour de l'actionnaire de référence pouvait à ses yeux être synonyme de victoire.

*

Darryl Zanuck suivait d'ailleurs avec une attention particulière les lendemains du licenciement médiatisé de Marilyn. Non seulement le producteur avait apprécié les extraits de *Something's Got to Give*, mais il avait aussi, parallèlement, été horrifié par la pesanteur suintant des premières images de *Cléopâtre*. Pour lui, pas de doute : le studio qu'il avait créé se trouvait entre les mains d'hommes manquant de discernement et de flair. Ce qui risquait de conduire à l'écroulement de la 20th Century Fox. De fait, Darrilyn Zanuck, sa fille, s'est souvenue plus tard « n'avoir jamais vu (son) père si soucieux. Lorsqu'il évoquait la mauvaise gestion du cas Monroe et celui de *Cléopâtre*, il était clairement inquiet pour l'avenir de la compagnie. [1] »

Et en effet, son téléphone parisien ne cessait plus de sonner. Une multitude d'interlocuteurs lui passaient un message clair : afin de rassurer les marchés et les vedettes encore sous contrat avec la Fox, Zanuck devait traverser l'Atlantique et reprendre le contrôle de la compagnie.

*

Marilyn Monroe et Darryl Zanuck eurent plusieurs conversations à cette époque.

Si les deux personnalités n'avaient jamais entretenu des relations amicales, ils se respectaient mutuellement. Zanuck

---

1. *Marilyn, The Last Take, op. cit.*

reconnaissait la popularité de la Blonde et elle, son extraordinaire talent de créateur de star.

La discussion avait rapidement tourné autour de *Something's Got to Give*. Si Zanuck reprenait les rênes du studio, alors Marilyn regagnerait le plateau. La star accepterait même de signer un nouveau contrat, revu à la hausse.

Le 25 juillet 1962, soit dix jours seulement avant la disparition de Marilyn Monroe, Zanuck passa à l'offensive. Profitant d'une réunion exceptionnelle du comité de direction de la Fox, il fit ni plus ni moins un putsch. Associé à son ancien ami Spyros Skouras, le nabab, ayant au préalable acheté en masse et en sous-main des actions, prit le contrôle du groupe en devenant son actionnaire principal.

Sans attendre, il ôta aux avocats et financiers la direction de la 20th Century Fox. Et il fit un premier effet d'annonce majeur : dans ses bagages, Zanuck ramenait la star du studio parmi les siens.

40. Improbable

Contrairement à une croyance bien ancrée, Marilyn n'était donc en rien une actrice à la dérive durant l'été 1962. Au contraire même, elle fourmillait de projets.

Le retour de Zanuck s'était accompagné d'une série de bonnes nouvelles concernant *Something's Got to Give*. George Cukor avait été définitivement écarté du projet et le scénario, écrit par Nunnally Johnson avec la collaboration de la Blonde, était redevenu celui du film. Mieux, la nouvelle direction de la Fox avait renoncé à l'application *stricto sensu* du contrat dépassé de Marilyn : pour l'inciter à reprendre son rôle dans la comédie, le studio lui avait proposé un cachet d'un demi-million de dollars. Soit cinq fois plus que la précédente offre, le double du salaire de Dean Martin et une somme enfin en phase avec sa popularité.

Puisque les liens étaient renoués début août, Peter Levathes vint lui présenter une proposition supplémentaire validée par Zanuck en personne. Un nouveau contrat, avec un million de dollars à la clef.

Après *Something's Got to Give*, Marilyn s'engageait à tourner *What a Way to Go*, comédie musicale ambitieuse où figureraient au générique rien de moins que Dean Martin, Frank Sinatra et Paul Newman.

Évidemment, cette offre généreuse n'était pas désintéressée. Zanuck avait « vendu » son retour sur cette « double dose »

172

de Monroe, ses experts financiers ayant calculé que, dans l'hypothèse de succès la plus basse, ses deux films rapporteraient au moins quarante millions de dollars.

Une somme suffisante pour éponger le gouffre de *Cléopâtre*.

*

Alors que depuis quarante-cinq ans on se contente de résumer le destin de la star à une terrifiante glissade vers l'autodestruction, la vérité n'a rien à voir avec ce cliché. Car les désirs de Marilyn s'accordaient à ceux du studio.

Entre le 1ᵉʳ et le 4 août 1962, Marilyn avait vu à trois reprises Levathes pour vérifier les détails du nouveau contrat. Dans le même temps, elle finalisait son retour médiatique avec le peaufinage de la couverture de *Playboy*.

Le 2, elle commandait aussi une nouvelle robe à Jean-Louis, parce qu'elle avait prévu de se rendre à New York à la rentrée afin d'assister à la première d'une pièce de théâtre. Et les 10 000 dollars exigés par le couturier coûtaient peu tant l'effet produit par sa précédente création, portée lors de l'anniversaire de JFK, avait été colossal.

Le même jour, Marilyn ornait la une de *Life*. Où, une fois encore, elle affirmait haut et fort son souhait de poursuivre sa carrière et sa fierté d'être une artiste.

Et dans la soirée, l'actrice reçut Withey Snyder, son maquilleur et ami, afin de célébrer l'accord verbal conclu avec la Fox !

Et si ces données précises, ces faits avérés, n'étaient pas suffisants pour se convaincre que la star envisageait l'avenir avec une sérénité retrouvée, ne manquait ni de projets ni d'objectifs, il restait cette information transmise par Levathes cette même journée : la reprise du tournage de *Something's Got to Give* avait été fixée au 4 septembre. Et Marilyn devait commencer par une série de gros plans ne nécessitant pas la présence de l'ensemble de la distribution. Le retour de Dean Martin était prévu, lui, pour le 16.

Après une naissance particulièrement mouvementée, le tournage de *Something's Got to Give* allait donc s'achever aux environs de la première semaine d'octobre.

*

Marilyn avait 36 ans.

Et les premiers jours de ce mois d'août 1962 portaient en eux les germes d'un avenir bien plus radieux. Un futur placé sous les signes d'une carrière relancée et d'une prospérité financière enfin assurée.

Marilyn avait 36 ans.

Et – désormais j'en étais convaincu –, la vie devant elle.

Marilyn avait 36 ans.

Et jamais la thèse du suicide ne m'était apparue aussi improbable.

CINQUIÈME PARTIE

Édifice

41. Piliers

Peut-être le chemin emprunté pour aboutir à cette conclusion aurait-il dû être plus simple ? Peut-être aurais-je pu suivre immédiatement les voies menant à l'hypothèse criminelle ? Après tout, la littérature consacrée à Marilyn Monroe ne regorge-t-elle pas de ce genre de raccourcis ?

Mais entre mes réticences à plonger une fois encore dans l'explication d'une conspiration et la force d'attraction des preuves, c'est la logique qui m'avait mené jusque-là. Après tout, si le suicide me semblait l'explication la plus probable, la découverte de la vérité sur les derniers mois de l'actrice ébranlait mes certitudes.

*

Depuis quarante-cinq ans, la disparition de Marilyn était analysée en fonction de trois éléments. Trois piliers qui, à eux seuls et parce qu'il n'y en avait pas d'autres, justifiaient le décès volontaire de la star aux yeux de tous.

Le premier était celui directement lié aux conditions de tournage de *Something's Got to Give*. Mais les bandes de Hutchinson, les tractations entreprises par la 20th Century Fox, les projets nombreux, variés et lucratifs de Marilyn, démolissaient le mythe d'une star en perdition.

En était-il de même avec le second pilier, celui qui devait nous conduire aux conditions même du décès, à savoir sa consommation excessive de narcotiques ?

42. Dealer

Il aurait peut-être été possible de se référer une fois encore aux images inexploitées de *Something's Got to Give*. Après tout, ne constituaient-elles pas la preuve éclatante que, contrairement aux rumeurs cyniquement colportées, Marilyn était en pleine possession de ses moyens, assumait son rôle, jouait mieux que jamais ? Mais cette source me semblait insuffisante.

Puisque, dans l'esprit de tous, les circonstances du décès de la star demeurent à jamais liées à sa prétendue dépendance aux drogues et médicaments, il s'imposait d'en savoir plus.

*

Le premier *dealer* de Marilyn Monroe portait des habits aussi dignes que rassurants. Ceux d'un médecin. Qui plus est engagé par la 20th Century Fox !

1953. Cette année-là, la Blonde tournait *River of No Return*, un western devenu mythique d'Otto Preminger, genre nouveau pour elle. Malgré un scénario faiblard, le réalisateur avait misé sur l'authenticité. Les décors naturels du Jasper National Park de la province d'Alberta, au Canada, lui offraient un cadre superbe et la présence au casting de Robert Mitchum et Marilyn Monroe augurait de bonnes prises. Pour renforcer le registre « réaliste », Preminger avait insisté pour que ces derniers ne soient pas doublés dans leurs cascades.

Or, durant une scène un peu mouvementée, l'actrice se blessa à la cheville. Une entorse qui imposa la pose d'un plâtre durant quelques jours et des béquilles. Une inflammation qui fut synonyme de souffrances et poussa le médecin du plateau à prescrire un cocktail de pilules.

D'abord, du Démérol pour calmer la douleur. Mais ce médicament avait un effet secondaire non négligeable : il contenait de la mépéridine, un analgésique narcotique pouvant créer l'accoutumance [1]. Ensuite, le docteur avait conseillé du Nembutal, une substance destinée à calmer les nuits agitées de la star. Or, ce barbiturique puissant de la famille des penthiobarbitals, utilisé pour traiter l'insomnie mais également les symptômes d'anxiété et de tension, avait comme inconvénient de ralentir l'activité du système nerveux [2]. Enfin, pour contrer les défauts de ces deux produits, le médecin se chargea de préparer lui-même, chaque matin, un mélange de « vitamines » censé procurer à Marilyn l'énergie nécessaire pour tourner.

À Hollywood, le cocktail avait hérité d'un surnom significatif : *hot shot*, en référence à la bouffée de chaleur qui accompagnait systématiquement son absorption. Car ces différentes substances n'étaient pas les seules prescrites : en plus de quelques vitamines, la mixture contenait aussi du glucose pour son effet coup de fouet et des amphétamines pour garantir une présence prolongée devant les caméras. À un dosage tellement puissant que le médecin se voyait contraint d'en atténuer les effets avec du Librium, un sédatif connu pour ses capacités calmantes [3].

Parce qu'il désirait accélérer le retour de Marilyn au travail et respecter les instructions du studio qui avait prévu la sortie du film en avril 1954, le médecin venait tout simplement

---

1. http://sante.canoe.com/drug_info_details.asp?brand_name_id=753&rot=4
2. http://sante.canoe.com/drug_info_details.asp?brand_name_id=449&rot=4
3. http://www.servicevie.com/02sante/Sante_ados/Ados13082001/librium.html

d'inaugurer pour elle onze années de dépendance. Plus d'une décennie à multiplier les ordonnances et à ruser pour diversifier les réseaux d'approvisionnement. Plus d'une décennie à vivre, aussi, dans la crainte du manque, incitant la star à prendre l'habitude de cacher un peu partout des stocks de pilules abrutissantes. Droguée et accro.

*

Les coulisses de l'usine à rêves ne se visitaient pas. Et pour cause, le spectacle y était peu ragoûtant. L'argent généré par le septième art avait tout changé. Et, depuis le milieu de la Seconde Guerre mondiale, Los Angeles ne vivait plus que par et pour la volonté d'une poignée de producteurs influents. Dont les désirs étaient des ordres, même les pires.

Corruption, chantages sexuels, meurtres camouflés en accident, pédophilie, crime organisé, photos compromettantes, bastonnades, viols en groupe, la liste des turpitudes organisées, tolérées ou étouffées par les studios ne cessait de s'allonger [1]. Et la prescription, parfois forcée, de « médicaments » explosifs aux stars relevait, finalement, du dégât collatéral.

Mais la consommation de pilules « magiques » devint si courue que la chimie parut à beaucoup la solution miracle de n'importe quel problème. Tyrone Power ne pouvait plus enfiler son costume de Zorro ? Une cure d'amphétamines lui permit de perdre rapidement du poids et de se glisser dans son seyant habit noir. Et beaucoup d'autres se virent assujettis à ces traitements dangereux...

Le véritable héros, inconnu, d'Hollywood, n'était autre que l'homme en blouse blanche. Celui qui avait toujours une seringue à disposition pour bien commencer la journée et un tube de pilules pour mieux la terminer.

---

1. À ce sujet, lire *Hollywood Confidential,* Ted Schwarz, Taylor Trade Publishing, 2007.

*

L'erreur consistait à croire qu'en 1964 cette dérive relevait du passé. Or, le dopage était l'activité la mieux partagée de la ville.

Toléré par une police complaisante, il était ordonné par les studios. Une vérité, qu'en fin de carrière, Lee Siegel lui-même avait admise : « D'abord, il faut se souvenir qu'à l'époque, l'administration de somnifères, d'analgésiques et d'amphétamines était un acte routinier. La même chose se passait à la Metro-Goldwyn-Mayer et à la Paramount. Et c'était comme cela depuis des décennies. À cette période, les pilules étaient simplement considérées comme un autre moyen de s'assurer que les stars continuaient à travailler[1]. »

Si, dans les premiers temps, cette réalité peu reluisante avait posé au médecin un cas de conscience, il s'était rapidement retrouvé confronté à l'amère réalité. Et aux exigences des pontes du septième art. « Nous étions, en tant que docteurs, prisonniers de ce système. Si l'un d'entre nous refusait de prescrire un produit, et bien un autre le faisait. Lorsque j'ai commencé à suivre Marilyn au milieu des années cinquante, tout le monde à Hollywood utilisait ces drogues[2]. »

*

La dépendance de Marilyn sauta aux yeux de beaucoup durant le tournage de *The Misfists*. Il est vrai que le film de John Huston résumait avec cruauté tous les échecs de la star, tant ses désirs de maternité inassouvis, ses rêves d'actrice respectable jamais concrétisés, que sa vie amoureuse. S'en est-elle rendu compte ? En tout cas avant de rejoindre l'équipe dans le Nevada, Monroe avait tenté de noyer sa dépression

---

1. In *Joe & Marilyn : The Ultimate L.A Love Story,* Maurice Zolotow, 1979.
2. *Ibid.*

dans l'alcool et l'excès de nourriture italienne. Un régime qui ne risquait pas de l'aider à pouvoir tourner.

Le calendrier du film ayant déjà été repoussé de plusieurs semaines, United Artists, le studio qui produisait le long-métrage, demanda au médecin du plateau de s'assurer que Marilyn était bien en état de travailler.

Rupert Allan, qui avant de rejoindre Grace de Monaco s'oc-cupait des relations publiques de la star, s'est souvenu ensuite avec précision du traitement de cheval qu'on lui administra alors quotidiennement : « Les médecins, sur le tournage des *Misfists,* sont en partie à blâmer. Comme Marilyn ne réussis-sait pas à dormir, ils lui prescrivaient d'énormes doses de Séconal, Démérol et Nembutal[1]. »

Avec des résultats bien pires que les symptômes censés être traités, évidemment. Car sans sa double dose de *hot shot*, Marilyn était incapable de sortir de la torpeur chimique dans laquelle les somnifères l'avaient plongée. Une spirale infernale apparut : alternant excitants et calmants, la star s'effondra.

Résultat, le tournage fut interrompu et Marilyn Monroe rapatriée d'urgence à Los Angeles. Là, un psychiatre qui l'avait traitée un an plus tôt essaya l'impossible : la guérir de sa dépendance.

---

1. *Marilyn, The Last Take, op. cit.*

43. Peur

Le véritable mal de Marilyn ne constituait en rien un secret. Ni une tare : Monroe, depuis l'adolescence, souffrait d'insomnies.

Elle-même, lors d'une interview de 1959, en avait évoqué les origines, liées à l'un de ses séjours en orphelinat : « J'ai une peur maladive du noir. Je ne m'y sens pas en sécurité. (À l'orphelinat), des personnes arrivaient puis repartaient au milieu de la nuit. Lorsque le soleil se levait, certains des enfants n'étaient plus là. Depuis, je ne me suis jamais sentie en sécurité dans la nuit. Comme si on pouvait venir m'enlever sans que quiconque s'en rende compte [1]. »

*

Durant son hospitalisation d'une semaine au Westside Hospital de Los Angeles, le docteur Greenson put établir un diagnostic des fragilités de sa patiente. Selon lui, recourir aux somnifères ne servait à rien puisqu'ils ne traitaient pas les causes mêmes du mal. Aussi, avant de renvoyer Marilyn achever le film de John Huston, le psychiatre avait-il établi avec elle un plan de bataille précis. Si la Blonde voulait maîtriser sa relation au sommeil, elle devait d'abord cesser toute

---

1. Entretien avec Maurice Zolotow in *Marilyn Monroe*, Batam, 1961.

consommation de barbituriques. À ses yeux, grâce aux conseils d'un autre médecin capable de faciliter le processus de désaccoutumance, c'était faisable. Sous réserve, toutefois, que l'actrice adopte son programme et l'applique scrupuleusement.

Mais les bonnes paroles et les feuilles de route les plus élaborées ne servent à rien dans ces cas-là. Il faut que la volonté de s'en sortir vienne du plus profond du patient. Certes, Greenson entretenait certaines raisons d'espérer. Car il avait remarqué que « si, à première vue, Marilyn présentait des symptômes d'addiction très sévères, au fond cela n'était pas le cas ». Et d'ajouter : « Elle avait la capacité de tout arrêter brusquement sans connaître les symptômes physiques associés au manque [1]. »

Autre piste pour l'aider selon lui... un autre médicament. À savoir un hypnotique de synthèse, l'hydrate de chloral, très populaire dans le milieu de la psychiatrie en ces années 1960. Doté d'une bonne réputation de produit d'usage aisé avec accoutumance limitée, il représentait pour beaucoup la panacée, le remède idéal susceptible de réduire cette dépendance.

Le docteur Hyman Engelberg, qui suivit Monroe à partir de 1960, travaillerait de concert avec Greenson. Ce dernier tenterait de plonger dans les ténèbres de l'inconscient de Marilyn, tandis qu'Engelberg lui injecterait fréquemment des doses de plus en plus faibles d'hydrate de chloral. À terme, le produit remplacerait avantageusement le redoutable Nembutal, puis disparaîtrait à son tour.

*

Marilyn, consciente de l'enjeu, s'était transformée en patiente modèle. Convaincue, heureuse d'avoir enfin trouvé une porte de sortie à l'un de ses pires soucis. Puisque, pour la

---

1. *Explorations in Psychoanalysis,* Ralph Greenson, International University Press, 1978.

première fois, un médecin s'attaquait directement aux racines de son mal, elle acceptait de jouer le jeu.

Écrivant à son amie Paula Strasberg, l'actrice couvrait d'ailleurs d'éloges son thérapeute : « Il est mon sauveur, mon allié contre le reste du monde[1]. » Même George Cukor reconnaîtra, en 1979, que Greenson avait été « le seul médecin à n'avoir pas fait de mal à Marilyn d'une manière ou d'une autre[2] » et expliquera, comme l'entourage de la star, que Marilyn « l'écoutait vraiment ».

*

Médicalement et psychologiquement parlant, 1962 était une année difficile.

Pour son retour au grand écran, l'actrice entama un régime draconien. Déterminée à être plus svelte que jamais, elle limita ses apports de nourriture quotidiens à six cents calories. En se privant drastiquement, elle avait perdu douze kilos durant les deux mois précédant le tournage de *Something's Got to Give*. De quoi perturber grandement son organisme.

Cette épreuve physique ne suffisant pas, Marilyn dut aussi, au printemps, lutter contre sa terrible infection des sinus. Aux effets largement amplifiés par son refus de se nourrir convenablement. Afin d'y faire face, le docteur Hyman Engelberg augmenta ses visites. Non pour des injections d'hydrate de chloral, puisque Marilyn, malade et sous-alimentée, présentait des signes d'anémie, mais afin de la « remonter » ! Et le remontant trouvé – les factures d'Engelberg l'attestent – est un remède de cheval connu depuis 1926 et peu appétissant : des injections d'extraits de foie pour suppléer la carence en vitamine B 12[3]. Une perspective plutôt dégoûtante pour elle. Mais elle s'y plia.

---

1. Citée in *Marilyn, The Last Take*, *op. cit.*
2. *Ibid.*
3. Deux semaines avant son décès, Marilyn dut interrompre un entretien avec un journaliste de *Life* pour recevoir son injection.

Sur le plateau du film de Cukor, Marilyn Monroe accepta aussi quelques *hot shots*. Histoire, grâce à cette mixture à base d'amphétamines et de vitamines, de supporter les multiples prises exigées par le réalisateur.

*

Pour Greenson et Engelberg, l'essentiel était cependant ailleurs.

Si le manque de sommeil constituait toujours le problème majeur, sur ce plan la situation s'était améliorée. Notamment à cause d'un achat immobilier. Le Dr Greenson avait en effet insisté pour que Marilyn s'offre sa première propriété, le psychiatre étant persuadé que des attaches solides réduiraient les peurs nocturnes de la star.

Combinée aux multiples séances thérapeutiques, cette acquisition eut des effets positifs. D'ailleurs, comme le prouvera par la suite le détail de ses factures téléphoniques, Marilyn appelait de moins en moins après minuit. Or longtemps le téléphone avait été son antidote. Pendue au bout du fil jusqu'aux premières heures du jour, elle attendait, bercée par une voix rassurante, que le sommeil l'emporte sans qu'elle s'en rende compte.

Les perspectives de guérison semblaient donc désormais réelles. Mieux, d'autres fronts médicaux s'apaisaient. Car durant l'été 1962, Marilyn parvint à ne plus être dépendante.

*

Cette information se révèle évidemment capitale.

Car Monroe n'étant plus sous l'influence des barbituriques lors de son décès, le deuxième pilier étayant la thèse du suicide s'effondrait de lui-même.

Résoudre le mystère Monroe revenait de plus en plus à assembler les pièces d'un puzzle sans connaître d'avance le résultat final. Et cette fois, un nouvel élément apparaissait et ébranlait plus encore. Un élément enfoui là où on l'attendait le moins.

*

Le 17 août 1962, deux semaines après le décès de la star, le docteur Theodore Curphey présentait les conclusions de l'enquête de la Suicide Prevention Team. Dans un document s'achevant sur ce qui deviendrait l'explication officielle : « Un probable suicide ».

Mais c'était une partie, moins médiatisée, de ce rapport qui avait soudain attiré mon attention. Un long passage qui détaillait les étapes de la thérapie entreprise par les docteurs Greenson et Engelberg et révélait que, « récemment, l'un des objectifs principaux de son traitement psychiatrique était la réduction de sa consommation de médicaments ». Avant d'ajouter : « Cet effort avait été partiellement couronné de succès durant les derniers mois [1]. »

Partiellement couronné de succès...

Perdue au milieu d'un jargon médico-légal, la phrase prenait encore plus d'ampleur avec les lignes qui la suivaient : « (Marilyn) appliquait les instructions de son médecin relatives à l'utilisation de médicaments. La quantité de médicaments retrouvée chez elle au moment de sa mort n'avait rien d'anormal [2]. »

Cette information majeure avait échappé à beaucoup. Et pourtant, elle méritait d'être reproduite, répercutée, martelée même.

En associant les résultats de l'investigation entreprise par le Los Angeles Police Department et différents entretiens confidentiels avec l'entourage médical de la star, les enquêteurs de Curphey confirmaient que Marilyn Monroe suivait

---

1. Statement by Theodore J. Curphey, M.D.Chief Medical Examiner-Coroner, County of Los Angeles, August 17th, 1962, *op. cit.*
2. *Ibid.*

scrupuleusement le plan de Greenson. Ce qui signifiait que pour guérir de son insomnie, elle avait cessé d'abuser des somnifères. Donc, en toute logique, contrairement à ses habitudes, Marilyn ne stockait plus chez elle, et de manière aussi anormale qu'excessive, les barbituriques.

*

Ainsi, le rapport censé justifier *définitivement* le suicide par ingestion de médicaments contenait en fait les éléments permettant précisément de remettre en cause la thèse officielle.

Deux piliers s'étaient effondrés.

Restait le dernier.

Celui qui, depuis le début, m'avait semblé pourtant le plus solide.

44. Overdose

Marilyn n'avait rien laissé.

Pas de note rapidement crayonnée avant l'ingestion de la dose fatale.

Pas de lettre d'adieu où chaque mot aurait été soigneusement pesé.

Pas de conversations, de signes, de silences qui auraient pu inquiéter son entourage.

Dès lors, l'ultime geste de la star relevait de l'énigme. Et l'absence d'explications et de signaux d'alerte rendait complexe et délicate la mission de la Suicide Prevention Team. Devant l'impossibilité d'afficher une certitude absolue, Theodore Curphey avait donc eu recours à la formule devenue fameuse de « probable suicide ».

Cela ne signifiait pas que le Coroner en chef laissait la porte ouverte à l'hypothèse criminelle, non, mais que, en bon légiste, il préférait user du vocabulaire de la raison.

En somme, si le suicide était l'option « la plus probable », c'était parce qu'elle apparaissait comme la plus logique.

*

À défaut de pouvoir s'appuyer sur des documents rédigés par l'actrice revendiquant son geste, Curphey et ses enquêteurs fondaient leur jugement sur trois croyances.

La première, nous l'avons vu, c'était l'analyse précise des derniers mois de Marilyn Monroe. Une donnée malheureusement totalement faussée par le travail de sape des services de la communication de la 20th Century Fox. Comme Curphey n'avait pas eu accès aux bandes de *Something's Got to Give,* il adhérait, de fait, à la version d'une actrice tombée en pleine dérive.

La deuxième « preuve » à charge l'incitant à pencher vers le suicide touchait au mode de vie de Monroe et plus particulièrement à son habitude passée, parfois publique, d'abuser des barbituriques. Mais là encore, tout était faux. Et des investigations futures démontreraient que les conclusions des médecins étaient sur ce point erronées. Après une décennie de dépendance, Marilyn venait en effet de décrocher.

Restait le troisième socle. Celui qui, vraisemblablement, avait le plus de poids aux yeux de Curphey : les résultats de l'autopsie conduite par le docteur Thomas Noguchi.

Résumant les découvertes du médecin, le responsable du bureau du Coroner du comté de Los Angeles avait en effet écrit : « Les indices supplémentaires confirmant le suicide sont : le haut niveau de barbituriques et d'hydrate de chloral dans le sang qui, ainsi que les autres informations issues de l'autopsie, indique l'ingestion probable d'une grande quantité de pilules sur une courte période de temps [1]. »

En clair, selon Theodore Curphey, Marilyn Monroe avait bel et bien été victime d'une overdose de somnifères. Accidentelle ou volontaire, celle-ci se métamorphosait, dans la logique de ce représentant officiel, en « probable suicide ».

Le dossier 81128 pouvait être refermé, l'affaire classée et le certificat de décès de Marilyn Monroe définitivement complété.

*

---

1. Statement by Theodore J. Curphey, *op. cit.*

Le challenge qui s'ouvrait à moi devenait évident.

Toute enquête sérieuse souhaitant remettre en cause la thèse officielle devait oser affronter le monstre.

Puisque les résultats de l'autopsie de Marilyn constituaient la clé de voûte sur laquelle reposait l'édifice, toute personne désireuse de réécrire l'histoire ou, plus simplement, de savoir la vérité, devait l'ausculter de près, voire la mettre à terre. Mais était-ce possible ?

45. Autopsie

En 1962, Thomas Noguchi n'était pas encore devenu le médecin légiste des morts célèbres. Et ses plongées – légales – dans les entrailles de Robert F. Kennedy, Sharon Tate, Janis Joplin, William Holden, Natalie Wood et John Belushi surviendraient plus tard[1]. Mais n'anticipons pas. Car c'est assurément son œuvre dans le dossier Marilyn qui lui a ouvert le chemin d'une certaine célébrité.

*

Le dimanche 5 août 1962, Thomas Noguchi travaillait depuis deux ans pour le bureau du Los Angeles County Coroner. Or, ce matin-là, le coup de téléphone de Theodore Curphey avait suscité chez lui plus de questions que d'excitation réelle. Car son patron venait de lui confier la prise en charge d'un cas dont lui-même devinait d'emblée qu'il le placerait sur la sellette.

Après tout, on pouvait avoir émigré du Japon une décennie plus tôt et comprendre sur-le-champ l'enjeu qu'impliquait la responsabilité d'autopsier une déesse.

---

1. Pour l'ensemble de ces cas, voir *Coroner,* Thomas T. Noguchi, Simon & Schuster, 1983.

*

Cela lui parut sur le coup tellement irréel que Noguchi douta jusqu'au bout de l'identité de la dépouille confiée. Après tout, la Marilyn Monroe qu'il devait examiner était peut-être une homonyme ?

Mais le corps allongé sur le métal de la table numéro 1 l'avait rapidement rappelé à la réalité. Et, parce que pour la première fois de sa carrière il venait d'être submergé par l'émotion, le médecin s'efforça de repenser aux raisons ayant poussé son supérieur à le choisir, lui.

Il n'était pas le plus expérimenté du service mais il s'y était peu à peu imposé comme le spécialiste des cas scientifique-ment complexes. De plus, certifié à la fois en pathologie cli-nique et anatomique, Noguchi était le seul membre de l'équipe de Curphey doté d'un solide bagage universitaire. À la même époque, il était aussi professeur-assistant en pathologie à l'école de médecine de l'université de Loma Linda [1].

Son choix comme responsable de l'autopsie de l'actrice la plus mythique d'Hollywood ne constituait pas le seul indice de l'importance accordée à la procédure. En effet, on ne l'avait pas laissé opérer seul, puisque le District Attorney de Los Angeles avait envoyé John Miner, un de ses assistants, super-viser son travail.

Il était neuf heures trente, ce 5 août 1962, quand Thomas Noguchi, le scalpel à la main, s'apprêta à se pencher sur le cadavre le plus célèbre de la planète.

*

Avant d'enfiler sa blouse blanche, le médecin avait parcouru le dossier accompagnant la « livraison » du matin.

Le corps appartenait à une « femme de type caucasien, yeux

---

1. Il terminera sa carrière comme président de la prestigieuse National Association of Medical Examiners.

bleus, un mètre soixante-quatre, cinquante-deux kilos. Le Dr Engelberg avait constaté son décès. De nombreux flacons de médicaments avaient été retrouvés sur sa table de nuit, parmi lesquels un de Nembutal, entièrement vide, un somnifère, et un autre, partiellement vide, d'un autre somnifère, l'hydrate de chloral [1] ». Le rapport se terminait par des pages rassemblant des « informations complémentaires », comme, par exemple, l'adresse de la victime.

Noguchi y apprit également que, le vendredi 3 août, le docteur Engelberg avait prescrit à la star une ordonnance de Nembutal.

Le médecin légiste n'avait pas encore examiné le cadavre que, déjà, se dessinait clairement ce qui devait être la raison du décès. Ce qu'il confirmera lui-même plus tard : « Vendredi, la femme avait acheté cinquante pilules de Nembutal et, le jour d'après, le même flacon avait été retrouvé vide à côté de son lit. Un classique suicide, pensais-je [2]. » Mais cela ne signifiait en rien que Noguchi avait décidé de bâcler l'affaire.

Au contraire même. Parce qu'il estimait que, dans le pays, au moins vingt pour cent des autopsies prouvaient que les conclusions préliminaires de l'enquête étaient fausses et parce qu'il savait, « par expérience, que la procédure produisait souvent des surprises [3] », sa conscience professionnelle ne devait rien négliger

N'était-ce d'ailleurs pas pour cela que le docteur Theodore Curphey avait fait appel à lui ?

*

La fine lame du scalpel devrait attendre.

La procédure exigeait d'agir selon un plan très précis. La première étape de l'autopsie passait par un examen approfondi

---

1. *Coroner, op. cit.*
2. *Ibid.*
3. *Ibid.*

de la dépouille. À la recherche d'éventuels indices d'une lutte ou de toute autre forme d'agression, il palpa le corps afin de déterminer s'il y avait des fractures. Puis il vérifia le dessous des ongles, lesquels pouvaient receler d'infimes morceaux de peaux arrachés à un assaillant après un hypothétique corps à corps.

À l'exception d'un petit hématome sur la hanche gauche de Marilyn, le médecin ne releva aucun signe de mort violente. Noguchi remarqua toutefois que la couleur foncée de l'hématome indiquait que la marque était récente mais, comme il l'expliqua ensuite, « au moment de l'autopsie, (il) ne croyait pas que le traumatisme soit connecté à son décès. L'endroit où il se trouvait, juste au-dessus de la hanche, et sa petite taille, allaient à l'encontre de l'idée qu'il résultait d'un acte violent. Si Monroe avait été victime d'un tel acte, je m'attendais à trouver des marques autour de son cou ou de sa gorge [1] ». Ce qui n'était pas le cas.

Noguchi s'équipa alors d'une loupe puissante et reprit son exploration du corps. John Miner, peu habitué à observer un médecin passer autant de temps à scruter ce qui lui semblait être chaque millimètre de la peau d'un cadavre, en fut étonné. Cette fois, Noguchi recherchait une trace laissée par l'aiguille d'une seringue puisque, dans l'hypothèse où le meurtre aurait été déguisé en suicide, l'injection lui semblait la possibilité la plus évidente. Mais là encore, son observation fut négative.

Les pièces du puzzle s'assemblaient une à une.

Si Marilyn avait succombé à une overdose, l'absence de signes de résistance signifiait que la dose fatale ne lui avait pas été administrée de force. Le défaut de marques laissées par une aiguille démontrait quant à lui que la dose fatale ne lui avait pas été injectée non plus.

Fort de ses deux conclusions, le docteur Noguchi put entamer l'étape la plus spectaculaire et repoussante de sa mission.

---

1. *Coroner, op. cit.*

*

Le rapport remis par Thomas Noguchi fut à l'image de son travail : précis.

Certes, il ne fallait ni être allergique au jargon médical ni avoir l'estomac fragile pour apprécier son œuvre de découpage, mais au moins convenait-il de noter son sens de l'exactitude. Et puis, suivre son parcours dans les entrailles de la star constituait une étape essentielle de l'enquête.

De cette « exploration interne des systèmes cardiovasculaire, respiratoire, (...) génital et digestif de Marilyn Monroe[1] », il convient de retenir l'essentiel. À savoir, le fait que l'estomac de l'actrice était quasiment vide. Noguchi récolta à peine vingt millilitres de fluide, soit l'équivalent d'une cuillère à soupe.

Plus étrange, le médecin nota l'absence totale de résidus de somnifères. Que cela fut sous une forme complète, résiduelle ou par la présence de cristaux, toute trace des comprimés de Nembutal et d'hydrate de chloral avait, semble-t-il, disparu. Un point, nous le verrons, qui deviendra le cheval de bataille des promoteurs de la thèse criminelle.

Noguchi nota encore que la muqueuse des parois de l'estomac était rouge, couleur liée au phénomène inflammatoire créé par l'abus de médicaments.

Si les intestins ne présentaient aucune anomalie, le légiste remarqua, sans l'expliquer, « une congestion, et une décoloration tirant sur le mauve, du côlon[2] ».

*

Le reste de l'organisme ne présentant pas d'intérêt dans le cadre de l'enquête, Noguchi, avant de refermer la dépouille,

---

1. Rapport d'autopsie, 5 août 1962.
2. Rapport d'autopsie, *op. cit.*

entreprit une série de prélèvements. Une quantité de sang fut ainsi récupérée et envoyée au laboratoire afin d'établir le taux d'alcool et de barbituriques présents. Pour compléter le tout, Noguchi procéda ensuite au retrait « du foie, des reins, de l'estomac et de son contenu, de l'urine et de l'intestin afin de les préserver pour une étude complémentaire [1] ».

Le test sanguin fut le premier à revenir du laboratoire. Et, en déterminant « une dose, bien au-delà des quantités fatales, de Nembutal et d'hydrate de chloral [2] », il révéla sans l'ombre d'un doute la cause du décès de Marilyn Monroe.

Comme le laissait envisager la quantité de tubes et flacons trouvés sur sa table de nuit, la star était décédée d'une overdose de somnifères.

*

La journée du dimanche 5 août 1962 était bien entamée.

À l'extérieur, les représentants de la presse s'impatientaient.

La mort de la star était sur toutes les lèvres, alimentait toutes les conversations, intriguait le monde entier. Depuis un moment déjà, les rumeurs les plus folles se propageaient.

Mais bientôt, ces interrogations n'auraient plus de raison d'être. Le docteur Thomas Noguchi venait d'en terminer avec le cas 81128.

Marilyn s'était suicidée.

Affaire classée.

---

1. *Ibid.*
2. *Coroner, op. cit.*

46. Catalyse

L'autopsie réalisée par Thomas Noguchi occupe aujourd'hui encore une place de choix au cœur de l'énigme. Parce que les informations fournies par le rapport du médecin comme celles qui n'y figurent pas permettent d'approcher de la solution.

Comme une catalyse le permet en science, le document offre la possibilité de séparer le faux du vrai, de tordre le cou à certaines croyances et d'entraîner un enquêteur sans préjugés vers des pistes inattendues. Qu'on en juge.

*

L'un des premiers enseignements du document signé Noguchi est de permettre la classification définitive au rayon des légendes urbaines d'une des rumeurs les plus tenaces concernant la mort de Marilyn.

Plus de quarante-cinq ans après le décès, l'inconscient collectif, bercé par des décennies d'erreurs complaisamment colportées et reprises par la littérature consacrée à la star, associe encore les derniers instants de l'actrice à l'ingestion d'un cocktail redoutable d'alcool et de somnifères. Or ce mélange – qui ne manquait pas de donner un côté « fin hollywoodienne *glamour* » à la star – ne se fonde sur aucune réalité. Les tests sanguins effectués par le laboratoire du bureau du Coroner démontraient clairement que, le 4 août 1962, Marilyn Monroe n'avait pas consommé la moindre goutte d'alcool. Et qu'à défaut de champagne, si elle s'était effectivement suicidée, la Blonde avait ingurgité de l'eau.

*

En songeant à la complexité des informations avérées ou controversées divulguées, il convenait de remettre les choses à plat afin de se repérer. Nous l'avons vu, Theodore Curphey considérait l'autopsie comme le troisième pilier de sa démonstration en faveur d'une mort volontaire. Mais, étrangement, les défenseurs de la thèse inverse se référaient au même rapport pour étayer la légitimité de leur vision. La confusion se révélait totale.

Afin de déterminer avec certitude la cause du décès de Marilyn Monroe, un sérieux tri s'imposait.

47. Seringue

Le 13 novembre 1982, le tabloïd américain *Globe* publiait les souvenirs explosifs de James E. Hall.

Cet ancien chauffeur d'ambulance affirmait s'être rendu au domicile de Marilyn Monroe dans la soirée du 4 août 1962. Accompagné de son collègue Murray Leibowitz, Hall était arrivé au 12305 Fifth Helena Drive alors que la star était à l'agonie.

Le reste de son témoignage ne manquait pas de sensationnel : « Au bout d'un moment, nous l'avons sortie de son lit et nous avons commencé à lui administrer des massages cardiaques. Nous l'avons placée sous assistance respiratoire et elle a commencé à reprendre des couleurs [1]. »

Marilyn ressuscitée, son état stabilisé, Hall et Leibowitz s'apprêtaient à l'installer sur un brancard afin de la transporter vers l'hôpital le plus proche lorsqu'un homme affirmant être « le docteur de Monroe » leur donna l'ordre d'arrêter : « Ensuite, il a ouvert son sac de médecin et a récupéré une seringue hypodermique déjà équipée de son aiguille [2]. »

La suite du récit prit une tournure extraordinaire. Le médecin, que plus tard James Hall identifiera comme étant le docteur Greenson, tenta de planter la seringue dans le cœur

---

1. *Globe*, 13 novembre 1982.
2. *Globe*, *op. cit.*

de Marilyn pour injecter une dose d'adrénaline. Une pratique courante à en croire certains, une tentative de meurtre pour Hall.

Quoi qu'il en soit, Greenson aurait manqué sa cible et, sous la pression, brisé accidentellement une côte de la star : « Ensuite, il a placé son stéthoscope sur sa poitrine et il a dit : "Je vais prononcer son décès. Vous pouvez partir maintenant[1]." »

La conclusion de l'ambulancier ne manquait pas de force : « Si ce personnage, qui s'était présenté comme son médecin, était arrivé une minute plus tard, nous aurions déjà atteint l'hôpital avec Marilyn. Nous l'aurions sauvée[2]. »

*

La plus élémentaire prudence obligeait à lire ces propos avec circonspection.

D'abord, en songeant au contexte. Pourquoi, en pleine année commémorative, Hall avait-il bénéficié de ce soudain et très ciblé retour de mémoire ? Le confortable chèque que le journal lui accordait n'y était-il pas pour beaucoup ? Autre élément propice au doute, le fait que *Globe*, un tabloïd hebdomadaire vendu aux caisses des supermarchés, ne représentait pas la garantie d'un journalisme de haute volée.

En fait, c'était le fond même de ce témoignage qui posait problème.

Primo, parce que Murray Leibowitz, l'autre ambulancier, niait de son côté s'être rendu au domicile de Marilyn Monroe. *Secundo*, parce qu'il n'existait pas la moindre trace écrite de l'intervention alors que, en accord avec la loi de l'État de Californie, c'était obligatoire. *Tertio*, une déclaration du propriétaire de la compagnie d'ambulances pour lequel travaillait Hall, lequel allait jusqu'à contester que ce dernier ait été l'un

---

1. *Ibid.*
2. *Ibid.*

de ses employés en août 1962 ! Enfin, Hall décrivait une procédure qui aurait dû laisser des traces sur le cadavre de l'actrice. Or, la dépouille n'en présentait aucune.

Les gestes qu'il prêtait au docteur Greenson auraient en
effet laissé des traces – une marque visible de piqûre sur la
cage thoracique, puis d'autres sur le cœur – que Noguchi ne
décela pas. Et même en cas de ratage complet de la manipulation, le légiste aurait dû noter la présence de sang dans les
zones cardiaque et pulmonaire. Sans oublier la côte fracturée
sur le côté gauche, que Noguchi aurait dû confirmer lors de
la palpation du cadavre, puis de l'autopsie elle-même.

Mais bon, l'interview sortit en 1982, à une époque où les
mémoires de Thomas Noguchi n'avaient pas été encore publiés
et où son rapport d'autopsie, en ces temps d'avant Internet,
ne circulait pas largement. Aussi, sans dédouaner complètement *Globe* et sa parfois peu scrupuleuse chasse aux *scoops*,
il était possible d'accorder des circonstances atténuantes à
l'hebdomadaire. En revanche, faire preuve de la même clé-
mence devenait difficile lorsqu'on vit réapparaître l'histoire
de James Hall en 1998.

*

« Ce livre est un ensemble de rumeurs réchauffées, d'inventions pures et simples, d'insinuations non prouvées, le tout
présenté comme s'il s'agissait de faits et vendu sous une belle
couverture [1]. »

La colère de David Marshall, bien que s'exprimant de
manière modérée, n'était pas feinte. La cible du courroux de
cet expert ? Don Wolfe et son ouvrage, *The Last Days of
Marilyn Monroe*, ouvrage publié cette année-là en France et
ayant rencontré un vif succès médiatique et public.

Si, à l'époque, j'avais affiché une certaine retenue lorsqu'on
m'avait interrogé sur ce travail, la même mansuétude n'est

---

1. E-mail avec l'auteur, août 2007.

plus de mise aujourd'hui. Et le cas James Hall illustre parfaitement l'obligation de ne pas laisser dire n'importe quoi. Car l'auteur américain se servait à plusieurs reprises du témoignage de l'ancien ambulancier pour appuyer sa thèse et l'enrichissait de détails nouveaux issus d'une série d'entretiens avec Hall. Lesquels versaient dans la surenchère.

Ainsi, épousant la thèse défendue par Wolfe, Hall précisait désormais que Peter Lawford, le beau-frère de John et Robert Kennedy, avait assisté à l'intervention ratée du docteur Greenson, sa présence dans la villa de Marilyn lors de l'agonie étant largement exploitée pour étayer la responsabilité de RFK dans la disparition de la star. Et cette nouveauté, Wolfe la prenait pour argent comptant.

Mieux, l'auteur écartait les éléments décrédibilisant les assertions de James Hall. Et en particulier les souvenirs et le rapport d'autopsie de Thomas Noguchi. Ainsi, c'était seulement dans une note de bas de page que cette question majeure était évacuée : « On peut se demander pourquoi on n'a pas signalé cette entrée d'aiguille à l'autopsie. Il y a plusieurs explications possibles : 1. On ne l'a pas vue ; 2. On l'a vue, mais on ne l'a pas signalée dans le rapport à cause des problèmes qu'elle entraînait ; 3. "L'examen minutieux du corps à la recherche de traces d'aiguille" s'est déroulé après qu'on eut ouvert le corps. (...) Comme l'a dit récemment Allan Abbott : "À ce stade, l'incision en Y de la poitrine aurait oblitéré toute trace de piqûre dans la région du cœur[1]". »

*

La première critique opposable à Wolfe tenait à la manière dont sa démonstration oubliait d'évoquer la côte prétendument brisée par Greenson. Si, selon sa justification initiale, la probabilité d'un Noguchi ratant l'entrée de l'aiguille pouvait être

---

1. *Marilyn Monroe, enquête sur un assassinat,* Don Wolfe, Albin Michel, 1998.

envisageable, une seconde lacune majeure de son travail se révélait tout bonnement invraisemblable.

Le troisième point avancé par l'auteur américain frôlait même le ridicule, tant il allait à la fois à l'encontre du rapport de Noguchi, de ses différentes interventions – y compris sous serment – et, plus généralement, de la procédure scrupuleusement suivie lors d'une autopsie. Respectant la règle et le sens commun, le médecin légiste avait en effet soigneusement examiné le cadavre de Marilyn, puis entrepris son travail d'excision et de prélèvement, lequel, justement, modifiait l'aspect extérieur du corps. Il l'avait donc fait *avant* et non « après qu'on eut ouvert le corps », comme l'affirmait la note.

Quant à l'argument selon lequel Noguchi aurait volontairement choisi de ne parler ni de l'entrée de l'aiguille ni de l'os fracturé « à cause des problèmes (que cela) entraînait », il justifiait la difficulté à défendre l'idée d'une conspiration. Suivant la « logique » de Wolfe, si le légiste voulait cacher la vérité, c'est qu'il participait directement au complot dans la mesure où ne pas signaler les blessures aidait à accorder l'état du corps à la thèse du suicide. Si Don Wolfe n'osait pas l'écrire, c'était parce qu'il n'ignorait pas l'existence d'un second témoignage attestant du sérieux de l'autopsie.

Comme le médecin légiste l'avait signalé, John Miner, assistant du District Attorney, avait surveillé l'ensemble du processus. Et Wolfe ne pouvait ignorer que Miner avait témoigné à plusieurs reprises, y compris dans le cadre de ses fonctions, de l'intégrité avec laquelle Thomas Noguchi avait travaillé. Et notamment comment, avant d'ouvrir le corps de Marilyn, ce dernier avait examiné le cadavre à l'aide d'une loupe.

Mais, peut-être, John Miner faisait-il, comme Thomas Noguchi, partie du complot cher à Don Wolfe ? Dans cette hypothèse, pourquoi n'est-il pas évoqué dans la note de bas de page du livre ?

En fait, ce manque expliquait tout.

Si, s'arrangeant avec la vérité, Wolfe avait « oublié » de considérer John Miner comme un de ceux qui dénonçaient les mensonges du « témoignage » de James Hall, c'est parce que l'ancien assistant ne pouvait entrer dans le schéma paranoïaque d'une vaste manipulation orchestrée par la Maison Blanche. Et pour cause : John Miner ne croyait pas au suicide de Marilyn !

*

Les fables de James Hall démontraient, par ricochet, l'importance de l'autopsie de Marilyn, mais aussi combien le travail de Thomas Noguchi pouvait être trituré par certains afin de renforcer leur thèse. Car la seringue hypodermique plantée dans le cœur de la star n'était pas la seule invention empoisonnant la recherche des véritables raisons de son décès. Il convenait également d'en dénoncer d'autres, histoire de donner plus de poids à une révélation ultime : celle qui atteste que c'est dans le travail même de Noguchi que dort la preuve absolue.

48. Dérive

« Il existe une manière unique et efficace de dissimuler une trace de piqûre : il suffit de planter l'aiguille dans un hématome, le bleu dissimulant ensuite la microscopique trace sur la peau. Dans son rapport d'autopsie, le docteur Noguchi relève la présence (...) de ce qui est peut-être la clé du mystère Marilyn Monroe [1]. »

Au bout du compte, je n'avais nul besoin de Don Wolfe. Car cette citation provenait d'un article paru dans l'hebdomadaire *VSD* durant l'été 2002, et j'en étais l'auteur. Bien sûr, je n'avais pas écrit mon papier « au terme d'une incroyable enquête de quinze ans » et mon exercice de style n'avait pas été présenté comme « réduisant à néant la vérité "officielle [2]" » ! Mais en reproduisant à mon tour une théorie largement diffusée dans les ouvrages « conspirationnistes », j'étais coupable de la même dérive.

Qui méritait donc, quelques années plus tard, une brève correction.

---

1. Cet article s'inscrit dans une série consacrée aux derniers instants de certaines célébrités. En plus de Monroe, j'avais eu à traiter des cas Elvis Presley et James Dean. http://www.williamreymond.com/monroe.htm.

2. Extraits du texte de la quatrième de couverture de *Marilyn Monroe, enquête sur un assassinat,* Don Wolfe, Albin Michel, 1998.

*

La théorie de l'hématome dissimulant la trace d'une injection fatale remonte à la fin des années 1970 lorsque certains auteurs ont commencé à diffuser l'idée selon laquelle la Mafia avait assassiné Marilyn Monroe. Un acte le plus souvent justifié par la volonté du crime organisé d'atteindre les frères Kennedy à travers le décès de l'actrice.

Quelles qu'en soient les raisons, le mode opératoire prêté aux tueurs de la Cosa Nostra était souvent le même : le coup de la piqûre invisible. Une explication d'autant plus séduisante qu'elle apportait une réponse à peu près sensée. Non seulement elle autorisait la piste criminelle, mais elle correspondait à une méthode fréquemment utilisée dans le passé par des assassins soucieux de faire disparaître la preuve de leur méfait.

Malheureusement, aussi excitante qu'elle puisse paraître, cette théorie ne fonctionnait pas dans le cas de Marilyn Monroe.

Le diamètre de l'hématome relevé par Noguchi livra une information précise sur la taille de l'aiguille éventuellement utilisée. Puisque la trace a disparu, il ne peut s'agir que d'une aiguille extrêmement fine. Le problème, c'est que l'importante quantité de barbituriques retrouvée dans l'organisme de Marilyn Monroe indiquait que, en cas d'injection, celle-ci avait été conséquente. Et avait, par définition, nécessité l'emploi d'une aiguille assez large, dont la marque serait apparue malgré l'hématome.

Certes, on pourrait arguer que les supposés assassins de l'actrice avaient procédé à différentes injections afin d'utiliser une aiguille de petit diamètre, mais une telle opération aurait laissé de multiples lésions qui n'auraient pu échapper à l'examen à la loupe de Thomas Noguchi.

*

Ce point est confirmé par un élément servant aux partisans du crime à désavouer le travail du médecin légiste.

Le 3 août 1962, à la veille du décès, le docteur Engelberg avait effectué une injection à Marilyn. Ce fait, jamais contesté, fut confirmé par la facture détaillée envoyée par le médecin à l'exécuteur testamentaire de la star.

Or, parce que Noguchi n'a pas signalé cette marque, cela prouverait que l'ensemble de son rapport serait erroné. Hélas pour les tenants de cet argument, cela n'atteste rien du tout. Car il est médicalement prouvé qu'une aiguille fine du type utilisé par Engelberg ne laisse une marque décelable que pendant quatre heures. Or, Noguchi écrivait précisément : « Seules des piqûres récentes peuvent être découvertes. » Et ajoutait : « L'injection pratiquée par le médecin de Marilyn Monroe avait eu lieu presque quarante-huit heures avant l'autopsie. De fait, je n'ai pas trouvé de marque [1]. »

Une dernière preuve, visuelle cette fois-ci, propulsait définitivement l'hypothèse d'une injection dissimulée dans la catégorie des fausses pistes. Différents clichés issus de la séance des photos effectuées à la maison des Lawford-Kennedy montraient un hématome de taille similaire situé au même endroit. Ce qui signifie que la marque n'est pas la signature d'assassins du crime organisé, mais l'indication que Marilyn avait dû, à plusieurs reprises, se heurter à un de ses meubles. D'ailleurs, David Marshall écrivait : « Si elle s'était cognée contre le bureau installé dans sa chambre, cela aurait créé un hématome situé exactement à l'endroit de celui découvert à l'autopsie [2]. »

*

La persistance, malgré son impossibilité médicale, de la théorie de l'hématome fatal dans la littérature conspirationniste renvoyait à une autre rumeur. Qui, née dans les premiers

---

1. *Coroner, op. cit.*
2. *In The DD Group,* David Marshall, Universe, 2005.

livres consacrés à la mort de Marilyn, circule encore dans des ouvrages récents comme ceux d'Anthony Summers et Don Wolfe.

Photos à l'appui, elle avançait qu'il n'y avait pas de verre d'eau dans la chambre de Marilyn. Et que, sans cet objet, avaler autant de comprimés de Nembutal était impossible. Surtout en songeant que la salle de bains attenante à la chambre était en travaux le jour du décès, ce qui rendait inenvisageable l'idée que la star s'y soit rendue pour ingurgiter sa dose fatale.

Sans eau, pas de pilules, donc pas de suicide. CQFD !

Mais rien n'est jamais aussi simple ni basique.

Le 27 octobre 1999, la célèbre société Christie's organisait à New York une vente aux enchères d'effets ayant appartenu à Marilyn Monroe. Un événement sans précédent qui dura deux jours et dépassa les prévisions les plus optimistes puisque les commissaires priseurs recueillirent plus de treize millions de dollars.

Estimé à quatre cents dollars et vendu douze fois plus, le lot 386 brisait en mille morceaux cette énième rumeur. Il s'agissait d'un lot de gobelets de couleur verte achetés par Marilyn quelques semaines avant son décès. Or un objet, présent à la page 318 du catalogue de la vente, apparaissait bien sur les clichés pris par le LAPD dans la chambre de l'actrice. Présenté comme un petit vase, il était posé à même le sol, à proximité du lit de Marilyn.

La légende urbaine, vieille de plusieurs décennies, selon laquelle elle n'avait rien pour l'aider à avaler les comprimés de Nembutal, s'effondrait.

49. Disparition

Les deux ultimes points à éclaircir liés à l'autopsie de Noguchi prenaient évidemment plus de relief et d'importance. Le premier, qui concernait l'absence d'une substance dans l'estomac de la défunte, donnait – du moins l'affirmaient-ils – du poids aux arguments des tenants du crime. Le second propulsait carrément l'affaire dans une autre dimension en impliquant une manipulation organisée au sein même du bureau du Coroner du Los Angeles County.

*

« De plus, le Dr Weinberg et plusieurs autres médecins légistes de renom ont souligné qu'on appelle le Nembutal "la veste jaune" à cause du jaune de la gélatine qui entoure le produit actif. Si Marilyn Monroe avait avalé une quarantaine de comprimés de Nembutal comme on l'a dit, il y aurait eu des traces de teinture jaune dans le tube digestif, surtout dans un estomac vide. Le Dr Noguchi ne trouva aucune trace de teinture jaune[1]. »

Don Wolfe n'avait pas été le premier à souligner pour s'en étonner cette absence de « jaune » dans l'organisme de l'actrice, puisque cette observation figurait dans presque tous les

---

1. *Marilyn Monroe, enquête sur un assassinat, op. cit.*

ouvrages et documentaires contestant la version officielle du décès de la star.

Pourtant, l'explication de cette « anomalie » se trouvait – une fois encore – à la disposition de tous ceux qui avançaient dans ce dossier avec objectivité, et ce depuis 1983.

Quelques mois plus tôt, le 4 novembre 1982, le docteur Thomas Noguchi avait en effet été entendu par deux membres du bureau du District Attorney de Los Angeles, l'officine enquêtant officiellement à l'époque sur les circonstances de cette mort alimentant les phantasmes. Ce jour-là, les inspecteurs s'intéressaient à quatre points de l'autopsie.

Dont l'un relatif au défaut de couleur jaune. « La question (...) a été posée selon toute apparence par quelqu'un qui n'est pas familier avec le Nembutal, leur expliqua Noguchi. En tant que médecin légiste, c'est un produit que je connais très bien. Il semble que cela soit un des médicaments préférés de ceux qui veulent commettre un suicide. Comme je l'ai expliqué, il suffit de prendre un comprimé de Nembutal, de le passer sur ses lèvres pour l'humidifier et d'y frotter ensuite ses doigts pour constater que la couleur jaune ne s'y dépose pas. Le Nembutal est fabriqué avec une capsule dont la couleur ne déteint pas lorsqu'elle est avalée [1]. »

Et si la réponse du légiste n'apparaît pas suffisamment convaincante aux yeux des sceptiques, je les invite à songer au documentaire *Unsolved History*, diffusé sur la chaîne Discovery Channel en octobre 2003. Dans ce film, on voit en effet une équipe de scientifiques recréer *in vitro* les conditions d'absorption de comprimés de Nembutal. Et confirmer, une bonne fois pour toutes que, quelle que soit la quantité avalée, le somnifère ne laisse aucune trace jaune dans l'organisme !

*

---

1. *Coroner, op. cit.*

L'autre point en suspens vacillait déjà sous les coups de ces explications sérieuses. Néanmoins, clore ce débat s'imposait. De quoi s'agit-il ?

Laissons parler Don Wolfe. « Le Dr Abernathy avait fourni, sur le sang et le foie, des données de laboratoire qui indiquaient une mort par empoisonnement aux barbituriques, écrit celui-ci. Pourtant le Dr Noguchi avait aussi demandé explicitement des analyses des reins, de l'estomac, de l'urine et des intestins. Un examen des prélèvements aurait révélé la manière dont les barbituriques avaient pénétré dans le corps. Mais le court rapport toxicologique ne mentionnait aucune analyse de ces prélèvements, et ne confirmait donc pas que les barbituriques avaient été ingérés par voie orale. (...) Le Dr Noguchi demanda donc les rapports. (...) C'est alors qu'il eut la surprise de découvrir que les échantillons (...) avaient tous mystérieusement disparu[1]. »

L'accusation ne manquait pas de force. Sans explication logique, les échantillons qui auraient permis d'en finir une fois pour toutes avec l'énigme Marilyn Monroe auraient simplement « mystérieusement disparu » des services du Coroner. Dès lors, envisager des manipulations douteuses semblait naturel, et même salutaire. C'est d'ailleurs pour cela que Don Wolfe insistait sur ce point, livrant au passage une autre « révélation » liée à l'examen médico-légal : « La disparition des échantillons est sans doute le problème le plus grave dans la longue liste d'irrégularités liées à l'autopsie de Marilyn Monroe[2]. » À en croire l'auteur américain, au-delà de l'étrange « fugue » des organes de l'actrice, c'était donc carrément l'ensemble de la procédure qui multipliait les raccourcis avec la loi.

N'étant pas – Don Wolfe non plus d'ailleurs –, médecin légiste, il m'était difficile de juger de la qualité du travail de Noguchi. Et puis je n'en éprouvais guère la nécessité. Car

---

1. *Marilyn Monroe, enquête sur un assassinat, op. cit.*
2. *Ibid.*

d'autres, bien plus qualifiés que moi, tel John Miner, assuraient que Noguchi avait scrupuleusement respecté la procédure.

De fait, il était pour le moins hasardeux de ramener les cinq heures d'examens pratiqués par le médecin à « une longue liste d'irrégularités ». Surtout en oubliant de citer lesquelles. Ne nous étendons cependant pas sur cette accusation non étayée, revenons plutôt à la « mystérieuse disparition des échantillons ». Un propos gravissime en vérité, puisque les organes de Marilyn représentaient des pièces à conviction. En conséquence, toute substitution non expliquée jetait l'ombre de doutes majeurs sur l'ensemble de l'enquête.

Restait à remonter à la source de cette assertion sensationnelle.

*

Avant de refermer le cadavre de Marilyn, Thomas Noguchi avait, on s'en souvient, effectué une série de prélèvements destinés à obtenir d'autres informations du laboratoire. Tests, examens complémentaires qui permirent de comprendre que l'actrice était morte à cause d'une overdose de Nembutal et d'hydrate de chloral. Mais – et Noguchi le racontera lui-même, ses consignes n'avaient pas été suivies. « (À la lecture du rapport toxicologique), j'ai immédiatement noté que les techniciens du laboratoire n'avaient pas testé les autres organes que j'avais envoyés, raconta-t-il. Ils avaient seulement examiné le sang et le foie [1]. »

Soit, voilà de quoi étayer les accusations de dissimulation de preuves clameront certains. Pas vraiment, parce que le légiste avait apporté une explication à cette lacune. Une explication passée sous silence. Il confiait ainsi que les taux de Nembutal et d'hydrate de chloral dépassaient largement la dose fatale (on estime que la quantité de barbituriques retrouvés dans l'organisme de l'actrice était capable de

---

1. *Coroner, op. cit.*

terrasser une dizaine de personnes). Ajoutée à la découverte des comprimés sur la table de nuit de Marilyn, cette observation avait indiqué la voie à suivre au laboratoire. « Cette conjonction désignait tellement un suicide que Raymond J. Abernathy, le directeur du service toxicologique, a estimé qu'il n'était pas nécessaire de pousser les tests plus loin[1]. »

Cette explication pouvait décevoir, mais elle montrait assurément la bonne foi du légiste si on songe au contexte. Car en 1962, certains des tests réclamés par Noguchi n'appartenaient pas encore à la procédure. Et l'ampleur des recherches ressortissait à la discrétion du patron du laboratoire, des tests supplémentaires n'étant effectués que si ce dernier les jugeait nécessaires.

Considérant le taux élevé de barbituriques, l'absence de traces de violence, la présence de somnifères sur la table de chevet et, peut-être, la réputation de l'actrice, Abernathy avait pensé que son service en connaissait assez pour conclure au suicide.

Bien sûr, la simplicité de cette réponse pouvait se révéler déprimante. Presque gênante, même. Mais c'est ainsi. Et Noguchi le premier en avait des remords.

Non pas qu'il ait mis en cause la décision d'Abernathy, mais il regrettait surtout son propre comportement : « Malgré tout, j'aurais dû insister pour faire tester l'ensemble des organes. (...) Je n'ai pas accordé au problème l'attention nécessaire. J'étais un jeune membre de l'équipe et je n'ai pas eu le sentiment que je pouvais remettre en question la procédure suivie par la direction de notre département. De plus, comme les toxicologues, les différentes preuves à notre disposition m'avaient convaincu que Marilyn Monroe avait ingéré une quantité de barbituriques suffisante pour entraîner sa mort[2]. »

*

---

1. *Ibid.*
2. *Ibid.*

Restait aux conspirationnistes une dernière cartouche. Wolfe, comme d'autres avant lui, avait insisté à plusieurs reprises dans son ouvrage sur la « mystérieuse disparition des échantillons ». Refuser de tester des prélèvements lorsqu'on n'en voyait pas la nécessité était une décision que l'on pouvait comprendre. Mais cela ne résolvait pas la seconde accusation. Une mise en cause, je l'ai dit, qui ouvre la porte à la manipulation.

Mais là encore, la vérité est plus banale que l'attaque.

« Quelques semaines après (l'autopsie), raconte Thomas Noguchi, j'ai demandé à Abernathy s'il avait stocké les organes de Marilyn que je lui avais fait parvenir. Et, dans ce cas, s'il était toujours en mesure de les tester. J'ai été déçu de l'entendre me répondre : "Je suis désolé, mais je les ai jetés lorsque l'affaire a été classée[1]." »

Les échantillons « mystérieusement » volatilisés avaient, en réalité, terminé à la poubelle. Et, une fois encore, ce destin était logique. L'enquête terminée, le certificat de décès signé, il n'y avait aucune raison pour le service de toxicologie de conserver dans le formol les organes de l'actrice. De fait, suivant la procédure utilisée pour les milliers de cadavres traités par le bureau du Coroner, Abernathy s'était séparé de pièces devenues inutiles aux yeux de tous.

*

Le plus étonnant, dans tout cela, c'était la clairvoyance de Thomas Noguchi. Qui, dès 1962, avait envisagé combien la non-analyse des organes de la star et leur destruction suscite-raient de rumeurs, fantasmes et interrogations plus ou moins farfelus. Mieux, en 1983, quinze années avant la parution de l'ouvrage de Don Wolfe et la remise au goût du jour de la « mystérieuse disparition des échantillons », le médecin légiste

1. *Ibid.*

avait mis en garde les amateurs d'énigme – ou fausses énigmes – historiques.

Si la réaction d'Abernathy l'avait déçu, c'était parce que lui-même devinait « que les médias allaient crier à la manipulation ». Et de conclure : « J'avais raison. Un grand nombre de théories défendant la thèse du meurtre allaient en naître immédiatement. Et elles persistent encore aujourd'hui. »

*

On le voit, la piqûre en plein cœur, l'hématome camouflant, les pilules jaunes, le verre manquant et la disparition des échantillons n'existaient pas. Mais le troisième pilier sur lequel repose la thèse du suicide est-il réellement impossible à abattre ?

En vérité, les apparences étaient trompeuses.

Si l'autopsie menée par Thomas Noguchi avait été remarquable, elle confirmait aussi l'impensable et validait l'illogique : Marilyn ne s'était pas suicidée.

50. Bémol

Quelque chose ne fonctionnait pas.

Sans doute parce que les souvenirs des proches de Marilyn ne coïncidaient en rien avec l'image de l'actrice peinte par les cerveaux des hommes de communication de la Fox.

Sans doute, aussi, parce que le docteur Greenson avait raconté les efforts entrepris avec la complicité de Marilyn pour la guérir de son addiction.

De fait, les membres mêmes de la Suicide Prevention Team, réunis par Theodore Curphey, peinaient à assumer complètement et individuellement la thèse du suicide. Cela ne signifiait pas qu'ils suspectaient un meurtre, mais que l'ensemble de l'explication avancée méritait un bémol.

*

Le concept ne manquait pas d'intérêt, ni de piquant : Marilyn ne s'était pas suicidée... volontairement. Son overdose résultait d'un accident et non d'un geste calculé destiné à mettre fin à ses jours.

L'idée, murmurée par certains et reprise aujourd'hui par quelques défenseurs du suicide, avançait que Monroe, au long de cette soirée fatale, avait consommé du Nembutal à intervalles réguliers. Plus précisément, le scénario évoqué assurait qu'elle avait pris quatre comprimés une première fois puis, assommée par ce dosage, ne se souvenant plus de son geste, avait réitéré son geste. Et ce à plusieurs reprises, jusqu'à saturer accidentellement son organisme par une overdose fatale de barbituriques.

L'idée paraissait séduisante et, pour tout dire, avant que je ne m'intéresse à certains détails scientifiques, avait failli emporter ma conviction. De fait, elle répondait à l'ensemble de mes doutes. Puisque les véritables conditions du tournage de *Something's Got to Give* et les derniers mois de la vie de Monroe ne correspondaient pas au portrait brossé par beaucoup et remettaient définitivement en question la théorie du suicide qui, a priori, me semblait pourtant la plus logique, c'était bien qu'il était arrivé quelque chose d'approchant.

Certes, de manière générale, un suicide relève d'une décision complexe et souvent inexpliquée. Mais, observant les derniers clichés de la star, lisant l'intégralité de son ultime entretien à *Life*, j'avais du mal à imaginer Marilyn autrement que dans le désir de vivre. Un « pur » suicide, si je puis dire, ne cadrait plus. Et d'un coup, alors que j'avais abandonné la thèse de la mort volontaire, une explication pas si éloignée pouvait satisfaire mes interrogations. J'avais de quoi être rassuré.

Hélas – pour ma tranquillité d'esprit – cette solution butait sur une impossibilité médicale !

*

Le premier écueil était d'envergure.

Afin de valider la théorie du suicide accidentel, il fallait accepter l'idée que Marilyn ait avalé quarante-sept comprimés de Nembutal sans jamais réaliser qu'elle dépassait la dose maximale. Un chiffre énorme déduit par Curphey, Abernathy et Noguchi, après qu'ils eurent converti le taux de somnifère retrouvé dans le sang de l'actrice. Même si certains médecins, nous le verrons, ramenaient cette donnée à vingt-quatre pilules, le chiffre n'en demeure pas moins extrêmement élevé.

Si l'on suivait l'analyse de Noguchi, cela signifiait que la Blonde, après avoir avalé la dose normale de quatre comprimés, aurait à onze reprises reproduit le même geste, oubliant qu'elle venait de le faire dix minutes plus tôt. Et même en partant de l'hypothèse la plus conservatrice, il convenait quand même d'accepter que la star ait ingurgité cinq prises supplémentaires sans s'en rendre compte.

En vérité, épiloguer sur la répétition ne servait à rien car, en fait, aucun des deux scénarios ne fonctionnait ! Et il était désormais possible de le prouver.

*

En octobre 2003, nous l'avons vu, la chaîne Discovery Channel diffusait un documentaire consacré à la mort de Marilyn dans le cadre de sa série *Unsolved History*. Ce programme proposait différentes expériences scientifiques menées par le Dr Nicholas Cozzi de la Brody School of Medicine. Grâce à une reconstitution *in vitro*, le médecin avait ainsi démontré que le jaune enrobant le Nembutal ne laissait pas de traces.

D'autres points de cette affaire avaient été traités dans le documentaire. Et plus précisément la théorie de l'overdose par omission. Cozzi souhaitait savoir combien de doses de Nembutal pouvaient être ingérées avant que le sujet ne tombe dans un coma fatal. La science fut donc mise à l'épreuve : après avoir pratiqué un dosage de quatre comprimés, il avait été procédé à l'ingestion de quatre autres pilules toutes les dix minutes. Ensuite, on observa le temps de dissolution des comprimés dans un estomac reconstitué *in vitro*.

Les conclusions de Cozzi furent sans appel. Marilyn n'aurait pas été capable de dépasser les deux ingestions accidentelles, puisqu'elle aurait perdu conscience. Dix à douze comprimés de Nembutal au maximum suffisaient pour glisser vers le sommeil éternel.

*

Éliminer la théorie du suicide accidentel limitait drastiquement et dramatiquement le champ des possibilités.

Soit Marilyn avait pris la décision d'en finir avec la vie et
avalé une cinquantaine de comprimés de Nembutal, soit la star
avait bel et bien été assassinée.

Et le premier élément de réponse solide se trouvait dans le
travail de Thomas Noguchi.

51. Détail

La vérité réside souvent dans les détails. Et le dossier Monroe n'échappe pas à la règle

Si Thomas Noguchi avait effectué une autopsie dans les règles de l'art, deux lignes – dont il n'était même pas l'auteur –, suffisaient à fausser ses cinq heures de travail de médecin légiste consciencieux.

Deux lignes qui contribuent, aujourd'hui, à remettre en question la vérité officielle.

*

La procédure ne variait jamais.

Avant d'entamer une autopsie, le médecin légiste se plongeait dans la lecture du *Mortuary Death Report*[1]. Et, comme il l'a raconté lui-même, c'est ce que Thomas Noguchi avait fait avant d'examiner le cadavre de Marilyn.

Ce document avait été préparé par Guy Hackett, le responsable de la morgue de Westwood Village, dont la compagnie avait enlevé le corps de Marilyn au 12305 Fifth Helena Drive avant, moins d'une heure plus tard, son transfert vers les services du Coroner. Et, sur un feuillet, il multipliait les informations pratiques. En plus de renseignements relatifs à la taille

---

1. Voir annexe 1.

et au poids du cadavre, il était indiqué que le décès avait été prononcé à 3 h 35 du matin par le docteur Engelberg, que Marilyn avait subi une opération chirurgicale un an et demi plus tôt et que sa mère devait se nommer Gladys Baker.

Figuraient également l'adresse et le numéro de téléphone d'Eunice Murray, l'assistante à domicile de Marilyn, ainsi qu'une note expliquant que le docteur Greenson « avait parlé à Marilyn le samedi après-midi. Et qu'il l'avait trouvée très découragée[1] ».

Enfin, à l'emplacement prévu pour les « informations additionnelles » que l'employé de la morgue estimait de valeur, apparaissait cette phrase : « Docteur Hyman Engelberg, 9730 Wiltshire Boulevard, avait prescrit un renouvellement de Nembutal, le jour avant samedi[2]. »

En réalité, un mot, un seul, venait de fausser la donne.

*

Le 3 août 1962, le docteur Hyman Engelberg avait en effet rédigé une ordonnance de Nembutal pour Marilyn Monroe. La prescription d'un flacon à renouveler une fois. L'ordonnance avait été présentée le même jour à la Vicente Pharmacy et le tube de somnifères retrouvé sur la table de nuit de l'actrice. Le tube n° 20858 figurait d'ailleurs en quatrième position sur la liste des pièces à conviction établie par le LAPD que, désormais, les services toxicologiques du bureau du Coroner avaient en leur possession.[3] Confirmant le rôle tragique joué par ce barbiturique, la prescription du 3 août 1962 était précédée de la mention « emballage vide ».

Cette ordonnance du docteur Engelberg constituait une entorse au traitement de désintoxication de l'actrice, programme que le médecin menait en collaboration avec le

---

1. *Ibid.*
2. Voir annexe 1.
3. *Ibid.*

psychiatre Ralph Greenson. De fait, quelque temps avant son propre décès, en 2005, Engelberg confirma de nouveau que cette prescription de Nembutal avait été la seule rédigée durant les cinq dernières semaines de l'existence de la star [1], la précédente, toujours écrite par ses soins, remontant au 30 juin.

Or, involontairement, elle était à l'origine de l'erreur de Noguchi ! Car c'était vraisemblablement à cause d'elle que le docteur Engelberg avait utilisé le mot « renouvellement » lors de sa première déposition, juste après avoir constaté la mort de Marilyn Monroe. Dans son esprit, l'ordonnance du 3 août, valable pour un tube de Nembutal et un renouvellement, n'était que la suite de celle prescrite le 30 juin. Donc, en quelque sorte, son... renouvellement.

Une prescription antérieure dont Noguchi ignorait tout lorsqu'il acheva la lecture du *Mortuary Death Report* de Guy Hackett.

Dans l'esprit du médecin légiste, ce renouvellement impliquait la présence de deux tubes.

*

Ce détail est capital.

Pourquoi ?

Parce que, comme le prouvaient les factures de la Vicente Pharmacy, seule la prescription originale avait été achetée le 3 août. Une restriction qui respectait l'ordonnance d'Engelberg mais aussi la loi, puisque, conformément aux textes et soucieux de se prémunir contre les dangers d'une surconsommation de Nembutal, aucun pharmacien de Los Angeles n'aurait vendu deux tubes en même temps, la notion de renouvellement sous-entendant, bien évidemment, que la transaction aurait lieu lorsque la prescription originale serait consommée. Ce qui signifie que Marilyn avait un seul tube de Nembutal à sa disposition le soir de son décès.

---

1. In *The DD Group, op. cit.*

Avant d'expliquer le sens de cette révélation, une parenthèse s'impose. Certains défenseurs du suicide, confrontés à la réalité de la prescription d'Engelberg, avancent l'hypothèse d'un second tube prescrit par un autre médecin. Une assertion qui n'est fondée sur aucun élément tangible. Non seulement, il n'existe pas la moindre facture de ce tube fantôme, mais son absence de la table de chevet et des étagères de la salle de bains achève de classer l'affaire sans suite. Si un tel second tube avait existé, il figurerait dans la liste établie par le LAPD. Ce qui n'est pas le cas.

*

Ce détour vers le monde un peu rébarbatif du calcul de tubes et pilules n'est évidemment pas fortuit. Je ne me suis pas efforcé d'établir avec précision le nombre de tubes de Nembutal possédés par Marilyn le jour de son décès uniquement pour satisfaire une passion maladive du détail. Au contraire, cette quête pointilleuse aide à clarifier les choses.

Comme l'établissent formellement le rapport de la police et la liste des pièces à conviction dressée par le laboratoire de toxicologique, le tube de Nembutal retrouvé vide, près du lit de l'actrice, avait contenu vingt-cinq comprimés.

Par déduction logique, cela signifiait que si Marilyn avait choisi de se suicider, elle avait avalé la totalité du tube. Donc, une dose maximum de vingt-cinq comprimés.

Vingt-cinq.

Et non, comme l'écrivait Noguchi, « le vendredi elle avait acheté cinquante comprimés de Nembutal ».

Vingt-cinq, cinquante... Un écart important.

Mais, après tout, cela faisait-il une différence ?

*

La vérité résidait réellement dans les détails.

Lorsque Raymond J. Abernathy acheva l'examen du prélèvement de sang que lui avait fourni Noguchi, il commença un calcul de conversion, le taux de somnifère retrouvé dans le sang de Marilyn permettant en effet, à quelques unités près, d'établir combien de comprimés de Nembutal la star avait avalés. Et ce chiffre lui parut correct.

Par sécurité, le directeur du laboratoire de toxicologie demanda à Theodore Curphey, le Coroner, de vérifier son pourcentage.

De son côté, afin de clore son rapport, Noguchi avait à son tour entrepris l'opération.

Indépendamment les uns des autres, les trois hommes aboutirent à la même conclusion.

Pour être en phase avec le taux, fatal, de Nembutal retrouvé dans le sang de Marilyn Monroe, ils arrivaient à au moins quarante-sept comprimés. Quarante-sept...

Soit vingt-deux de plus que le nombre de pilules à sa disposition !

*

L'édifice venait de trembler.

Les répercussions de cette différence majeure sont énormes.

Comment expliquer que le taux de Nembutal retrouvé dans le sang soit presque le double de la quantité maximale dont elle disposait ? Cela signifie-t-il qu'un second tube aurait disparu ? Et si oui, pourquoi ? Ou alors, ce dosage confirmait-il qu'on lui avait injecté cette substance nocive ?

Quoi qu'il en soit, l'information ébranlait sévèrement la crédibilité de la thèse du suicide. Un assaut qui poussa le Dr Cozzi, en octobre 2003, à entamer d'autres analyses effectuées dans le cadre de l'émission *Unsolved History*.

Après avoir rendu caduques la piste des comprimés jaunes et celle du suicide accidentel, le médecin proposa une nouvelle explication scientifique. Repartant des chiffres du laboratoire de Raymond J. Abernathy, il se livra à une opération mathématique qu'aurait pu résoudre n'importe quel élève de cours moyen.

Les 4,5 mg % de Nembutal relevés dans l'échantillon de sang de Marilyn Monroe correspondaient à 2 400 mg de barbituriques. Chaque comprimé représentant 100 mg de solution active, Cozzi divisa son total par ce chiffre et obtint un logique... vingt-quatre. Le sang de Marilyn Monroe contenait donc l'équivalent de vingt-quatre comprimés de Nembutal.

Soit un de moins que le contenu du tube vide retrouvé sur la table de chevet.

Une fois de plus, Cozzi venait de classer l'affaire.

*

Sauf que...

Sauf que, à ma grande frustration, il n'expliqua pas comment, utilisant les mêmes données que lui, Abernathy, Curphey et Noguchi avaient pu, eux, se tromper. Et, plus étrange encore, comment ces trois scientifiques étaient parvenus à commettre la même erreur !

La réponse est, si je puis oser cette image, normande.

Car les quatre hommes avaient raison.

La simplicité de la division le prouvait : Marilyn Monroe avait l'équivalent de vingt-quatre comprimés dans le sang. Et oui encore, comme l'avaient établi les médecins du bureau du Coroner, cela signifiait qu'elle avait avalé au moins quarante-sept pilules.

Mais la vérité réside une fois encore dans les détails. Car si les deux affirmations sont exactes, c'est que les quatre médecins ne parlaient pas de la même chose.

Pour que l'équivalent des vingt-quatre comprimés se convertisse en prise du même nombre de pilules, cela impliquait un taux d'absorption de 100 %. Soit une pure impossibilité scientifique, puisque quel que soit le médicament – ou la vitamine – avalé, le produit n'est jamais assimilé en totalité par le sang. Une bonne partie des principes actifs est en effet traitée par les reins, une autre se retrouve dans les intestins, achevant leur course dans l'urine et les selles. Ils n'apparaissent donc pas dans le sang.

N'importe quel dictionnaire de médecine précise d'ailleurs que le principal inconvénient des prescriptions orales réside dans la déperdition des molécules actives, celles-ci étant détruites par les sucs digestifs avant que l'organisme ait pu les absorber.

Abernathy, Noguchi et Curphey avaient appliqué une formule classique évaluant ce taux d'absorption à 50 %. Les 2 400 mg de Nembutal retrouvés chez Marilyn correspondaient bien à vingt-quatre comprimés. Mais pour aboutir à une telle quantité, cela signifiait que l'actrice avait dû en avaler au moins... le double !

*

Quarante-sept...
Pour la première fois, Cozzi avait échoué.
La chute était proche.
Une dernière poussée suffirait.

52. Phrase

Aujourd'hui, Thomas Noguchi a quatre-vingts ans.

Sa dernière intervention publique remonte à 2000. Un an après son départ à la retraite, il participait en effet à deux documentaires consacrés au métier de médecin légiste[1]. Où il détaillait, à destination des téléspectateurs, l'ensemble des étapes d'une autopsie. Sans que celle de Marilyn Monroe soit évoquée.

Aujourd'hui donc, Thomas Noguchi a quatre-vingts ans.

Il réside toujours en Californie et laisse à sa femme le soin de répondre au téléphone. Surtout lorsqu'il s'agit de l'appel d'un inconnu. C'est également elle qui, avec une infinie gentillesse, explique que son mari a désormais passé l'âge de répondre aux requêtes des journalistes. Bien entendu, par courtoisie, elle note la teneur du message, au cas où l'ancien médecin légiste modifierait ses habitudes.

Cela n'a pas été le cas.

Je n'ai pu parler à Thomas Noguchi.

Et je le regrette, car j'ai la vanité de croire qu'il aurait apprécié de voir que – certes avec vingt ans de retard – je venais saisir sa balle au bond.

---

1. *« Autopsy : Through the Eyes of Death's Detectives »* et *« Autopsy : Voices of Death »*. Les deux documentaires étaient réalisés par Michael Kriegsman.

*

Durant l'été 1986, Thomas Noguchi passa quatre soirées avec le journaliste Douglas Stein. Dans le cadre rassurant de son domicile de Pasadena, le « médecin légiste des stars[1] » avait accepté d'expliquer les secrets de son métier à un représentant du magazine *Omni*.

Créé en 1978, ce mensuel mélangeait la science-fiction et la science, accordant toutefois une place de choix à ce dernier aspect. Un organe de presse idéal, en somme, pour s'exprimer longuement sur les divers aspects d'un métier aussi complexe qu'essentiel.

L'entretien, paru dans le numéro de novembre, donnait un éclairage sans précédent sur les visions et passions de Noguchi. En plus d'égrener différents détails de son mode opératoire, du lieu du crime à la salle d'autopsie, le légiste revenait sur certains cas intéressants de sa carrière. Si quelques-uns concernaient des anonymes, Noguchi n'hésitait pas à établir l'examen d'une poignée de célébrités. Dont celle qui avait lancé sa carrière : l'autopsie de Marilyn Monroe.

*

Sur ce cas, l'essentiel de la conversation avec Douglas Stein avait tourné autour de l'absence d'une marque de piqûre et de la présence d'un hématome.

Une fois encore, Noguchi avait évoqué son examen à la loupe. Plus intéressant, il se souvenait avoir observé de près l'hématome, à la recherche d'une éventuelle trace indiquant son origine. Et précisait qu'en cas d'injection récente, il suffisait de presser fortement certaines parties de la dépouille pour voir perler une goutte de sang à l'endroit même où l'aiguille avait percé la chair. Une méthode pratiquée sur le corps de l'actrice sans le moindre résultat.

---

1. Titre du long entretien paru en novembre 1986 dans la revue *Omni*.

Mais c'est une phrase perdue au milieu de multiples anecdotes qui attira mon attention. Une phrase dont j'avais du mal à saisir non le sens, mais la raison pour laquelle Thomas Noguchi l'avait prononcée à ce moment précis de la conversation. Car elle n'avait aucun sens logique. C'est sans doute pour cela que le journaliste n'avait pas réagi, et négligeant de relancer le légiste.

Alors qu'il s'agissait d'une information ne figurant pas dans son rapport d'autopsie. Un élément issu de l'analyse toxicologique effectuée par le laboratoire de Raymond Abernathy.

Non, vraiment, l'émergence inopinée de cette indication ne se justifiait en rien.

Pis, elle ne ressemblait pas au système de pensée, terriblement structuré, de Thomas Noguchi, l'homme, conscient de ses responsabilités et de l'importance de sa fonction, ayant pour habitude de peser chacun de ses mots, de calibrer chacune de ses interventions.

Dès lors, cette phrase incongrue ne pouvait être accidentelle.

Le secret de l'autopsie de Marilyn Monroe dormait dans un coffre-fort. Thomas Noguchi venait d'en donner la clé.

53. Toxique

« En fait, le taux des barbituriques stockés dans le foie de Monroe était trois à quatre fois supérieur à celui de son sang[1]. »

Pour commencer, il convenait de disséquer les mots employés par le médecin légiste.

Que voulait dire Noguchi lorsqu'il évoquait une quantité de somnifères « stockée dans le foie » de Marilyn ? Cela signifiait-il que l'organe « archivait » une partie de la consommation de barbituriques de l'actrice ? S'agissait-il d'un stock toxique que des années d'abus auraient patiemment édifié ?

Une partie de la réponse se nichait dans un précis d'anatomie.

*

Le foie est un organe vital qui assure chez l'homme trois fonctions essentielles : la synthèse, l'épuration et le stockage.

La première permet le métabolisme des glucides, des lipides et des protéines et leur utilisation correcte par le reste de l'organisme. La seconde fonction, également nommée antitoxique, couvre la destruction des médicaments et des toxines.

---

1. In *Omni*, novembre 1986, *op. cit.*

Enfin la dernière, dite martiale, consiste à stocker de nombreuses substances dont le glucose, le fer et la vitamine B12.

Si on applique ces principes à la déclaration de Noguchi, on pourrait croire que, confirmant le lourd passé d'abus de Marilyn, son foie avait emmagasiné au fil des années une quantité remarquable de barbituriques. Mais cette interprétation serait inexacte, puisqu'elle négligerait la seconde fonction du foie, l'antitoxique.

Son rôle, nous venons de le voir, est justement de détruire les médicaments. Ce qui signifie que si le foie est un organe de stockage, il agit de manière sélective et « n'archive » pas les barbituriques. D'autant que, médicalement, on estime que le foie conserve la trace de médicaments pendant une durée maximum de quatre heures. Mais ce délai s'avère plus court, approximativement de moitié, s'il s'agit du foie d'un consommateur fréquent, l'habitude permettant aux enzymes d'effectuer leur tâche plus rapidement.

*

Afin de comprendre l'extrême importance de ces données, il fallait revenir aux mots de Noguchi. « En fait, le taux des barbituriques stockés dans le foie de Monroe était trois à quatre fois supérieur à celui de son sang[1] », disait-il. Au regard des informations précédentes, cela signifiait qu'entre une heure trente et deux heures avant de mourir, une dose massive de barbituriques était entrée dans le foie de l'actrice. Une quantité importante que Noguchi estimait à « trois ou quatre fois [supérieure à celle] de son sang ».

Nous l'avons vu : se fondant uniquement sur ce taux sanguin, Abernathy, Curphey et Noguchi avaient estimé que la victime avait avalé quarante-sept comprimés de Nembutal. Si l'on multipliait ce nombre par trois, on aboutissait à cent quarante et une pilules de Nembutal. Un chiffre record montant

---

1. In *Omni, op. cit.*

à cent quatre-vingt-huit avec un coefficient multiplicateur de quatre.

Des données essentielles à rappeler pour comprendre le sens exact de la confession cachée de Thomas Noguchi. Car cela signifiait que, deux heures avant son décès, le foie de Marilyn Monroe tentait de filtrer l'équivalent de cent quatre-vingt-huit capsules de Nembutal tout juste introduites dans son organisme.

Le nombre était astronomique. Et, ajouté à la présence de barbituriques dans le sang, il atteint un sommet.

Défendre l'idée du suicide, c'était – désormais – accepter que Marilyn Monroe ait pu avaler jusqu'à deux cent trente-cinq comprimés de Nembutal !

*

Au-delà des questions purement pratiques que ce chiffre effarant posait, telles que l'origine de ces pilules et le sort réservé ensuite aux tubes vides, une telle quantité paraissait tout bonnement impossible à avaler. Dans tous les sens du terme d'ailleurs. Personne ne pouvait ingurgiter tant de somnifères sans sombrer, en cours de route, dans un coma fatal.

En clair, si Marilyn avait décidé d'elle-même d'avaler autant de pilules, elle n'y serait physiquement pas parvenue, tombant inconsciente avant d'achever sa tâche.

Dès lors, la quantité de Nembutal retrouvée dans le foie de la star prouvait une chose : que le troisième pilier venait de s'effondrer.

Marilyn ne s'était pas suicidée.

54. Évidence

D'abord, il y avait eu la découverte des véritables conditions de tournage de *Something's Got to Give,* puis des dessous de la guerre médiatique menée par la Fox. Ensuite, la révélation du vrai visage des derniers mois de Marilyn, le fait qu'elle ait à l'époque multiplié les projets et restreint sa consommation de somnifères, n'avaient pas manqué d'écorner mes certitudes. Et là, l'analyse poussée de l'autopsie avait achevé de me convaincre de ce qui me semblait pourtant hautement improbable quelques mois plus tôt. Tout naturellement, je m'étais donc rendu à l'évidence.

L'organisme de la star était saturé de barbituriques, à un niveau qu'une ingestion volontaire de comprimés de Nembutal ne pouvait justifier. D'une manière ou d'une autre, Marilyn avait donc été empoisonnée.

Et même si j'avais encore des difficultés à recourir à ce mot, je me retrouvais, par définition, devant un meurtre.

*

Marilyn Monroe ne s'étant pas suicidée, il me fallait regarder ailleurs.

Une seule direction semblait désormais possible : le camp des promoteurs du complot. Bien entendu, un tel rapprochement devait se faire avec une extrême prudence. Puisque mes recherches sur le travail de Thomas Noguchi venaient de me prouver comment, sous prétexte de justifier un assassinat, certains avançaient des informations dénuées de vérité, je ne devais pas, à mon tour, tomber dans le même piège. Ni sombrer dans ceux qu'ils me tendaient.

Les pistes de la piqûre intracardiaque, de la teinte jaune, de l'hématome camouflant et de la mystérieuse disparition des échantillons constituaient autant de drapeaux rouges encadrant la voie dans laquelle je m'enfonçais. À moi de déjouer ces écueils. Même si je devais reconnaître une qualité à ceux qui lançaient ce genre de ballons-sondes : celle d'avoir refusé l'explication officielle.

Or, dans la lutte les opposant aux gardiens du temple, les conspirationnistes si souvent décriés venaient, je l'avais constaté, de remporter une première manche. Même si les moyens employés afin d'arriver à leurs conclusions étaient discutables, la vérité était là. L'impossibilité du suicide de Marilyn incarnait d'une certaine manière leur triomphe.

Mais avant de proclamer leur victoire finale, il me restait une tâche à accomplir. Confronter à l'enquête la solution avancée par ces défenseurs du crime.

SIXIÈME PARTIE

Kennedy

55. Détails

Le 21 mai 2006, la chaîne franco-allemande Arte proposait une soirée spéciale consacrée à la Blonde. Sous le titre « Marilyn Monroe, un rêve brisé », le programme diffusa *Le Milliardaire* de George Cukor suivi d'un documentaire intimiste réalisé par Bill Harris [1].

Pour renforcer l'événement, Arte offrit sur son site Internet un dossier complet consacré à la carrière de la star. Dont une page, intitulée « La mort de Marilyn [2] », reproduisait un article d'Olivier Bombarda.

Le papier résumait précisément les détails de l'affaire, dès lors qu'ils étaient mis en avant par les défenseurs de la thèse criminelle : « Depuis 1962, les autorités américaines ont toujours refusé la moindre enquête à propos du décès de l'actrice. "Suicide probable" aux barbituriques reste la mention convenue immuable. Alors qu'une foule d'irrégularités se sont produites à la suite de la découverte du corps, des détails étranges ont été mis de côté, des invraisemblances se sont accumulées, des témoins se sont rétractés. Ainsi l'actrice serait morte enfermée dans sa chambre, dans son lit, absorbant sans

---

1 *Marilyn, divine et fragile*. Pour le synopsis, voir : http://www.arte.tv/fr/cinema-fiction/Marilyn-Monroe/406308,CmC=573498.html.

2. http://www.arte.tv/fr/cinema-fiction/Marilyn-Monroe/406308,CmC=349380.html.

verre d'eau (aucune trace sur les lieux) de 27 à 42 comprimés de Nembutal[1]. »

Mais la plongée de l'autre côté du miroir débutait donc sous les pires auspices.

Non seulement je retrouvais dans ce texte la fascination classique pour l'accumulation de vagues clichés paranoïaques, mais l'article débutait par une référence à l'absence de verre d'eau, dont je savais déjà qu'il n'en n'était rien.

La suite était du même calibre : « En 1982, James Hall affirma avoir été appelé à se rendre d'urgence à la demeure de Marilyn Monroe alors qu'il était ambulancier en 1962. Hall était accompagné à l'époque de son collègue Murray Leibowitz, retrouvé seulement en 1993, et qui confirma tout[2]. »

Là encore, j'enrageais. Le témoignage de James Hall n'avait aucune légitimité et la théorie de la seringue était une invention pour tabloïd, une calembredaine qui, malheureusement, venait trop souvent polluer les ouvrages attaquant la thèse du suicide. Quant à Murray Leibowitz, il n'avait, cela allait de soi, jamais confirmé les propos de Hall.

Mais finalement, tout cela se résumait à une suite de détails. À une sorte de mise en bouche avant ce qui reste encore, aujourd'hui, comme l'explication la plus répandue : « En 1993 les enquêteurs[3] retrouvèrent également Norman Jefferies, alors très malade, mais qui fut présent pendant toute la journée du 4 août 1962 chez Marilyn. Proche de Mrs. Murray, il était affecté à des travaux dans la maison de la star et il confirma le témoignage de Hall. Mais surtout, il avait aussi été le témoin de la venue de Bobby Kennedy et de l'acteur Peter Lawford chez Marilyn dans l'après-midi. Confirmée par des enregistrements d'un détective privé (Marilyn était sur écoute) la rencontre fut violente, Marilyn en colère contre l'Attorney, il

1. *Idem.*
2. *Idem.*
3. Ici le terme enquêteur se réfère à... Don Wolfe. Jefferies est un témoin essentiel de son livre.

y eut des coups. » Et l'article d'ajouter : « Plus tard dans la soirée, entre 21 h 30 et 22 heures, Robert Kennedy accompagné de deux hommes retourna chez Marilyn. (...) Comme l'écrit Don Wolfe dans son ouvrage : "Tout porte à croire à un crime prémédité. Marilyn reçut une injection en présence de Bobby Kennedy et la dose était assez forte pour tuer quinze personnes [1]." »

La fiction était bel et bien rattrapée par la réalité.

Comme chaque scénariste hollywoodien le savait, la qualité d'une histoire dépendait de la noirceur de son « méchant ». Là, l'affaire Monroe disposait d'un champion. En l'occurrence Robert Francis Kennedy, surnommé « la teigne » par ses amis, traité en chœur de « sale fils de pute » par le vice-président Lyndon Johnson et J. Edgar Hoover, le patron du FBI [2].

*

Au fil des années, à force de pages assassines, de propos à charge, de haine et d'ignorance, Bobby était en quelque sorte devenu le Dark Vador du mystère Marilyn.

Son rôle avait cependant évolué, passant de cerveau de l'assassinat à – essentiellement chez Don Wolfe – acteur impliqué dans le meurtre, parmi d'autres, mais toujours en première ligne pour étouffer la vérité.

Le plus troublant, et certainement le plus convaincant dans l'idée même d'une implication de Bobby, c'était la longue liste des raisons qu'il aurait eues pour souhaiter la mort de l'actrice. « Les mobiles de Kennedy à l'encontre de Marilyn étaient nombreux, précise ainsi l'article d'Olivier Bombarda. L'actrice était à la fois un lien entre lui, son frère (Marilyn fréquentait aussi John, le Président) et la Mafia. Elle connaissait des secrets d'État de la plus haute importance. Dans les derniers mois de sa vie, Marilyn Monroe était devenue une

---

1. http://www.arte.tv/fr/cinema-fiction/Marilyn-Monroe.
2. Voir *JFK, le dernier témoin*, William Reymond, Flammarion, 2003.

amoureuse hystérique, harcelant la Maison Blanche de coup de téléphones furieux, enragée d'être rejetée. La "blonde stupide" était également une femme au journal intime menaçant qui avait laissé entendre à de nombreux proches combien elle était capable de se rebeller. (...) (Marilyn) jouait dans la cour des grands et fut broyée par "la raison d'État[1]". »

Et encore, le journaliste d'Arte, s'inspirant essentiellement de l'ouvrage de Don Wolfe, avait ignoré d'autres motifs censés lui être imputables.

*

Le résumé des accusations conspirationnistes qu'offrait David Marshall, expert estimant que désormais huit personnes sur dix croyaient à l'implication des Kennedy, était à parcourir avant d'aller plus avant : « Le spectre des théories est vaste. Cela passe par le président Kennedy, donnant directement l'ordre de liquider son ancienne maîtresse, à l'implication d'agents désobéissants de la CIA tuant Marilyn et créant des indices afin d'impliquer JFK et RFK dont la politique envers Cuba était vécue comme une trahison[2]. »

Sans oublier les assertions selon lesquelles l'opération avait été l'œuvre des hommes de main de Jimmy Hoffa ou d'un quelconque parrain de la Cosa Nostra liquidant Marilyn pour punir Bobby. Parce qu'à l'époque l'Attorney General menait une véritable guerre contre le crime organisé – un combat isolé puisque le FBI de Hoover refusait d'y collaborer –, le frère cadet avait multiplié ses ennemis. Jimmy Hoffa, le dirigeant des Teamsters, le tout-puissant syndicat de routiers, était même devenu l'une de ses cibles privilégiées, Bobby Kennedy étant convaincu que l'organisation utilisait une partie de ses fonds afin de financer de nombreuses activités illégales.

À ces « coupables » désignés s'en ajoutaient d'autres.

---

1. http://www.arte.tv/fr/cinema-fiction/Marilyn-Monroe/406308,CmC=349380.html.

2. Correspondance avec l'auteur, août 2007.

Énumérés eux aussi par Marshall : « N'oublions pas non plus la théorie d'une dispute amoureuse entre Bobby et Marilyn. L'argument dégénérant jusqu'à sa tragique conclusion. Il existe encore la possibilité de Monroe menaçant de révéler sa double relation avec les frères Kennedy lors d'une conférence de presse à venir[1]. » Certains défendaient une variante selon laquelle RFK serait venu chez Marilyn pour lui annoncer la fin de leur relation, alors que d'autres affirmaient exactement le contraire, la star ayant renvoyé Bobby, rupture que son ego n'aurait pas supportée.

Il restait encore une ultime catégorie – David Marshall la résumait par « la femme qui en savait trop » – qui reprenait la thèse du journal intime détenant les secrets de la présidence Kennedy. À en croire ses tenants, Marilyn, partageant l'oreiller du Président des États-Unis et de son frère, aurait eu vent « des futurs plans de l'invasion de Cuba, des détails du complot visant à assassiner Fidel Castro, de la refonte de la CIA »..., et aurait noté l'ensemble de ces secrets dans un carnet rouge, devenu l'équivalent du Saint- Graal dont la quête, rassemblant alliés et ennemis du clan Kennedy, aurait conduit au meurtre de son auteur. On lit même, depuis une dizaine d'années, que certains actes peu recommandables commis par RFK seraient liés à ce journal. Bobby, en gardien de la présidence, aurait tout fait pour récupérer les notes de Marilyn avant que la star ne les rende publiques et éclabousse l'administration Kennedy.

*

Mais j'ai gardé le meilleur pour la fin.

Le « meilleur », c'est une théorie remontant au milieu des années 1980, qui devait son essor récent à un document publié en annexe du livre de Don Wolfe.

Avant sa reproduction par l'auteur américain, cette thèse « audacieuse » avait fait les beaux jours d'un milieu dont la

---

1. Correspondance avec l'auteur, août 2007.

vision schizophrénique du monde plaçait les rênes du pouvoir entre les mains d'une élite complotant pour conserver sa suprématie et son argent.

À en croire cette dernière « explication », Marilyn aurait été assassinée parce que son carnet rouge contenait les confidences de JFK sur le secret des secrets : les activités extraterrestres menées depuis la célèbre base militaire de Roswell, au cœur de l'Area 51 !

*

La coupe était pleine et l'ironie facile.

Pourtant, même s'il était évident que Marilyn n'avait pu être tuée pour l'ensemble de ces raisons, ces explications présentaient néanmoins un intérêt.

Le point commun entre toutes ces « pistes », c'était l'implication du clan Kennedy, et plus particulièrement de Bobby.

Dès lors, la prochaine étape de mon enquête devait me conduire vers ce fertile territoire.

Something's got to give, le dernier film de Marilyn Monroe, ne sera jamais terminé.
À 36 ans, la Blonde ultime n'avait jamais été aussi resplendissante,
mais la 20th Century Fox prétendait le contraire. Une cabale montée par le studio
pour dissimuler ses relations conflictuelles avec la star.

En 1961, Marilyn est à la dérive. Après une série de difficultés professionnelles, son divorce d'avec Arthur Miller s'ajoute à ses déboires. L'alcool et les somnifères sont devenus les compagnons fidèles de ses nuits sans sommeil.

Le temps qui passe, l'absence
de maternité, la crainte d'être
rattrapée par son passé difficile et
l'instabilité de sa vie sentimentale
pèsent sur l'actrice. Mais cette
vérité était-elle encore valable
durant l'été 1962 ?

Prisonnière d'un personnage
créé par les studios de cinéma,
Norma Jean Baker a longtemps
lutté contre son célèbre double.
Mais, en 1962, aidée par la thérapie
menée par le Docteur Greenson,
Marilyn semblait enfin avoir fait
la paix avec elle-même.

La scène de la piscine
prise lors du tournage de
Something's got to give est encore
ancrée dans les mémoires.
En osant le nu intégral pour
la première fois de sa carrière,
Marilyn s'offrait la une
de la presse internationale.
Un formidable coup
publicitaire que la Fox refusa
d'exploiter, empêtrée dans
le tournage pharaonique de
Cléopâtre avec Elizabeth Taylor.

Dans l'impossibilité
d'interrompre le tournage
de *Cléopâtre*, les dirigeants
du studio trouvent un bouc
émissaire facile et s'acharnent
sur la Blonde. Si nous
croyons encore – à tort –
que l'actrice était
moralement et physiquement
mal en point durant l'été 1962,
c'est à cause d'une intense
campagne de désinformation
menée par la Fox.

En devenant propriétaire pour la première fois, Marilyn, l'ancienne orpheline ballottée de foyers en centres de placement, espérait enfin trouver la stabilité.
Une quiétude dramatiquement interrompue dans la nuit du 4 au 5 août 1962.

C'est dans cette chambre, en attente de décoration, que le corps sans vie de Marilyn a été découvert. Un lieu — et un moment — clé, source de nombreuses manipulations. La police de Los Angeles a ainsi été prévenue de la mort de l'actrice seulement sept heures après son décès.

Cette fenêtre brisée est un des leurres destinés à valider la thèse du suicide. Le but ? Faire croire que Marilyn s'était enfermée dans sa chambre afin de mettre fin à ses jours. En réalité, comme la contre-enquête de ce livre le démontre, la porte de l'actrice n'avait pas de serrure.

L'accumulation de tubes au chevet de l'actrice relève de la même tricherie. Cette fois, il s'agit de renforcer l'idée qu'elle surconsommait des médicaments. Or la plupart des prescriptions photographiées ici datent de plusieurs mois, et certaines concernent de l'aspirine et des vitamines. De plus, en 1962, Marilyn avait entamé avec succès une cure de désintoxication.

Eunice Murray était la dame de compagnie de Marilyn. Mais aussi la seule personne présente au domicile de la star lors de sa mort. Un personnage essentiel qui, avant de mourir à son tour, a livré une confession dramatique à un de ses proches.

L'autopsie du cadavre de Marilyn par les services du Coroner de Los Angeles est une pièce capitale du dossier Monroe. Les conclusions du docteur Noguchi permettent de tordre le coup à de nombreuses rumeurs mais aussi d'expliquer avec certitude la manière dont la star est décédée.

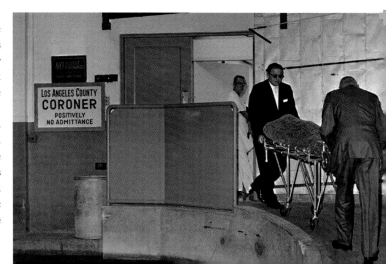

Ce rapport toxicologique dresse la liste des prescriptions retrouvées chez la star. Une quantité jugée normale par les responsables de l'enquête. On remarquera, en quatrième position, le tube de Nembutal longtemps considéré comme responsable de sa mort. En bout de ligne, le chiffre 25 indique le nombre de comprimés qu'il pouvait contenir. Problème : l'analyse du sang de la défunte évoque une consommation d'au moins 47 comprimés !

John, Robert et Marilyn... un triangle au cœur du mystère Monroe dont il fallait sonder la solidité. Mais, au final, le mythe s'effondre. Car la nature des relations entre les Kennedy et la Blonde atomique est très exagérée.

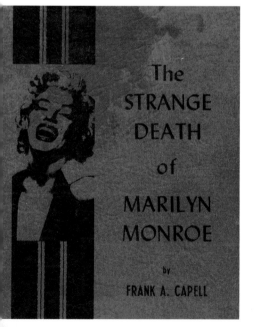

© Times & Life Pictures/Getty Images

Premier ouvrage consacré au décès de Marilyn Monroe, le livre de Frank Capell est avant tout un pamphlet politique visant Robert F. Kennedy. Épaulé par J. Edgar Hoover, le patron du FBI, Capell y accuse l'Attorney General d'avoir orchestré la disparition de l'actrice. Une affirmation désormais reprise dans la majorité des textes consacrés à la star.

Plus de quarante-cinq ans après son décès, Marilyn demeure au Panthéon de la gloire.
Son énigmatique disparition et sa beauté figée à jamais dans le temps sont les facteurs essentiels de cette
populaire longévité. La révélation de son dernier secret devrait plus que jamais amplifier le mythe.

56. Triangle

Les options s'offrant à moi ne manquaient pas.

D'abord, je pouvais étudier un à un les mobiles qui auraient poussé les Kennedy à commanditer l'assassinat de la Blonde. Les éplucher, remonter aux sources de la thèse et ne retenir que les pistes dont le parfum d'authenticité me semblait suffisamment puissant.

L'autre option consistait à répondre à deux points essentiels.

Le premier, évidemment, me plongeait dans le triangle amoureux unissant Marilyn à John et Robert Kennedy. Et je savais que, sur ce sujet, notre regard était faussé. Car depuis la parution du livre d'Anthony Summers, son documentaire, puis la publication de l'ouvrage de Don Wolfe, nous avions cessé de remettre en cause la réalité de cette triple relation. Elle était désormais perçue comme une réalité historique et ne s'embarrassait pas du fait que nous n'avions pas atteint cette certitude sans hésitation. La version présentée par Summers, Wolfe et d'autres était en fait l'assemblage brillant et habile de témoignages et de révélations égrenés au fil des ans depuis la mort de l'actrice. Une accumulation dans laquelle peu de tri avait été fait.

A priori, même si cela pouvait ressembler à un effort vain, je n'envisageais pas les choses autrement : je devais me résoudre à sélectionner les points vraisemblables et étayés pour écarter les autres. Avant d'embrasser l'idée de Kennedy portant une part de responsabilité dans la mort de Marilyn, ou de renvoyer ce concept dans les poubelles de l'Histoire, je devais me forger une opinion solide quant à la véracité de cette relation. Et seulement ensuite, il me serait possible de répondre au deuxième point : Robert Kennedy se trouvait-il chez Marilyn Monroe le 4 août 1962 ?

57. Manège

À en croire certains éléments divulgués par ceux qui accusent les Kennedy, le rempart protégeant Bobby avait commencé à s'effriter dès le 3 août 1962. Et, sans surprise, ce premier assaut avait été entrepris par une ennemie intime de Marilyn.

Son nom ? Dorothy Kilgallen. Une peste qui, depuis plus de dix ans, pavait de formules assassines sa rubrique d'indiscrétions et de ragots consacrés aux nuits hollywoodiennes. Des saillies qui, régulièrement, visaient la Blonde.

*

Le conflit opposant l'actrice et la chroniqueuse avait débuté en 1953 lors de la révélation de l'existence d'un calendrier où Monroe posait nue. Choquée, Kilgallen avait fait partie de ceux qui conseillaient à la Fox de se séparer de l'actrice. Sans des milliers de lettres de soutien envoyées par des fans conquis, la carrière de Monroe aurait pu s'arrêter là. Depuis, la star considérait la journaliste comme une « salope ». Qui, ainsi qu'elle l'avait confié à Truman Capote, se rangeait en outre dans la catégorie des alcooliques mondaines [1].

---

1. « Cette salope de Dorothy Kilgallen est toujours à se torcher. » In *Music for Chameleons*, Truman Capote, Random House, 1979.

Quoi qu'il en soit, le 3 août, toujours habile à manier le sous-entendu, Kilgallen lâcha sa bombe dans le *New York Journal American,* avançant, sans donner de nom, que Marilyn s'était « montrée irrésistible aux yeux d'un beau monsieur dont le nom est plus important que celui de Joe Di Maggio [1]. » Certes, il était difficile de décoder qu'il s'agissait de Bobby Kennedy dans ses phrases sibyllines, mais c'était bien lui le « beau monsieur » visé. D'ailleurs, deux jours avant la parution, la journaliste affirmait avoir contacté le département de la Justice afin d'obtenir – en vain – une réaction officielle quant à la prétendue relation Bobby-Marilyn.

Personnellement, n'ayant pas réussi à trouver une preuve de cette tentative de confirmation téléphonique, j'en étais réduit, à ce stade de mon enquête, à prendre pour argent comptant la version avancée par la littérature conspirationniste. Donc à accorder un certain crédit à ces lignes fielleuses qui me paraissaient en vérité plutôt insignifiantes. Bref, je continue à penser que Kilgallen visait précisément Bobby Kennedy dans cet écho.

Pourquoi ? Parce que, sur ce sujet, la journaliste partageait, comme nous le verrons, une source commune avec un autre chroniqueur allant dans le même sens.

*

Les phrases codées de Dorothy Kilgallen étaient capitales. Non pour leur contenu, mais parce qu'elles seules, du vivant des deux protagonistes, avaient osé évoquer une relation entre Marilyn et Bobby.

Certes, l'ouvrage de Frank Capell – évoqué au début de ce livre – profère des accusations bien plus précises, mais sa parution date de 1964. À une époque où Marilyn était décédée depuis deux ans et où RFK, encore sous le choc de l'assassinat de son frère, avait perdu le pouvoir dont il jouissait auparavant.

---

1. *New York Journal American*, 3 août 1962.

En somme, quelques mots insignifiants et un livret de propagande rédigé par un anticommuniste virulent avaient posé les premières pierres d'une histoire qui allait, au fil des années, prendre des proportions de plus en plus importantes.

Cette réalité m'éberlua. À l'origine de la rumeur jetant la Blonde dans les bras de l'Attorney General, on ne découvrait ni documents explosifs ni solides confidences d'intimes. Juste des sous-entendus et un petit livre rouge postérieur au drame.

*

Les propos de Dorothy Kilgallen avaient quand même trouvé un écho dans les colonnes d'un organe concurrent. Très rapidement après la disparition de Marilyn Monroe, Walter Winchell commença, à son tour, à cibler Bobby Kennedy.

Journaliste au *New York Evening Graphic*, Winchell était un pionnier dans son genre, lui qui, le premier, avait osé bafouer les règles de la profession en traitant de la vie privée des figures publiques américaines. Son goût prononcé pour les vices des puissants, sa prétendue bisexualité et ses engagements réitérés en faveur de la lutte contre le communisme lui avaient offert un statut particulier. De fait, depuis le milieu de la Seconde Guerre mondiale, ce chroniqueur redouté était devenu l'un des rares intimes de J. Edgar Hoover.

Le patron du FBI considérait Winchell comme une formidable caisse de résonance capable de prévenir l'Amérique des risques du péril rouge, mais retrouvait aussi dans sa passion des secrets d'alcôve ses propres attraits, lui qui élaborait des fiches de renseignements très documentées sur tout le monde. Aussi, les chroniques de Winchell bénéficiaient-elles fréquemment de fuites issues des réseaux du *Boss*. En retour, le journaliste lui livrait avant tout le monde ses informations les plus croustillantes.

Retrouver RFK en posture défavorable dans un papier signé de Winchell n'avait donc rien d'une surprise. Comme une bonne partie de la droite américaine, ce journaliste considérait que la politique menée par les frères Kennedy à Cuba et avec l'Union soviétique, incitant plus à la reprise du dialogue qu'à la lutte acharnée, traduisait une faiblesse, un refus d'affronter et de régler la question communiste, véritable péril à leurs yeux.

Mais au-delà de la charge politicienne classique, cette fois, les accusations de Winchell se révélaient plus précises. Alors qu'une partie de l'opinion publique américaine ne croyait guère à la thèse du suicide, sa chronique diffusa largement l'idée que « le Mari [1] » connaissait la vérité sur les derniers instants de la star. Ce qui n'était guère étonnant puisque, comme il l'écrivait, le dit « Mari » avait été l'ultime amant de la star.

*

À défaut de prouver de manière concluante la relation de Marilyn avec Robert Kennedy, les articles de Walter Winchell donnaient un poids supplémentaire à l'écho publié par Dorothy Kilgallen. Un deuxième journaliste venait, aux lendemains de la disparition de Marilyn Monroe, de pointer un doigt vers le clan Kennedy.

Et même si Winchell et Kilgallen avaient construit leur carrière sur le colportage de rumeurs, cette double publication ancrait l'assertion sur un socle moins fragile.

Sauf qu'en réalité il s'agissait du contraire !

Winchell et Kilgallen, fondateurs de l'« explication » citée en exemple par la littérature conspirationniste, dont les accusations sont aujourd'hui reprises comme des preuves par Summers et Wolfe notamment, partageaient en fait une même source.

---

1. Winchell ne désignera jamais RFK par son nom, préférant utiliser des indices très facilement décryptables. Ainsi, le « Mari » est une référence directe au fait que Bobby, père d'une large famille, avait été élu « Mari de l'année 1962 » par une association américaine.

Un seul individu avait été à l'origine de cette fuite. Et, sans trop de surprise, il s'agissait encore de Frank Capell [1] !

*

Comme le serpent venait de se mordre la queue, ce manège donnait le tournis.

Kilgallen se nourrissait des rapports écrits par Capell, ancien agent du FBI devenu croisé de la lutte contre le communisme. Winchell, encouragé par un Hoover ravi de l'opportunité de s'attaquer à la réputation de son pire ennemi, accordait confiance au même informateur.

Plus malsain encore, on constate que, dans *The Strange Death of Marilyn Monroe*, Capell, afin de donner plus de poids à ses accusations, citait les articles de Winchell comme des preuves concordantes. Des articles dont il était en réalité la source, réussissant donc l'exploit de se citer anonymement afin d'établir la véracité de ses propres propos !

*

L'entrée en lice de Frank A. Capell, dont j'ai déjà expliqué les motivations politiques et la volonté farouche de discréditer Robert Kennedy, brouillait les pistes.

Si les théories accusant Bobby Kennedy s'étaient seulement construites sur le crédit apporté aux échos de Kilgallen et Winchell, cela signifiait que depuis quarante-cinq ans la littérature défendant le crime reproduisait, vraisemblablement en l'ignorant, les délires propagandistes de l'éditeur du brûlot extrémiste *Herald of Freedom*.

Pourtant, même si les fondements de l'édifice paraissaient dangereusement corrompus, parvenir à l'abattre ne satisfaisait

---

1. Sur ce point, les sources sont multiples. Il faut lire plus particulièrement les deux parties de *The Posthumous Assassination of JFK*, par James DiEugenio, Probe, septembre-décembre 1987, et *Marilyn Monroe : The Biography,* Donald Spoto, Harper Collins, 1993.

pas toute ma curiosité. Au-delà des accusations de Capell, auxquelles il était difficile d'accorder le moindre crédit, je devais absolument déterminer la nature du trio formé par John, Robert et Marilyn, un triangle contre les parois duquel tous s'étaient cognés et détruits.

58. Code

Pour elle, le code de l'amitié ne souffrait aucune exception.

Marilyn étant généreuse avec son entourage proche, en échange elle demandait une fidélité totale. Parmi les règles gérant le groupe, la plus importante touchait à la confiance. Ainsi, l'actrice exigeait une complète discrétion sur sa vie privée. Quand, par le passé, certains n'avaient pas respecté la consigne et s'étaient répandus dans la presse, la sentence avait toujours été la même : du jour au lendemain, le traître disparaissait de l'univers de la star. Et, comme s'il n'avait jamais existé, il se retrouvait coupé de l'ensemble de ses autres compagnons.

Si la Blonde avait promptement saisi l'intérêt d'utiliser les médias pour promouvoir sa carrière, elle avait également compris que le pouvoir de nuisance de la presse était réel. Sa première douloureuse expérience ne remontait-elle pas au scandale lié à la révélation de ses photographies déshabillées ? Or, l'information provenait de son entourage et la publicité avait été encouragée par le patron de la Fox, Darryl Zanuck. Dès lors, Marilyn avait modifié sa définition du mot « ami ».

Ensuite, il y avait eu l'échec de son mariage avec Joe Di Maggio. L'attention médiatique omniprésente braquée sur le couple lui avait confirmé le changement majeur du métier de journaliste, ces derniers s'intéressant de très près au quotidien et à la vie intime des célébrités. De fait, l'ancienne gloire du base-ball n'avait pas caché les raisons de leur séparation. S'il aimait la méconnue Norma Jean Baker, il détestait la trop publique Marilyn Monroe. Et les phrases assassines et rumeurs salaces lancées par Walter Winchell, Dorothy Kilgallen, Louella Parsons et bien d'autres spécialistes du ragot avaient eu raison de sa patience. Avant de rompre avec Marilyn, Joe lui avait même proposé un ultime marché : il était prêt à renoncer au divorce si la Blonde mettait un terme à sa carrière.

Dans les larmes, Marilyn avait opté pour la gloire mais aussi retenu la leçon : désormais, sa vie privée serait cadenassée.

*

En 1962, les détenteurs de la confiance de Marilyn se comptaient sur les doigts d'une main. Côté femmes, Pat Newcomb était passée du statut d'attachée de presse à celui de proche. Pat Kennedy, la sœur de John et Bobby, faisait également partie de ce groupe restreint.

Ralph Roberts, le masseur de la star, assumait le rôle de confident depuis plusieurs années. Quant à Allan Snyder, le maquilleur de Marilyn, il était également considéré comme un ami.

C'était donc dans ce cénacle qu'il fallait puiser pour vérifier la validité de la relation de Monroe avec les frères Kennedy.

Et, avant de tenter d'éclaircir les liens tissés entre Marilyn et Bobby, la chronologie des faits poussait d'abord à se pencher sur le cas de John Kennedy. Car, à en croire les promoteurs du triangle amoureux, RFK aurait « récupéré » la comédienne quand, menacé de divorce par Jackie Kennedy et sous le coup d'un chantage exercé par Hoover, le Président se serait lui-même séparé de la star.

59. Président

Une fois de plus, la règle venait de se vérifier.

La méthode que j'avais adoptée pour mener à bien mon enquête était relativement simple : pour chaque question posée par l'énigme Marilyn, j'avais choisi de remonter à la source de l'information. Un exercice exigeant patience et détermination, mais souvent payant.

La preuve, il permettait de se rendre compte, par exemple, qu'une affirmation publiée dans les années 1990 était en réalité fondée sur une rumeur lancée en 1964. Que le conditionnel employé à l'époque n'avait pas résisté au passage du temps et que, finalement, personne n'avait songé à vérifier l'authenticité et la bonne foi de la source initiale. Une dérive d'autant plus agaçante qu'elle procurait un vernis d'authenticité à des « informations » qui n'avaient souvent rien à voir avec la réalité. Une dérive d'autant plus pernicieuse que de nombreux chercheurs ou passionnés de l'affaire étaient tombés dans le piège.

En toute bonne foi, ils avançaient par exemple une accusation sous prétexte que, provenant d'un documentaire diffusé par la BBC – je prends cet exemple au hasard – elle ne pouvait qu'être juste car diffusée par un organe réputé pour son sérieux, donc garant de la véracité des propos formulés.

Or l'information donnée dans le dit documentaire pouvait venir d'un entretien avec une personne érigée en spécialiste de l'énigme Monroe. Qui, elle-même, répétait quelque chose lu quelque part à quoi elle avait cru. Résultat, *in fine*, son affirmation pouvait partir, sans que personne ne le sache ou le signale, des lignes écrites par Frank Capell.

*

Ce travail d'archéologue soulevait un autre problème tout aussi gênant pour qui tente de discerner le faux du vrai : le temps et la disparition de contradicteurs déclenchent un phénomène d'amplification de l'histoire.

La relation entre JFK et Marilyn en est une parfaite illustration. À mesure que la mythologie du couple s'est installée dans nos consciences, que les protagonistes ont disparu, puis leurs héritiers, le flirt a pris des dimensions surréalistes.

Ainsi, l'un des derniers ouvrages publiés sur ce sujet [1] propose carrément le *verbatim* des scènes de ménage censées avoir eu lieu entre John et Jackie Kennedy ! Un lecteur peu averti pourrait découvrir – et surtout croire – que la femme du président des États-Unis n'ignorait rien des coucheries de son mari avec Marilyn Monroe et qu'en juillet 1962 elle l'avait mis devant ses responsabilités : mettre un terme à cet adultère ou gérer les conséquences publiques d'un divorce ! Évidemment, dans ce livre, jamais l'auteur de ces lignes dignes d'un épisode de Dallas n'a pris la peine d'expliquer à son public que sa démonstration s'appuyait sur un vide absolu et une capacité d'imagination plus que débordante.

*

---

1. Un livre qui, à mon avis, mérite haut la main, la palme du plus mauvais ouvrage jamais écrit sur la mort de Marilyn et les assassinats de RFK et JFK. Et pourtant, la compétition était forte ! C'est d'ailleurs peut-être pour cela que l'auteur se cache derrière un nom de plume : *Misplaced Loyalties,* Victor E. Justice, Trafford Publishing, 2005.

Le même processus d'amplification dévoya la nature de leur relation et son déroulement.

Ainsi, au fil des années, la chronologie a considérablement évolué.

Les premiers ouvrages liant la star et le Président plaçaient le début de leur histoire d'amour autour de l'interprétation du titre *Happy Birthday*. Rapidement, certains avaient ensuite reculé le curseur pour l'arrêter au lendemain de l'arrivée de John Kennedy à la Maison Blanche, soit dans les premiers jours de janvier 1961.

Dans les années 1970, la date évolua de nouveau. Désormais, JFK avait cédé aux charmes de Marilyn en 1960, à l'occasion de la convention du Parti démocrate de Los Angeles. Une date majeure dans l'ascension vers le pouvoir de JFK que l'actrice aurait suivie dans son ensemble, laissant exploser sa joie lors de la nomination de son amant.

La théorie posait d'innombrables problèmes historiques mais qu'importe, elle fructifia. On oublia que l'accès à l'événement était réservé aux délégués prêts à choisir leur candidat à la présidence, qu'aucun article de presse ne fit état de la présence de la Blonde dans cette convention hautement médiatisée, que l'emploi du temps de Marilyn, du 9 au 15 juillet 1960, dates de la réunion du Parti démocrate, ne coïncidait pas puisque, espérant rencontrer Yves Montand, elle était à New York depuis le 3 juillet ! Et on négligea évidemment le fait que Ralph Roberts, le fidèle masseur résidant à l'époque dans la métropole de la côte Est, se souvenait que Marilyn était à ses côtés lorsque la radio diffusa le discours d'investiture de JFK [1]. Rien ne tenait donc dans cette datation, mais Anthony Summers et Don Wolfe continuèrent d'utiliser la rencontre de la convention démocrate comme point de départ.

Une série de nouvelles dates virent le jour au cours des années 1990. Dorénavant, leur rencontre intime remontait à 1958 et au tournage de *Some Like It Hot,* lorsque John

---

1. In *Marilyn Monroe,* Barbara Leaming, Crown, 1998.

Kennedy était un jeune et populaire sénateur. Ou, plus tôt encore, lorsque Joe Kennedy, le père de JFK, habitué des soirées hollywoodiennes, avait présenté à son fils cette jeune starlette facile à séduire.

*

La lecture de cette chronologie abracadabrante laissait donc présager le pire. Encore quelques années de patience et, j'en suis convaincu, un auteur audacieux exhibera un témoignage improbable assurant que, adolescent, John F. Kennedy avait perdu sa virginité dans les bras de Marilyn !

60. Mythe

En réalité, il existe une seule rencontre intime établie entre JFK et Marilyn, et celle-ci remonte au 24 mars 1962, soit moins de cinq mois avant le décès de l'actrice. Une partie du mythe s'écroule.

Ce jour-là, le Président se trouvait à Palm Springs, en Californie, chez le chanteur Bing Crosby.

Initialement, cette étape californienne de JFK était prévue au domicile de Frank Sinatra, mais, quelques semaines plus tôt, l'un des membres du cabinet de Bobby avait remarqué l'incongruité d'une telle visite. Alors que le département de la Justice s'opposait au crime organisé, le Président allait résider chez un homme aux liens établis avec la Cosa Nostra. Bobby avait écouté la remarque et, avant de prendre une décision, avait demandé à consulter le dossier complet de Sinatra. La lecture l'ébranla et, brusquement, l'ami devint infréquentable. Il sut ainsi que Sam Giancana, le parrain de Chicago, avait passé quelques jours chez le *crooner*. Imaginer que le Président puisse dormir dans le même lit que l'un des plus grands malfrats du moment relevait de l'impensable.

Bing Crosby servit de solution de remplacement.

Pour Sinatra, dont le soutien à JFK en 1960 avait été total, le choix d'un concurrent, républicain de surcroît, fut vécu comme une humiliation impardonnable. Non seulement le 24 mai signa la fin définitive des relations entre le clan

Kennedy et le chanteur, mais encore le début d'une aide financière et publique systématique du *crooner* envers les candidats du Parti républicain.

*

Marilyn et John Kennedy se retrouvèrent dans la chambre attribuée au Président dans l'après-midi du 24 mai 1962.

S'il est possible d'identifier le moment avec autant de précision, c'est parce que l'actrice avait téléphoné à Ralph Roberts. Comme la comédienne souhaitait recueillir des conseils sur une technique de massage capable d'apaiser le dos meurtri de son compagnon, Roberts lui avait fourni les explications nécessaires. Marilyn avait cependant insisté, peu sûre d'y arriver. Le mieux, peut-être, était que Roberts s'adresse directement à l'ami aux lombaires endolories. Et le confident de la star avait immédiatement reconnu l'accent bostonien de JFK. Comme il savait également que le Président souffrait de maux chroniques et que ses questions étaient précises, il n'eut aucune peine à identifier l'interlocuteur. Si l'échange avait duré quelques minutes, Ralph Roberts n'avait aucun doute : son amie se trouvait bien avec John F. Kennedy. Ce que Marilyn lui confirma peu après.

La star venait d'avoir une aventure avec le 35e président des États-Unis et Ralph Roberts en avait été le témoin involontaire.

*

John et Marilyn...

Quarante-cinq ans de fantasmes qui se résumaient en réalité à un après-midi crapuleux dans un ranch de Palm Springs.

Le mythe était bien plus *sexy* que la vérité. Pas de rencontres volées entre deux avions, pas d'échanges torrides dans le Bureau ovale, pas d'instants de passion surveillés de loin par les agents du Secret Service.

Le 24 mars 1962 constitue bien le seul « instant amoureux » documenté et authentifié grâce à un témoignage de première main. Et les autres scènes colportées et reprises jusqu'à plus soif doivent être jetées dans le caniveau des rumeurs fondées sur des bruits faisant écho à des ragots.

Bien sûr, l'absence de corroboration ne signifie pas forcément qu'il n'a pas existé d'autres rencontres privées avec le Président. Mais force est de reconnaître que leur probabilité est infime.

D'abord, parce que Marilyn n'avait pas évoqué d'autres rencontres avec son entourage. Or, puisqu'elle n'avait jamais caché l'épisode du 24 mars, pourquoi conserver le secret quant à d'éventuels autres rendez-vous ? Ensuite, parce qu'entre le tournage de *Something's Got to Give* et son infection des sinus, l'emploi du temps de Marilyn durant l'année 1962 était relativement facile à dresser. Et enfin, comme cela avait été fait par certains chercheurs indépendants, le comparer à celui, public, de John F. Kennedy, montrait que leurs plages de rencontres se réduisaient à néant.

La conclusion s'imposait d'elle-même. Au-delà du massage du 24 mars, la soirée anniversaire au Madison Square Garden avait constitué le seul moment où John et Marilyn s'étaient retrouvés en même temps dans une même ville !

*

Il restait donc Robert Francis Kennedy.

Si l'aventure entre la star et le Président se résumait à une après-midi californienne, l'ensemble de mes espoirs reposait donc sur le frère.

Or ce « conte de fées » débutait sous de terribles auspices, la relation entre Marilyn et Bobby ayant toujours été considérée comme une aventure au rabais. Une sorte de prix de consolation après le faste du couple Monroe-JFK.

Mais un miracle était toujours possible !

61. Frère

Il n'existe aucune preuve tangible.

Aucun témoignage crédible n'atteste formellement que Robert Kennedy et Marilyn Monroe ont entretenu une liaison.

Mieux, Ralph Roberts, le plus proche confident de l'actrice, rappelons-le, s'est souvenu après le décès que Marilyn n'avait évoqué qu'une fois le frère du Président : « Elle m'a demandé si j'avais entendu parler des rumeurs sur Bobby et elle. Et elle a ajouté : "Ce n'est pas vrai. De toute manière, il est trop chétif pour mon goût[1]." »

Cette dénégation de la star aurait dû suffire. Après tout, d'un même jet, ne venait-elle pas de tordre le cou à la rumeur et de mettre à terre toute thèse la plaçant dans la peau d'une amoureuse transie ? Bobby n'était pas le genre de la Blonde et son nom de famille n'y changerait rien.

Affaire classée ?

Évidemment pas. Car les promoteurs de la culpabilité de RFK avaient deux autres cartes à abattre pour renforcer leur jeu. La première concernait les coups de téléphone passés par Marilyn au bureau de l'Attorney General. L'autre, bien plus importante, affirmait la présence de Bobby dans la chambre de Monroe, le 4 août 1962.

---

1. *In Marilyn Monroe : The Biography, op. cit.*

*

À force de passer de nombreuses heures ensemble au département de la Justice, Courtney Evans était devenu un ami de Robert F. Kennedy.

Une amitié étonnante puisque Evans, agent du FBI, avait été nommé là par J. Edgar Hoover et dans le but de servir de trait d'union entre le patron du Bureau et RFK. En clair, ce fusible avait pour mission de surveiller les faits et gestes de l'ennemi intime du patron du FBI.

Quoi qu'il en soit, le 20 août 1962, Courtney Evans n'était guère à l'aise. Tandis que J. Edgar Hoover poursuivait sa vendetta contre celui qui, depuis sa nomination, n'avait cessé de rogner ses pouvoirs et privilèges, il devait, lui, informer Bobby de la teneur d'une conversation discrètement enregistrée par le FBI. Une discussion dans laquelle Meyer Lansky, l'un des plus brillants cerveaux du crime organisé[1], avait confié que l'Attorney General entretenait une relation adultérine avec une femme d'El Paso, au Texas.

À la lecture du rapport, familier des méthodes employées par Hoover afin de le discréditer, Kennedy avait haussé les épaules. L'accusation était d'autant plus vaine que RFK ne s'était jamais rendu dans la ville texane. Mais, comme il le précisa à Evans, tout cela s'inscrivait dans la stratégie des « vendeurs de ragots ». Les mêmes qui, quelques mois plus tôt, l'avaient placé dans les bras de Marilyn, devaient lui inventer une autre liaison inavouable. Et il déclara, à propos de la star, qu'au moins il la connaissait « puisqu'elle était l'amie de (sa) sœur[2] ».

L'amie de sa sœur...

À bien y réfléchir, il s'agissait sans doute de la formule la plus juste pour résumer la relation entre Bobby et Marilyn.

---

1. Voir *Mafia S.A, les secrets du crime organisé,* William Reymond, Flammarion, 2001.
2. In *Robert Kennedy : Brother Protector,* James W. Hilty, Temple University Press, 1997.

Car, comme Donald Spoto le prouvera ensuite dans sa remarquable biographie, les emplois du temps de Marilyn et Bobby ne permettaient pas plus la multiplication des rencontres que ceux de JFK et de la star. Entre 1961 et le décès de cette dernière, RFK et l'actrice s'étaient très rarement retrouvés dans la même ville au même moment !

En vérité, on ne peut documenter précisément que quatre occasions où les deux personnages se sont croisés. Et ce à chaque fois dans le cadre d'un événement public, donc en présence de multiples témoins.

Dans cette liste figurait la réception donnée par JFK après la célébration de son anniversaire au Madison Square Garden. Les trois autres ? Trois dîners californiens organisés par Pat Kennedy-Lawford, la sœur de Bobby.

*

Restait à étudier le cas des communications téléphoniques.

À en croire la littérature conspirationniste, l'amie de la sœur de Bobby avait la curieuse manie de harceler de coups de fil l'Attorney General. Des appels, poursuivaient les mêmes sources, qui s'étaient étrangement multipliés dans les derniers mois de l'existence de Monroe. Des coups de fils qui, dès lors, prouvaient les tensions de leur relation amoureuse.

Pour une fois, l'accusation reposait sur un fond d'authenticité. Comme le prouvaient les relevés téléphoniques de l'actrice, elle avait téléphoné à six reprises à Washington durant le seul mois de juillet.

Mais, pour être complète, l'histoire ne s'arrêtait évidemment pas là. Car, à l'exception de l'appel du 30 juillet qui avait duré près de huit minutes, ses cinq autres coups de fil n'avaient jamais dépassé la minute ! Le plus souvent, Marilyn Monroe n'avait pas franchi le barrage de la secrétaire de RFK. Ou, comme les deux coups de fil du 17 juillet le prouvaient, Bobby n'avait pas trouvé le temps de lui répondre[1].

---

1. *In Marilyn Monroe : The Biography, op. cit.*

Six appels, dont cinq extrêmement brefs, ne valident bien sûr en rien la thèse d'une Marilyn menaçant Bobby de révéler la teneur de leur relation s'il ne divorçait pas d'Ethel. D'autant que ces tentatives de communication n'avaient rien à voir avec la vie privée de la star.

*

Durant le mois de juillet 1962, Marilyn Monroe ne poursuivait qu'un objectif : résister aux attaques lancées contre elle par la 20th Century Fox.

Comme nous l'avons constaté, son emploi du temps débordait d'interventions médiatiques, de séances de pose pour de prestigieux photographes, de rendez-vous d'affaire avec la direction de la Fox, de réunions de crise avec ses avocats, agents et publicitaires, le tout entrecoupé d'une vraie stratégie de guérilla téléphonique élaborée avec son compagnon d'armes, Darryl Zanuck, installé en France. Sans omettre qu'afin de gérer cet intense stress, Marilyn multipliait les séances avec Greenson et les injections du docteur Engelberg.

Les honoraires du psychiatre l'attestent, entre le 1er juillet et le 4 août, Greenson l'avait traitée durant au moins une heure par jour sur une période de 28 jours[1]. Et Engelberg lui rendit une vingtaine de visites en juillet[2].

Comment cet emploi du temps surchargé aurait-il pu laisser un quelconque espace à une vie amoureuse ? Qui plus est avec un personnage aussi occupé et « visible » que Bobby ? Les membres du cercle des intimes de Marilyn n'ont d'ailleurs jamais dit autre chose !

*

---

1. Voir annexe.
2. *Idem.*

Une explication aux différents appels de la star était envisageable. Et si l'attention portée par Marilyn à Bobby était simplement liée à sa propre situation professionnelle ? Après tout, RFK n'était-il pas l'homme le plus puissant qu'elle ait rencontré, qui plus est un individu plus aisé à contacter que le Président lui-même ? Et Bobby n'était-il pas le frère d'une de ses plus proches amies, quelqu'un qui, au sein du clan Kennedy, avait la réputation d'arranger les problèmes ?

Nous l'avions vu, Marilyn avait agi en coulisses afin d'orchestrer son retour à la Fox dans les meilleures conditions possibles. N'avait-elle pas simplement tenté de joindre Robert Kennedy afin de le mettre à contribution ?

*

En juillet 1962, dans l'attente du retour aux affaires de Darryl Zanuck, la 20th Century Fox était toujours dirigée par le juge Samuel Irving Rosenman, ancien magistrat démocrate rentré en politique aux côtés de Franklin D. Roosevelt qu'il avait suivi à la Maison Blanche, où il s'était imposé comme un brillant conseiller et un ami fidèle[1]. Après la présidence Truman, Rosenman avait quitté Washington pour rejoindre New York où il naviguait entre le monde des affaires et celui de la politique.

Les connexions entre Rosenman et les Kennedy ne manquaient pas. Le juge était d'abord une relation de Joe Kennedy, le père de JFK. Les deux hommes avaient partagé l'expérience du lancement du New Deal, conseillant Roosevelt. Puis, devenu ambassadeur des États-Unis à Londres en pleine période trouble annonçant la Seconde Guerre mondiale, Kennedy avait pris l'habitude de communiquer avec Rosenman.

Bien qu'originaire de San Antonio au Texas, le juge avait apporté, en 1960, son soutien à John F. Kennedy, délaissant Lyndon B. Johnson pourtant originaire du même État. Un

---

1. http://www.feri.org/kiosk/profile.cfm?QID=1751.

appui que n'avait pas oublié le nouveau Président, demandant à l'ancien conseiller de prendre la tête de différentes commissions. Une activité que Rosenman assumait sans renoncer à ses jetons de présence dans différents comités de direction de puissantes compagnies telle la 20th Century Fox. C'est d'ailleurs lui qui, en tant que président du conseil d'administration de la Fox, avait officiellement ordonné le renvoi de la star.

Le juge Rosenman détenait donc entre ses mains le sort de Marilyn en cet été 1962. Ce qui, aux yeux de la comédienne, ne constituait pas une mauvaise nouvelle. Rosenman n'était-il pas un proche de la famille d'une de ses meilleures amies ?

Il est fort probable que, avant l'intervention directe de Marilyn, ce soit Pat Kennedy-Lawford qui ait demandé à Bobby d'entreprendre une médiation auprès de Rosenman. En tout cas, les notes personnelles de Darryl Zanuck et de Spyros Skouras démontrent que RFK a effectivement téléphoné à plusieurs reprises au juge Rosenman pour plaider la cause de la star. Et que, mieux encore, expliquant que le Président apprécierait un geste en faveur de l'actrice, Robert F. Kennedy « avait convaincu Rosenman de reconsidérer le cas Monroe [1] ».

Comment expliquer que cette découverte, majeure, n'ait jamais figuré dans les ouvrages accusant Robert Kennedy d'une participation à l'assassinat de Marilyn Monroe ? Je m'interroge encore, car elle change tout et met à mal des années de théories complexes !

*

Résumons la situation.

Nous avions d'abord une actrice réfutant toute idée de

---

1. Cet extrait des archives de Spyros Skouras, alors en charge de la production pour l'ensemble du studio, provient de la *Spyros Skouras Collection* de l'université de Stanford en Californie. La confirmation de l'intervention de Bobby Kennedy, relatée dans la correspondance privée de Darryl Zanuck, provient de *Marilyn, The Last Take, op. cit.*

relation intime avec Bobby Kennedy à l'occasion d'une conversation avec son plus fidèle confident.

Ensuite, les emplois du temps de la star et de l'Attorney General qui prouvaient qu'en deux années, ils s'étaient seulement rencontrés quatre fois. Et, à chaque reprise, en présence de nombreux témoins.

Puis, la fameuse accusation du « harcèlement téléphonique » entrepris par l'actrice envers son « amant » Bobby Kennedy se résumait à une ridicule série de six brefs appels, se concluant le plus souvent par un message laissé à l'assistante de l'Attorney General.

Et maintenant les archives des dirigeants de la 20th Century Fox qui démontraient que l'explication la plus probable à ces essais de communications téléphoniques était liée au sort professionnel de Marilyn.

Décidément, la « romance » torride, fusionnelle et dramatique entre les deux « amants » relevait plus du fantasme construit à partir de rien que d'une quelconque réalité.

*

Restait à éclaircir une dernière énigme : la mystérieuse conversation téléphonique, d'une durée de huit minutes, le 30 juillet 1962, soit quelques jours à peine avant le décès de Monroe.

Les tenants de l'idée d'une conspiration menée par le clan Kennedy présentaient ce moment comme l'ultime chance de Marilyn. À les lire, effrayé par la détermination de l'actrice à vouloir rendre public son journal intime, RFK aurait pris, après cet ultime échange, la terrible décision de mettre fin au problème Monroe de manière radicale. Dès lors, quarante-cinq ans plus tard, avant de plonger dans l'envers des pages du carnet de Marilyn, il était donc grand temps d'en avoir le cœur net.

Comme nous l'avons vu, le 30 juillet avait été une journée exceptionnelle pour l'actrice. Son combat contre la Fox, entamé presque deux mois plus tôt, se terminait par une victoire éclatante puisque ce jour-là, Peter Levathes s'était rendu à son domicile pour lui présenter la version finale de la proposition de la 20th Century Fox. Marilyn quintuplait son salaire, se débarrassait de George Cukor afin d'achever *Something's Got to Give* et s'engageait sur un second long-métrage au casting prometteur. Le triomphe était total.

Il lui fallait s'en féliciter et remercier qui de droit.

Monroe contacta Allan Snyder, son maquilleur, pour l'inviter le week-end suivant à célébrer la fin de ce bras de fer. Puis, comme Peter Levathes lui-même avait confessé avoir reçu la consigne de renégocier son retour au sein du studio « directement depuis New York et le bureau du juge Rosenman [1] », la star avait décroché son téléphone et demandé le RE 7-8200, le numéro du standard du département de la Justice à Washington [2].

Et là, durant quelques minutes, elle avait tout bonnement remercié le frère de son amie, celui sans qui rien n'aurait été possible.

---

1. In *Marilyn, The Last Take, op. cit.*
2. On remarquera d'ailleurs que, contrairement à l'idée généralement diffusée selon laquelle Marilyn disposait d'un numéro particulier lui permettant d'obtenir Bobby directement, les relevés des conversations téléphoniques prouvent sans aucune ambiguïté qu'elle passait d'abord par le standard du ministère.

62. Environnement

Avant de tenter d'élucider la question de la présence de Robert Kennedy au 12305 Fifth Helena Drive le 4 août 1962, il me fallait effectuer une pause.

Parce qu'il était impossible de passer sans s'y arrêter sur les répercussions des découvertes entrevues dans les chapitres précédents. Non seulement, mon enquête avait largement abîmé le mythe du couple formé par Marilyn et John F. Kennedy, mais elle venait en plus de détruire l'idée d'une relation intime entre la même actrice et Bobby.

Les conséquences de ces révélations sur la résolution de l'énigme Monroe étaient, on s'en doute, majeures. Mais, avant d'en arriver là, comprendre la véritable nature des contacts existant entre la comédienne et les deux hommes politiques suscitait un besoin légitime d'explication.

Comment, quarante-cinq ans après les faits, avions-nous abouti à un tel degré d'erreur ?

Comment une telle accumulation d'inexactitudes bénéficiait-elle, aujourd'hui, du statut de vérité historique ?

*

J'ai, un peu plus haut, évoqué certains des mécanismes à l'origine de cette situation.

Dans sa biographie de la star, Donald Spoto avait lui aussi

consacré une postface au sujet, passionnante mais un peu incomplète.

James Hilty, universitaire spécialiste de Robert F. Kennedy, s'était à son tour interrogé sur ce dévoiement des faits : « L'histoire [celle de la relation entre RFK et Monroe] a subi de nombreuses mutations depuis sa première apparition en 1964, lorsqu'un homme, que même le FBI considérait comme "un fanatique d'extrême droite", avait affirmé que la mort de Monroe faisait partie d'une conspiration communiste que Robert Kennedy – traité, d'une manière incroyable, de sympathisant communiste par l'auteur – avait très intelligemment étouffée », écrivit-il dans l'un de ses livres. « Les chroniqueurs spécialisés dans le ragot répétèrent ensuite l'histoire jusqu'à ce que Norman Mailer la reformate en 1973, l'enjolivant terriblement. Elle devint une croisade personnelle sous la plume d'un homme qui assurait (mais ne pouvait pas le prouver) avoir été marié à Marilyn Monroe. Dans les années 1980, l'histoire s'enrichit et s'adapta afin d'impliquer Hoffa et la Mafia. Puis Anthony Summers cultiva tout cela et, avec talent, raffina l'histoire en lui greffant l'argot propre à la théorie de la conspiration. Aujourd'hui, l'ensemble est répété sans aucun esprit critique dans certaines biographies de Monroe et de Kennedy et à la télévision, d'émissions en téléfilms. De fait, l'histoire de la relation fantôme a pénétré largement l'inconscient publique[1]. »

Cette présentation cursive d'Hilty était aussi brillante que réaliste et accablante. Une démonstration applicable au livre de Don Wolfe. S'engouffrant sur la voie tracée par Anthony Summers, en accusant Bobby d'une responsabilité directe dans le meurtre de Marilyn, l'Américain n'hésita pas à aller là où même son prédécesseur britannique avait refusé de se rendre. À l'accusation de crime perpétré sur commande.

---

1. In *Robert Kennedy : Brother Protector*, *op. cit.*

*

Quarante-cinq ans après les faits, si l'énigme Marilyn n'avait toujours pas de solution définitive, c'est parce que les derniers mois de la star avaient été complètement pollués, embrouillés, torturés, déformés.

À maints égards, cette énigme n'est pas sans se rapprocher de tout ce qui entoure l'assassinat de JFK. Un environnement gangrené de la même manière, constellé de pièges et chausse-trappes que moi-même, parfois, je n'avais pas réussi à éviter.

L'affaire Monroe se signalait pourtant par une dimension nouvelle. Si le tri entre la fiction et la réalité avait exigé tant d'énergie et de rigueur, c'était parce que deux forces, parfois complémentaires, venaient en permanence semer le trouble. Les travaux concurrents de Spoto et Hilty traçaient les grandes lignes, mais il était nécessaire de raconter aussi comment l'argent et la haine avaient faussé la partie.

63. Innocence

Norman Mailer venait de découvrir un filon d'or.

Quelques mois plus tôt, la maison d'édition new-yorkaise Grosset & Dunlap lui avait commandé un texte destiné à accompagner un album réunissant des photographies de Marilyn Monroe. [1] En cette année 1972, l'Amérique, embourbée au Vietnam et toujours traumatisée par l'assassinat de JFK, achevait de perdre son innocence. L'*american way of life* idyllique craquait de toutes parts. Et lui allait apporter son art à ces déchirures douloureuses.

*

La lame de fond décillant les yeux de l'opinion avait débuté en janvier 1970 lorsque Christopher Pyle, enquêteur du sous-comité judiciaire des droits constitutionnels du Sénat, avait révélé que l'armée américaine espionnait certains civils. Intervenant dans une commission d'enquête présidée par Sam Ervin, il propulsa le pays dans une réalité qu'il ignorait mais qui allait devenir son quotidien durant plusieurs années.

En 1971, le *New York Times* puis le *Washington Post*, luttant contre les tentatives de censure du gouvernement Nixon, publièrent l'intégralité des Pentagon Papers. Extraits par

---

1. *Marilyn : A Biography,* Norman Mailer, Grosset &Dunlap, 1973.

Daniel Ellsberg, ces documents secrets dévoilaient tout simplement les dessous du conflit vietnamien. Et les Américains, effarés, y apprirent par exemple que le président Lyndon B. Johnson avait tout entrepris pour souffler sur les braises du conflit asiatique alors que, publiquement, il assurait le contraire. Et que Nixon, contrairement à ses discours, n'avait rien tenté pour inverser le cours des choses.

La confrontation avec les manœuvres et magouilles du gouvernement américain reprit de plus belle l'année suivante. Si, au fond, cette surabondance de révélations ne constituait guère une surprise pour les personnes averties – après tout, les États-Unis entraient en période électorale et, depuis 1960, celle-ci se transformait en vaste règlement de comptes où, au-delà des programmes, détruire son adversaire devenait le seul but à atteindre – 1972 ne calma pas la lame de fond

En mai, J. Edgar Hoover, inamovible patron du FBI, décéda. Un souffle de soulagement traversa Washington, qui fut entendu dans l'ensemble du pays. Mais sa disparition ouvrit d'autres vannes et déversa un flot de récits racontant son obsession de la fiche de renseignements. Le *Boss*, semblait-il, avait mis plus d'énergie à exercer des chantages sur le pouvoir qu'à lutter contre l'omniprésent crime organisé.

En juin, cerise sur le gâteau, l'expédition d'un groupe de plombiers dans l'immeuble du Watergate vira au fiasco. Le FBI, fidèle à l'héritage d'Hoover, tenta d'étouffer l'enquête, embarrassé de découvrir que des anciens du Bureau de la CIA et, pis, un membre du Comité pour la réélection du président Nixon, étaient liés à l'opération d'espionnage du quartier général de la campagne du Parti démocrate. Le scandale, attisé par les révélations de Carl Bernstein et Bob Woodward dans les colonnes du *Washington Post*, occupa les premières pages de l'actualité tout au long de cette année 1972, qui s'acheva par la réélection de Nixon, mais aussi sur l'idée répandue que la machine à surprises ne parviendrait plus à s'arrêter.

*

Les répercussions de toutes ces histoires atteignirent tous les secteurs. Et modifièrent, chez beaucoup d'Américains, la façon de voir leur pays. Washington n'apparaissait plus du tout comme le sanctuaire pur et honnête que l'on croyait.

Alors que, jusqu'ici, la majorité se satisfaisait d'une vision naïve de l'appareil politique, dorénavant l'innocence avait disparu. Le meilleur exemple de cette attitude reste, à mes yeux, la manière dont les États-Unis ont accueilli le rapport de la Commission Warren censé prouver la culpabilité du seul Lee Harvey Oswald dans l'assassinat de John Fitzgerald Kennedy. Si, dans son ensemble, le pays avait refusé de voir les incohérences du document parce qu'il provenait de l'élite gouvernementale, cette fois cette adhésion montrait des failles. Dorénavant, le public affichait une défiance grandissante envers son propre pouvoir.

Autre répercussion de ce revirement dans le cas de Monroe, la mise en accusation de deux institutions jusqu'ici crues sur parole : la CIA et le Parti républicain. Dès lors, luttant pour leur survie, les deux organismes – qui ne manquaient pas d'intérêts communs – furent prêts à tout.

Et notamment à donner le change. Ou à détourner l'attention. Norman Mailer, lui, allait servir de porte-voix utile

64. Industrie

Pour ne pas sombrer seuls, les organismes officiels sur la sellette n'eurent qu'une solution : pratiquer la politique de la terre brûlée, laisser croire que tout Washington était gangrené, attester l'idée du « tous pourris ! » Dès lors, tout le monde étant dans le même sac, les fautes réelles passaient à la trappe.

Puisque se dépêtrer des accusations proférées n'était pas évident, la riposte la plus simple consistait à démontrer que les autres – le Parti démocrate en l'occurrence – s'étaient rendus coupables des mêmes malversations, voire pire. Il fallait installer dans les consciences l'idée que la présidence de Nixon assumait seulement le terrifiant héritage qu'avaient légué ses prédécesseurs. Et que la seule erreur de la CIA avait été d'obéir aux instructions données par le locataire de la Maison Blanche de l'époque, en l'occurrence JFK lui-même. En somme, l'Amérique des années 1970 payait seulement les conséquences des actes illégaux et immoraux du passé.

Mais, pour accréditer cette thèse, encore fallait-il avoir des éléments en main. Aussi, l'agence de renseignements et les républicains mirent-ils tout en œuvre pour noircir l'œuvre et le bilan des frères Kennedy. Qui n'y pouvaient rien... puisque, décédés, ils n'étaient plus là pour se défendre. Une aubaine.

*

276

Le mouvement anti-Kennedy naquit de cette volonté-là.

Sauver Nixon et protéger la CIA équivalait à blâmer et à salir la présidence de JFK. Voire à oser prétendre, comme Lyndon Johnson l'avait dit une fois, que l'assassinat de l'ancien chef de l'État était une « rétribution divine », une terrible mais logique addition à payer tant le disparu avait de meurtres – prétendus évidents – à son passif.

Le premier écran de fumée créé par la CIA consista à prétendre que l'équipe des plombiers du Watergate était en réalité un groupe de barbouzes formés par Robert Kennedy lors de son passage au département de la Justice. Afin de sortir du bourbier qui menaçait chaque jour d'engloutir la Maison Blanche, un proche de Nixon suggéra aussi à la presse de s'intéresser de nouveau à l'accident de Chappaquiddick où, par insouciance, Ted Kennedy, cadet de John et Robert, avait causé la mort d'une de ses assistantes. À en croire cette « source » républicaine, les « plombiers » avaient en fait été appelés à la rescousse pour effacer toute trace remontant jusqu'au sénateur démocrate.

La presse bruissait en outre de rumeurs évoquant maints coups tordus censés avoir été dirigés par les deux frères. Où il était question d'assassinats politiques, de coups d'États, d'opérations de propagande...

Comme dans un mouvement de balancier, discréditer les Kennedy donnait l'illusion de créer une sorte d'équilibre contrebalançant les attaques contre Nixon. Le plus incroyable, c'est que ce mouvement n'avait rien de souterrain, certains assumant publiquement l'idée que l'affaire du Watergate les avait conduits à revoir le rôle du président et à visiter d'un œil critique le mandat de JFK. Norman Mailer en faisait partie.

*

Norman Mailer se nourrissait déjà de l'air du temps.

Puisque l'époque rappelait la chute de l'Empire romain et que le public semblait avide de connaître les moindres détails des coulisses du pouvoir, il allait regarder le récent passé autrement. Et comme s'attaquer au mythe Kennedy garantissait de bons chiffres de vente, il transforma un album de photos classique en livre à charge.

Norman Mailer, sous couvert de licence romantique, laissa glisser sa plume. En écrivain de talent captant à merveille l'air du temps, il ajouta sa propre touche aux événements, imaginant qu'une équipe du type de celle des plombiers du Watergate, formée d'agents du FBI ou de la CIA, avait pu assassiner Marilyn pour faire chanter Bobby.

Avec sa signature, un texte aussi virulent – puisé notamment dans Capell – fut un best-seller, offrant à la thèse de l'homme de Statten Island une notoriété que son extrémisme ne lui aurait jamais permis d'atteindre. Bien que laminé par la presse, qui remarqua combien les accusations de Mailer mettant Bobby au cœur du mystère Monroe n'étaient fondées sur rien, le grand auteur n'en eut cure. De fait, il ne dissimulait même pas sa motivation profonde.

Poursuivi par le fisc américain, l'écrivain confessa ainsi que la raison qui l'avait conduit à massacrer RFK, alors que lui-même était convaincu par la thèse du suicide accidentel, tenait à ses ennuis financiers : « J'avais vraiment besoin d'argent [1] », dit-il sans vergogne.

Cette remarque n'était pas tombée dans l'oreille d'un sourd. Norman Mailer avait ouvert une brèche et Robert Slatzer allait s'y engouffrer.

Une industrie était née.

---

1. In *60 minutes,* CBS, entretien avec Mike Wallace, 13 juillet 1973.

65. Mari

Robert Slatzer n'appartenait pas à la cohorte de ceux qui tentaient de capter les miettes du gâteau Monroe.

Lui, claironnait-il, entrait en croisade. Slatzer était un chevalier luttant pour la vérité.

Son combat avait la nature d'une quête personnelle. Après tout, n'avait-il pas été le mari de Marilyn ?

*

L'histoire avait débuté comme un conte de fées arrangé à la sauce hollywoodienne.

Robert Slatzer, apprenti journaliste originaire de l'Ohio, aurait rencontré Marilyn durant l'été 1946. La guerre venait de s'achever et Norma Jean tentait sa chance à la 20th Century Fox tandis que lui cherchait un emploi dans l'un des magazines de Los Angeles dédiés au septième art. Face à un monde terriblement cruel, les deux débutants allaient forcément s'aimer.

La suite ?

Selon Slatzer, le début d'une romance secrète et d'une longue amitié dont l'apogée serait survenu le 4 octobre 1952 à Tijuana, au Mexique. Quand Marilyn Monroe l'aurait épousé.

Pas pour longtemps toutefois.

Car trois jours plus tard, pressé par Darryl Zanuck ou Joe Di Maggio – cela n'est pas clair – le couple aurait à nouveau effectué le voyage vers Mexico afin de corrompre, grâce à une poignée de dollars, un avocat local et détruire le certificat de mariage.

Ce détail a son importance. Car, il signifie que l'histoire que Robert Slatzer défendait et vendit jusqu'à son décès, le 28 mars 2005, n'était fondée sur aucune preuve matérielle.

*

En vérité, Robert Slatzer n'a jamais épousé Marilyn.

L'épisode mexicain était le fruit de son imagination. Pis, il se résumait à un banal objectif commercial.

Différents arguments permettent de démonter cette prétendue union éphémère.

On pourrait commencer par oublier la rencontre symbolique et romantique de 1946.

Car, comme l'ont raconté à la fois Allan Snyder et Kay Eicher, qui fut la (vraie) épouse de Slatzer entre 1954 et 1956, le journaliste n'était rien d'autre qu'un fan. Un admirateur assistant au tournage de *Niagara* qui avait osé approcher la star pour lui demander de poser en sa compagnie devant l'objectif. C'est d'ailleurs ce cliché que, durant plus de trente ans, Slatzer exhiba comme la preuve de sa relation avec Marilyn.

Ensuite, il faudrait souligner le fait qu'aucun vrai proche de Marilyn n'a jamais été mis au courant du fiasco de Tijuana, ni même entendu parler de Robert Slatzer, qui prétendait pourtant être resté le confident de l'actrice jusqu'à la nuit de son décès, au point d'avoir lui-même choisi la tenue portée par la Blonde le jour de son enterrement.

Enfin, n'oublions pas les difficultés rencontrées par Slatzer à présenter le moindre témoin direct de l'événement. Du moins, un témoin solide. Si, en 1974, lorsque le journaliste publia son premier livre consacré à la mort de la comédienne[1], il prétendit qu'un ami, Noble Chissel, avait assisté à la brève cérémonie, le témoignage de ce dernier ne résista pas longtemps. Chissel confirma en effet un moment puis, pris par le remords, soulagea sa conscience en expliquant que les cent dollars proposés par Slatzer l'avaient aidé à corroborer ce mensonge[2].

Plus fort, une information dévoilée par Donald Spoto dans sa biographie consacrée à la star : le 4 octobre 1952, jour supposé de l'union avec Slatzer, Marilyn avait passé l'après-midi dans les boutiques de Beverly Hills, comme l'attestait un chèque de 313,13 dollars signé par elle ce jour-là[3].

*

La légende du mariage avec Marilyn avait vu le jour en 1972. À un moment où, pour la deuxième fois de son existence, Robert Slatzer souhaitait capitaliser sur le nom de la star.

Car l'homme n'en était pas à son premier coup. En 1957, il avait vendu des souvenirs salaces de ses prétendus exploits sexuels avec Monroe au tabloïd *Confidential Magazine*[4]. Un « papier » où, il fallait le noter, il « oubliait » d'évoquer son union avec celle qu'il présentait comme une nymphomane.

Mais quinze ans plus tard, Slatzer voyait beaucoup plus grand.

Le dixième anniversaire de la disparition de la star approchant, il envisageait la publication d'une biographie largement hagiographique de l'actrice. Or aucun éditeur n'avait été séduit

1. *The Life and Curious Death of Marilyn Monroe*, Robert Slatzer, Pinnacle, 1974.
2. In *The DD Group, op. cit.*
3. In *Marilyn Monroe : The Biography, op. cit.*
4. On peut remarquer, que conformément au code de l'amitié édicté par Marilyn, la parution de cet article aurait dû, si l'idylle avait été réelle, mettre un terme à sa relation avec Slatzer.

par son manuscrit. Aussi s'était-il tourné vers son collègue Will Fowler[1] pour l'inviter à cosigner une nouvelle version du texte.

À son tour, le reporter ne fut pas convaincu par l'œuvre de Slatzer et, en boutade, lui lança : « C'est dommage que tu n'aies pas été marié à Monroe. Là, tu aurais eu un bon livre à vendre[2]. »

*

En 1974, Robert Slatzer publiait enfin son *The Life and Curious Death of Marilyn Monroe*. Où, suivant le conseil humoristique de Fowler, il se présenta sans vergogne comme le mari secret de Monroe.

Norman Mailer ayant rencontré un vif succès un an plus tôt avec sa charge anti-Kennedy, Slatzer avait retenu la leçon. Sa biographie s'était en effet enrichie d'une large partie consacrée à la mort de Marilyn. Qui témoignait de l'influence des propos de Frank Capell, jusque dans le titre choisi. Là où l'ancien du FBI avait utilisé l'adjectif « étrange » pour qualifier la mort de Marilyn, le journaliste de l'Ohio avait opté pour celui, assez similaire, de « curieuse ».

Comprenant qu'une simple réécriture du petit livre rouge serait insuffisante afin de séduire les masses, Slatzer avait enrichi sa version, en accusant sans retenue Bobby. Force est, avec le recul, de reconnaître une qualité au livre de Slatzer : comme Mailer avant lui, il avait parfaitement pris le pouls de l'Amérique en ce milieu des années 1970. Accuser le sommet de l'État d'avoir commis un crime, puis tout entrepris pour étouffer la vérité, lui assurait d'avance un triomphe. Le résultat fut à la hauteur : les tirages se multiplièrent et l'ancien fan de

---

1. Fowler fut le premier journaliste sur le lieu du crime de la célèbre affaire du Black Dahlia. Voir http://www.laobserved.com/archive/2004/04/will_fowler_old.php
2. In *Reporters, Memoirs of a Young Newspaperman,* Will Fowler, Round-table Publishing, 1991.

Niagara devint instantanément un expert incontournable de la relation entre le clan Kennedy et Marilyn. Et, bien entendu, un spécialiste du meurtre qu'elle avait généré.

La montée en puissance de Slatzer coïncida avec l'essor du format *talk-show* sur les chaînes américaines. Le mystère Marilyn sauce Slatzer assurant des audiences confortables, il gagna du terrain. Si bien qu'en 1991, ABC franchit le Rubicon en adaptant pour le petit écran, et sans exprimer la moindre réserve, l'union imaginaire avec Marilyn Monroe dans un film intitulé *Marilyn and Me*.

*

Pourquoi s'acharner sur ce faussaire ? Parce qu'abattre la statue du faux mari de Monroe était une nécessité.

Primo, parce qu'il est évident que le succès rencontré par Slatzer, de l'édition à la télévision, a largement contribué à façonner l'imaginaire collectif et à accréditer des thèses infondées.

Secundo, parce que sa réussite éditoriale a solidement installé le modèle économique initié par Norman Mailer. En confirmant par son propre succès l'intuition originelle du romancier, Slatzer fut indirectement à l'origine des dizaines d'ouvrages apparus ensuite, professant, voire amplifiant les mêmes mensonges.

Or, le cœur du problème est là.

Car, jetant aux oubliettes le très embarrassant Frank Capell, la littérature conspirationniste préféra désormais citer Slatzer qui, nous l'avons vu, s'était contenté de réécrire le petit livre rouge de l'extrémiste de Statten Island. Derrière la prétendue rigueur de l'investigation de Anthony Summers se cachaient en effet Robert Slatzer et ses disciples. Lesquels demeuraient bien présents lorsque Don Wolfe parvint à convaincre des maisons d'édition pourtant réputées que son propre travail était le fruit de quinze ans d'enquête.

*

En somme, Robert Slatzer avait agi comme un virus. Dont les inventions contaminaient l'univers de Marilyn.

La liste de ses ravages est fort longue.

Qu'on s'en souvienne : c'est l'ancien journaliste de l'Ohio qui fut à l'origine du récit sur l'absence de verre d'eau, qui évoqua les comprimés jaunes ne déteignant pas, la disparition mystérieuse des organes de la star, les coups de fils de harcèlement sur la ligne privée de RFK ; c'est lui qui avança l'existence de menaces de divorce de Jackie, de promesses de mariage de RFK, assura que Marilyn s'apprêtait à tenir une conférence de presse, que les Kennedy étaient des goujats se passant la Blonde comme s'il s'agissait d'un bout de viande [1]...

Mais son plus beau fait d'arme, le plus lucratif aussi, méritait que l'on s'y arrête plus longuement. Après tout, n'avait-il pas annoncé l'existence d'un journal intime de Marilyn Monroe ?

---

1. Il ne s'est pas arrêté là puisqu'il a aussi avancé l'idée que le téléphone de Marilyn était sur écoute, obligeant la star à utiliser des cabines publiques. Une astuce qui lui permettait d'expliquer pourquoi le numéro de téléphone n'apparaissait sur aucun relevé de la star alors que Slatzer prétendait avoir des communications quotidiennes avec elle.

66. Secrets

En octobre 1975, le magazine pour adultes *Oui* proposait, sous la plume d'Anthony Scaduto, un dossier spécial consacré à la mort de Marilyn Monroe.

Où la thèse du suicide était présentée comme une manipulation de la vérité. Où les Kennedy étaient nommément impliqués dans l'assassinat de la star. La transformation de la réalité poursuivait son chemin.

Et pour cause : l'essentiel de l'article recyclait sous une autre forme la plupart des éléments publiés un an plus tôt par Robert Slatzer. L'auteur avait d'ailleurs largement contribué au travail de Scaduto puisqu'il accordait une longue interview au magazine. Un entretien intéressant puisque ses « révélations » allaient bien plus loin que dans son propre livre.

Pour la première fois, il annonçait l'existence d'un carnet rouge aux pages noircies de la fine écriture de Marilyn elle-même.

*

Selon Robert Slatzer, Monroe aurait acheté ce cahier afin d'y noter précisément la teneur de ses conversations avec John et Robert Kennedy. Déjà présentée comme la maîtresse des deux hommes, la comédienne glissait dorénavant, par l'inventivité du journaliste à l'imaginaire débridé, dans la peau d'une

285

secrétaire compilant consciencieusement les propos d'hommes forcément plus intelligents qu'elle. Après tout, ne l'oublions pas, Marilyn était blonde...

Quoi qu'il en soit, le contenu du carnet aurait gagné en importance lorsque le Président et son frère se seraient mis à multiplier les confidences classées secret défense. Parmi les plus dévastatrices auraient même figuré celles relatives à des tentatives d'assassinat contre Fidel Castro menées – il fallait bien pimenter la chose – en collaboration avec la Mafia.

Ce mystérieux journal, à en croire Slatzer, plaçait donc Marilyn au centre d'une guerre opposant la Maison Blanche, le crime organisé, le FBI et la CIA ! Rien de moins. « Marilyn connaissait mieux que le public, la presse, le Congrès, le Sénat, le gouvernement et même l'Attorney General ce que le Président faisait, pensait et planifiait[1] », arguait-il.

En toute logique, Slatzer était convaincu que Marilyn avait été assassinée à cause de ce fascicule. La meilleure preuve étant, complétait-il, que le carnet avait mystérieusement disparu dans les heures ayant suivi son décès. Pour étayer ses dires, l'auteur de *The Life and Curious Death of Marilyn Monroe* sortit de sa manche un témoin de poids : Lionel Grandison, employé à la morgue du Coroner du Los Angeles County. Lequel, présent lors de l'autopsie, confirmait que l'affaire baignait dans une atmosphère de manipulation. Selon lui, le corps de Marilyn était recouvert d'ecchymoses et de traces de coups que Noguchi n'avait pas notées dans son rapport, et le fameux carnet rouge était même arrivé sur le bureau de Theodore Curphey. Où, avant qu'il ne disparaisse définitivement, cet employé audacieux avait eu le temps de le feuilleter, remarquant diverses références à Cuba et à la CIA.

La conclusion de *Oui Magazine* s'avérait dès lors inéluctable : Bobby, chargé par son frère de retrouver le document compromettant avant ses ennemis, avait carrément ordonné le meurtre de Marilyn.

---

1. In *Oui Magazine*, octobre 1975.

*

Par ces déclarations tonitruantes, Slatzer continuait à faire ce qu'il avait toujours pratiqué : donner à l'Amérique ce qu'elle voulait lire.

Car le contexte éclaire d'un jour différent ces pseudo-révélations. Il faut savoir qu'au début 1975, sur les cendres de l'affaire du Watergate, le Sénat avait mis sur pied le United States Senate Select Committee to Study Governmental Operations with Respect to Intelligence Activities. Plus connue sous le nom du Church Committee, cette commission présidée par le sénateur démocrate Frank Church était chargée d'enquêter sur les activités illégales menées par le FBI et la CIA.

Les mois ayant précédé l'entretien de Slatzer n'avaient pas manqué de surprises et de divulgations propres à attiser la paranoïa des Américains. Le comité s'était, par exemple, intéressé au rôle joué par la CIA dans les assassinats de dirigeants étrangers [1] et à son rapprochement avec le crime organisé dans le but de se débarrasser de Fidel Castro.

Les sources de la fertile inspiration de Slatzer, lorsqu'il inventa la légende du « journal des secrets », n'étaient rien d'autre qu'un air du temps, une ambiance spécifique. Inspiré par la technique inventée par Norman Mailer et déjà utilisée en 1974 lors de la parution de son propre livre, il répondit au goût du sensationnel de son époque en mêlant habilement la disparition de Marilyn au thème en vogue, s'offrant un parfum d'authenticité appréciable. Avec le recul, sa démonstration m'avait, personnellement, convaincu de tout autre chose. Si la disparition de Marilyn avait eu lieu de nos jours, Slatzer n'aurait pas hésité une seconde à la lier aux événements du 11 septembre 2001 !

---

1. Patrick Lumumba au Congo, les frères Diem au Vietnam, Rafael Trujillo en République Dominicaine et le général René Schneider au Chili.

*

Mais Lionel Grandison ? Mais le carnet rouge sur le bureau du Coroner ? demanderont certains.

Comme nous l'avons vu, en 1982, John Van de Kamp, District Attorney de Los Angeles, avait conclu une nouvelle enquête consacrée à la mort de Marilyn. Une investigation rendue nécessaire par les « révélations » de l'article de *Oui* et la campagne médiatique lancée par Slatzer qui en avait découlé. Et dans son rapport final, cet homme de loi considérait le recueil des souvenirs politiques de la star comme l'invention pure et simple d'esprits mercantiles transformant la vedette défunte en source de revenus. Il ajoutait que jamais personne dans l'entourage de Marilyn n'avait vu ni entendu parler d'un quelconque journal intime. Que celui-ci n'apparaissait évidemment pas dans la liste des objets dressés par le LAPD et encore moins sur celle établie à la morgue du Los Angeles County. Du reste, dans cet établissement, aucun employé ne confirmait les déclarations de Lionel Grandison. Ni sur l'état du corps ni sur la présence d'un éventuel carnet.

Le paragraphe consacré à Grandison éclaira d'un jour singulier les motivations du « témoin » de Slatzer. En fait, lorsqu'il s'était confié à l'auteur de *The Life and Curious Death of Marilyn Monroe*, Grandison n'était plus employé de la morgue du Los Angeles County, le Coroner l'ayant licencié quelque temps auparavant pour une série d'activités délictueuses.

Pas n'importe lesquelles en vérité : l'homme qui prétendait avoir lu le journal intime de Marilyn Monroe avait pour habitude de dérober les effets personnels des défunts arrivant à la morgue. Et, de temps en temps, il violait quelques cadavres [1]

---

1. In *Los Angeles County District Attorney Bureau of investigation, Investigation Report, Re : Oui Magazine 10/75, File # 82-G-2236.*

*

Le journal intime de Marilyn Monroe relevait de l'énième chimère dans ce dossier qui en comprend déjà beaucoup. Norman Mailer, Robert Slatzer et leurs disciples avaient mêlé les Kennedy à la mort de l'actrice par pur appât du gain.

À cause de tant de vénalité, l'affaire avait été irrémédiablement contaminée, mais ce qui la rendait presque impossible à résoudre tenait à autre chose encore : si certains avaient invoqué JFK et RFK pour s'assurer de bonnes ventes, d'autres étaient guidés par des ambitions différentes – politiques, celles-là.

67. Arme

Avant de devenir une aubaine commerciale, mieux, une rente pour mythomanes, l'affaire Monroe a d'abord été une arme.

Dont la cible unique était la destruction des Kennedy.

*

Les frères Kennedy n'avaient guère eu le loisir de profiter du début d'été 1962.

Sur sa terre de prédilection, le Massachusetts, le clan tentait de lancer son dernier atout dans la conquête totale du pouvoir. Edward, que tout le monde appelait Ted, s'apprêtait à plonger dans le grand bain de la politique, visant, malgré son manque total d'expérience, un poste de sénateur.

Si, dans un territoire traditionnellement démocrate, Kennedy ne redoutait guère son opposant républicain, il lui fallait toutefois franchir au préalable l'épreuve des primaires au sein de son propre camp. Or Ed McCormark, Attorney General de l'État, était un adversaire coriace.

Ne pouvant mettre en avant un quelconque bilan, la campagne de Ted jouait logiquement la carte de la famille du candidat. Aussi, à chaque fois que leurs emplois du temps rendaient un voyage possible, John et Bobby s'efforçaient-ils de venir vanter les qualités du cadet devant les foules du Massachusetts.

L'implication du Président et de son ministre de la Justice dans une compétition locale occupait tous les esprits. Même les stratèges du Parti républicain, persuadés d'y découvrir les thèmes de l'offensive que le Président entamerait bientôt en vue d'un second mandat en 1964, surveillaient de près ce qui se passait.

Du jour au lendemain, le Massachusetts se transforma donc en succursale de Washington, et la lutte opposant Ted à McCormack devint un enjeu national.

*

Le chantage, la rumeur, l'intimidation se greffèrent au programme d'apprentissage de Ted Kennedy. Avec une différence toutefois : ce n'est pas lui qui était visé mais JFK et RFK.

Fin juillet, à quelques jours du décès de Marilyn Monroe, la presse de Boston et le quartier général de la campagne de Kennedy se mirent à recevoir d'étranges messages anonymes. Des courriers et des coups de téléphone « menaçaient de révéler l'implication des deux frères Kennedy avec certaines stars d'Hollywood [1] ». D'après une analyse effectuée par le *Boston Globe*, on parlait même « d'une photographie de Marilyn Monroe en compagnie des deux frères [2]. »

Il est bien sûr impossible d'identifier avec certitude le corbeau. Mais, il existe un indice permettant de penser qu'il s'agissait de Frank Capell en train de tester ce qui allait devenir son nouveau cheval de bataille. Sur quoi étayer cette hypothèse ? Sur le fait que, quelques jours avant l'envoi des messages, Hoover avait prévenu Walter Winchell de la nécessité de suivre de près les rebondissements du Massachusetts. Le patron du FBI avait ajouté qu'il était en train de composer

---

1. In *The Boston Globe,* août 1962.
2. *Ibid.*

un dossier sur Marilyn, le Président et l'Attorney General. Mieux, il avait même annoncé à son ami journaliste que le contenu en était « particulièrement chaud[1] ».

Le problème, c'est que cette déclaration du patron du FBI ne cadre pas avec les archives du FBI consultées depuis. En effet, le dossier en question, celui qui faisait fantasmer Robert Slatzer et ses disciples, avait été ouvert le 20 août... 1962. Soit le jour même où Evan Thomas, lien entre le Bureau et l'Attorney General, informait Bobby de la rumeur qui lui prêtait une liaison avec une femme d'El Paso. La réponse innocente de RFK, rapprochant ce racontar de celui le mettant dans le lit de Marilyn, avait entraîné, malgré lui, la création du dossier.

Cette première « pièce » indique d'emblée la valeur de son contenu. Car qu'y trouve-t-on ? L'inévitable petit livre rouge de Capell, mais aussi des rapports d'agents accompagnés de coupures de presse reproduisant en boucle les sous-entendus publiés initialement par Winchell et Kilgallen.

Aucun document explosif, aucune preuve compromettante et viable, donc. Rien, en tout cas, pour justifier l'enthousiasme de J. Edgar Hoover.

*

S'il n'y avait rien de probant, c'est parce que la principale source du patron du FBI n'était pas l'un de ses agents en activité. L'homme qui lui avait promis les secrets « particulièrement chauds[2] » de la relation appartenait autrefois à la maison. Pour faire tomber son plus grand ennemi, Hoover avait recruté... Frank Capell.

---

1. In *Marilyn, The Last Take, op. cit.*
2. *Ibid.*

68. Assassinat

Jusqu'à aujourd'hui, les rapports hiérarchiques unissant Frank Capell et le patron du FBI n'avaient jamais été éclaircis.

Ils sont pourtant essentiels à comprendre pour qui veut élucider le mystère Monroe. Car à travers eux se dessinent en effet les contours d'une extraordinaire manipulation.

Celle d'une tentative d'assassinat par procuration.

Celle menée par J. Edgar Hoover pour abattre politiquement John et Robert Kennedy.

*

Au milieu des années 1970, le renseignement américain s'était résolu, opinion publique oblige, à entreprendre un grand ménage. On évacua différentes personnes mais d'autres pratiques douteuses demeurèrent. Contestée pour ses relations troubles avec certaines familles du crime organisé, la CIA coupa certains ponts, mais pas tous. Quant au FBI – secret bien gardé – il conservait son lot « d'employés extérieurs ». Officiellement sans lien avec le Bureau, ces derniers avaient l'habitude de naviguer entre les différentes agences, jouant sur tous les tableaux. Des électrons libres ayant permis à Hoover de collecter des informations sans compromettre la réputation du FBI, fusibles idéaux à faire sauter si une enquête menée par l'un de ses « consultants » tournait mal.

Frank Capell appartenait à cette catégorie. C'est d'ailleurs pour dissimuler cette vérité-là que le FBI, lors du Watergate, s'évertua à le présenter comme un fanatique d'extrême droite condamné en 1944 dans une affaire de pots de vin[1]. Taper sur un solitaire donnait l'impression de se dédouaner.

En réalité, l'éditeur de *Herald of Freedom* était l'un des rares hommes de confiance de Hoover. Un de ceux à qui il confiait les missions sensibles. Ainsi le patron du FBI s'était-il tourné vers lui dans la période la plus critique de la jeune histoire de la démocratie américaine : l'assassinat de JFK.

*

Hormis une poignée de chercheurs, beaucoup ignorent cette histoire.

Dans les semaines ayant suivi le dramatique 22 novembre 1963, Hoover avait réquisitionné Capell. Le boss du FBI voulant percer le mystère des parcours de Lee Harvey Oswald et de Jack Ruby, son assassin, il s'était tourné vers l'homme de Statten Island.

Selon James Di Eugenio, spécialiste de l'assassinat du Président à Dallas, « le fait que Capell ait pu atteindre certains proches de la Commission Warren (dont les communications externes étaient interdites à l'époque) indiquait fortement qu'il était lié au monde du renseignement. Ce qui est exactement la raison pour laquelle le FBI avait fait appel à lui[2]. » Une analyse confirmée par un témoignage crucial, mais négligé, car enterré dans la somme des auditions de la Commission. Celui de Revilo Pendleton Oliver, un associé de Capell, attestait que, parmi les sources qu'il pouvait évoquer, se trouvaient « des anciens du renseignement militaire et des anciens du FBI[3]. »

---

1. Capell avait été arrêté le 21 septembre 1943 par des agents du FBI et condamné un an plus tard. Information tirée des travaux de la Commission Warren : WH26-CE-3055, voir annexe.
2. In *Probe*, novembre 1997.
3. Témoignage recueilli le 9 septembre 1964 par Albert Jenner.

Les informateurs de Capell gravitaient autour d'un groupe non-officiel baptisé Foreign Intelligence Digest. Dont tous les membres avaient comme point commun une opposition totale au communisme et une haine particulière envers les frères Kennedy[1].

Or les déductions de Capell rapportées à Hoover étaient conformes aux obsessions de ses pairs. Non seulement Ruby avait des accointances avec l'entourage de Fidel Castro, mais Lee Harvey Oswald était un agent communiste, entraîné par les Russes à Minsk avant d'être récupéré par la CIA. Bref, il s'agissait d'un espion rouge ayant assassiné John F. Kennedy dans le cadre d'un complot orchestré par la branche gauchiste de l'Agence.

Si les déductions de Frank Capell suivaient un schéma globalement proche de celui de la mort de Marilyn, elles donnaient aussi une indication de l'état d'esprit de J. Edgar Hoover. Le patron du FBI faisait toujours appel à l'homme de Statten Island parce que lui-même était persuadé de l'imminence d'un complot communiste.

De fait, depuis le milieu de la Seconde Guerre mondiale, ce thème était la préoccupation officielle majeure du Bureau. Et jusqu'en 1960, Hoover avait trouvé un écho favorable à ses craintes au sein de la Maison Blanche. Mais l'arrivée des frères Kennedy avait changé la donne. RFK, plus intéressé par la chasse au crime organisé, raillait d'ailleurs sans retenue les chimères du patriarche du FBI, y compris à l'occasion de face-à-face musclés avec lui.

Arrogance ou erreur de jeunesse, le résultat ne se fit pas attendre : Hoover voulut détruire Bobby. Or la meilleure

---

1. Parmi eux se trouvaient des anciens de l'Abwehr, les services secrets de l'Allemagne nazie, des anticastristes de la Nouvelle-Orléans, des représentants néo-nazis américains et des leaders de groupes religieux extrémistes tels *The Christian Crusade* et *International Comité for the Defense of Christian Culture*. Les activités de propagande du *Foreign Intelligence Digest* étaient prises en charge par deux millionnaires de Dallas, H.L. Hunt et Clint Murchinson, Sr. À ce sujet lire, *JFK, autopsie d'une crime d'État* et *JFK, le dernier témoin*.

méthode pour y parvenir dans une Amérique effrayée par la menace rouge, c'était de présenter l'Attorney comme un allié du diable.

La mort de Marilyn Monroe en offrait l'occasion.

69. Festin

La campagne de Ted Kennedy avait servi de galop d'entraînement. Capell avait soufflé sa théorie et Hoover l'avait validée auprès d'oreilles amies, offrant la promesse d'un sulfureux dossier à ceux qui la colportaient. Ensuite, l'assassinat de JFK avait été, pour le patron du FBI, une bénédiction, même s'il ne pouvait évidemment l'avouer.

Désormais RFK, traumatisé par le meurtre de son frère et isolé à la Maison Blanche par l'arrivée au poste suprême de Lyndon B. Johnson, avait perdu toute capacité de nuisance. La fin du mandat de l'Attorney General allait se transformer en calvaire. De fait, Hoover ne lui épargna aucune brimade, refusant l'assistance du FBI dans les dossiers en cours et retirant l'escorte fournie par le Bureau lors des déplacements officiels de celui qui restait tout de même ministre de la Justice en titre.

Un traitement particulier que le nouvel hôte du Bureau ovale, dont la maison à Washington était voisine de celle d'Hoover, approuvait, ce Texan n'ayant jamais caché son animosité envers le frère Kennedy.

*

Les événements du 22 novembre 1963 à Dallas avaient eu un autre effet sur la politique d'Hoover. Ils remettaient sur le sellette la peur du communisme

Certes, l'acte de Lee Harvey Oswald ne fut pas présenté comme directement téléguidé par l'Union soviétique – une telle accusation aurait vraisemblablement déclenché un conflit entre les deux géants –, mais le rapport Warren – dont les conclusions se fondaient sur les travaux du FBI – résuma le meurtrier à un assassin... communiste.

Hoover pouvait jubiler. L'opinion publique américaine, traumatisée par la mort violente de son jeune président, se mit à vouloir une politique plus ferme contre la menace rouge.

Il jubilait d'autant plus que des critiques tombèrent sur l'Attorney General. Certains chroniqueurs, dont Walter Winchell, laissèrent entendre que si RFK n'avait pas baissé la garde, refusant de prendre en compte les avertissements d'Hoover, Oswald aurait sûrement pu être arrêté à temps. Jouer l'atout de la culpabilité fraternelle, était d'un un machiavélisme redoutable.

L'addition du patron était salée. Mais le festin loin d'être terminé.

*

Neuf mois après l'assassinat de son frère, RFK quitta le gouvernement de Lyndon Johnson. Demeurer dans cette équipe devenait impossible pour lui : l'abîme était trop grand, l'épreuve trop lourde.

Bobby avait même hésité à abandonner la vie politique elle-même. Avant, en dernier ressort, de se ressaisir en se convainquant que cela reviendrait à trahir la mémoire de son aîné. JFK n'avait-il pas dit, lors d'un discours de 1960, que la nouvelle génération devait reprendre le flambeau ?

En août 1964, l'ancien Attorney General annonça sa candidature au poste de sénateur de New York. Face à lui, il avait Kenneth Keating, un opposant républicain coriace, mais aussi ses propres alliés, lui-même ne faisant pas l'unanimité au sein de son propre parti.

Pour Hoover, une défaite de Bobby à New York signifierait sûrement la fin des ambitions politiques de son ennemi intime. Le patron du FBI recourut alors à ses méthodes douteuses. Et fit appel à... Frank Capell.

*

The Strange Death of Marilyn Monroe, livre dont les conclusions ont, à travers les années, inspiré Norman Mailer, Robert Slatzer, Anthony Summers, Don Wolfe et tant d'autres, fut créé comme l'arme fatale anti-RFK, l'outil de propagande destiné à éliminer Bobby.

Sa publication fut directement liée à cette campagne. De fait, le petit livre rouge prétendant que RFK avait ordonné à des tueurs communistes d'assassiner Marilyn pour éviter des révélations sur Cuba fut largement, et gratuitement, distribué à New York[1].

La circulation de « l'œuvre » de Capell ne passa pas inaperçue dans les camps démocrate et républicain. À tel point qu'elle joua probablement un rôle dans la victoire plutôt étriquée de RFK. Pis, en plus d'un effet politique négatif, le pamphlet ouvrit les vannes de la presse populaire. Pour la première fois, ces médias s'interrogèrent sur la nature de la relation entre Bobby et Marilyn, certains répétant et validant sans retenue les propos tenus par l'allié du directeur du FBI.

*

Hoover contribua beaucoup à ce succès. La parution du libelle entrait dans ses vues. Depuis août 1962 et la phrase humoristique de RFK, le patron du FBI était obsédé par le

---

1. In *The Kennedys : An American Drama,* Peter Collier et David Horowitz, Warner Books, 1984.

mystère du 12305 Fifth Helena Drive. Non seulement parce qu'il touchait un adversaire, mais aussi parce que les opinions de l'actrice la plaçaient, à ses yeux, dans le clan des ennemis.

Son mariage avec Arthur Miller, un récent voyage à Mexico – où elle avait fréquenté des Américains ayant quitté le pays à la suite de la chasse aux sorcières lancée par le sénateur McCarthy –, pour lui Monroe était clairement de gauche. Aussi, sur ordre spécial du patron, l'ensemble des agents du FBI avait-il reçu pour consigne de rester aux aguets. Une instruction qui concernait même ceux installés à l'étranger. De fait, on voit dans le dossier du FBI des rapports d'analyses de coupures de presse fournis par des personnes en poste jusqu'en Europe.

L'un, émis de Paris, contenait par exemple un article paru dans *France Dimanche*, le 27 mars 1963. Lequel papier prétendait que Marilyn s'était probablement suicidée, Bobby Kennedy ayant décidé de mettre fin à leur prétendue histoire d'amour. Les commentaires accompagnant cette copie traduisent toutefois le peu de choses sérieuses récupérées dans cette chasse dirigée par Hoover : « Pourquoi perdre du temps ? *France Dimanche* est l'un des leaders de la presse pornographique de Paris[1]. »

*

C'est précisément parce que la pêche de ses agents ne s'avérait pas miraculeuse que Hoover vantait, en privé, le travail de Capell, le recommandant par exemple à Walter Winchell.

Le directeur du FBI croyait-il aux conclusions de l'extrémiste de Statten Island ? En tout cas, c'est en avant-première, le 5 juillet 1964, qu'il s'était empressé de prévenir Bobby de la sortie de *The Strange Death of Marilyn Monroe*. Sous couvert d'inquiétude – vraie ou fausse ? – il présentait le pamphlet avec le plus grand sérieux : « Le livre de Capell fera état de

---

1. In *The DD* Group, *op. cit.*

300

votre prétendue amitié avec la regrettée Mlle Monroe. M. Capell a affirmé qu'il indiquerait dans son livre que vous étiez intime avec Mlle Monroe et que vous étiez dans la maison de Mlle Monroe au moment de sa mort [1]. » Évidemment, RFK n'avait pas daigné répondre à cette mise en garde.

Le crédit accordé par Hoover au travail de Capell paraît d'autant plus étonnant que William Sullivan, patron du département dédié au sein du FBI aux activités de renseignements, avait déjà reçu, le 15 juillet, un rapport complet sur ces accusations.

Un document où le *Special Agent* affecté au dossier qualifiait les assertions de *The Strange Death of Marilyn Monroe* de « complètement fausses [2] ».

Sullivan, numéro deux du FBI, avait immédiatement informé son chef. Qu'avait fait ce dernier de ce document interne n'allant pas dans son sens ? Il fallut attendre 1979 et la publication des souvenirs de William Sullivan pour le découvrir [3]. Dans ses *Mémoires*, il raconta en effet comment J. Edgar Hoover n'avait tenu aucun compte de l'enquête de ses propres services et avait mis en doute son autorité et ses réseaux pour propager la rumeur mensongère. « Les histoires de Bobby et Marilyn n'étaient rien d'autres que des fables, écrit Sullivan. L'histoire originale, inventée par un soi-disant journaliste (...), s'était propagée comme un incendie d'été. Et bien entendu, soufflant sur les flammes, le sourire aux lèvres, se tenait J. Edgar Hoover [4]. »

*

Impossible, aujourd'hui, de déterminer avec précision l'ampleur de l'implication de Hoover dans la genèse de l'ouvrage de Capell.

---

1. In *Memorandum from J.E. Hoover to R.F. Kennedy,* 5 juillet 1964.
2. In *Memorandum from R.W. Smith to W.C. Sullivan,* 15 juillet 1964.
3. *The Bureau, My Thirty Years in Hoover's FBI,* William C. Sullivan, Norton, 1979.
4. *The Bureau, My Thirty Years in Hoover's FBI, op. cit.*

Le directeur du FBI avait-il seulement utilisé le pamphlet parce qu'il visait un ennemi commun et partageait sa philosophie ?

Ou avait-il joué un rôle plus important que celui de simple promoteur de ragots ?

Avait-il, par exemple, incité Capell à entamer cette écriture comme il l'avait déjà fait une fois lors de l'enquête sur l'assassinat de JFK ?

Quoi qu'il en soit, J. Edgar Hoover avait tenu un rôle majeur dans cette intense campagne de désinformation. Grâce à lui, les thèses nauséabondes de *The Strange Death of Marilyn Monroe* avaient quitté les caniveaux de l'arrière-cour politique pour rejoindre les pages de la presse internationale.

Avant, huit ans plus tard, d'inspirer Norman Mailer puis Robert Slatzer.

*

En feuilletant à nouveau les livres de Don Wolfe et Anthony Summers, en me plongeant dans les pages légèrement romancées de Michel Schneider[1], je ne pouvais m'empêcher de repenser à la comparaison développée par William Sullivan dans ses souvenirs.

Si l'ombre de Capell y était présente, c'était le souffle de J. Edgar Hoover qui courait sur toutes les pages. Offrant à ce dernier la victoire ultime sur son plus grand ennemi.

Une victoire pourtant largement injustifiée.

---

1. *Marilyn, dernière séance*, Michel Schneider, Grasset, 2006.

70. Jumeau

Bobby avait-il assisté à la fin de Marilyn ?

Cette question pouvait désormais paraître superflue. Après tout, une fois la fausse romance entre Robert Kennedy et Marilyn Monroe jetée aux oubliettes de l'histoire, importait-il de revenir sur le 4 août 1962 pour tenter de savoir si RFK se trouvait aux côtés de l'actrice ?

Mais si la réponse était dorénavant claire, le sujet demeurait incontournable. Non seulement, je devais lever tout point pouvant rester obscur et laissant des portes ouvertes aux irréductibles, mais cela m'offrait en outre l'opportunité de démontrer comment les deux facteurs que je venais de dénoncer, la haine et l'appât du gain, s'accordaient dans un tragique duo.

*

La première option consistait à affirmer que RFK n'était pas au 12305 Fifth Helena Drive parce qu'il n'avait jamais été l'amant de Marilyn Monroe, parce que la star n'avait jamais tenu un carnet rouge contenant les secrets de la Maison Blanche et parce qu'il s'agissait d'une invention de Capell amplifiée par des décennies de livres et de documentaires à sensation.

Soit. Mais, il y avait plus efficace. Prouver où Robert Kennedy avait réellement passé le week-end des 4 et 5 août 1962.

Et afin d'y parvenir, il suffisait de se rendre aux Archives nationales et de demander à consulter la Box 53 de la série de caisses contenant la totalité des rapports du FBI consacrés aux activités de l'Attorney General.

Deux documents attirèrent mon attention. Le premier, daté du 6 août 1962, consistait en un mémorandum adressé à J. Edgar Hoover par le *Special Agent in Charge* du bureau de San Francisco.

Le second était plus facile à reconnaître, puisque son titre ne laissait planer aucun doute sur son contenu : « Emploi du temps RFK pour voyage sur la côte Ouest[1]. »

Or, attisant d'un coup les flammes de la conspiration, ces pièces confirmaient que Robert F. Kennedy se trouvait bien en Californie au moment de la mort de Marilyn !

*

Cependant, le frisson d'excitation s'estompa bien vite.

Si RFK arpentait effectivement le vaste État californien, il n'était pas à Los Angeles mais à Gilroy, dans un ranch des montagnes de Santa Cruz, au sud de San Francisco.

Bobby était arrivé à l'aéroport de San Francisco dans l'après-midi du 3 août 1962. Les journalistes présents avaient d'ailleurs noté la présence d'Ethel, sa femme, et de quatre de leurs enfants.

Comme le lundi l'Attorney General devait prononcer un discours devant l'association du barreau de la ville, il avait saisi l'occasion pour rendre visite à John Bates, rencontré par l'intermédiaire de JFK, et ayant servi la Navy dans le Pacifique.

Cet avocat de talent, président du barreau de San Francisco, avait failli rejoindre l'administration Kennedy pour prendre la tête de la division antitrust du département de la Justice, fonction placée sous l'autorité directe de Bobby. Mais sa famille

---

1. *RFK schedule West Coast Trip (3-15 august 1962).*

préférant le climat de la côte Ouest, il avait finalement décliné la proposition. Ce refus n'avait en rien brouillé les relations entre les deux hommes puisque, quelques semaines plus tôt, John Bates et sa famille avaient séjourné à Hickory Hill, en Virginie, invités par Ethel et Robert, et que RFK venait cette fois chez lui.

*

Comme le précisait le rapport du FBI, trois agents avaient accueilli les Kennedy à l'aéroport de San Francisco. Des hommes d'Hoover qui avaient escorté ensuite la famille jusqu'à Gilroy, à cent trente kilomètres au sud de la ville.

On aurait pu croire les deux journées suivantes sorties d'un album mythologique des clichés Kennedy tant les promenades à cheval, les épreuves de natation en piscine, les images de barbecue et de *touch-football* ramenaient aux grandes heures de la saga maison.

Le dîner du samedi, occasion pour RFK de tester son discours du lundi suivant, se prolongea jusqu'à 22 h 30. Et le lendemain matin, la famille Kennedy se rendit à la messe. Des clichés furent pris, publiés le jour suivant par le *Gilroy Dispatch*.

Le reste du week-end fut de la même eau. Et chaque étape confirmée par les Bates. En plus des photographies, des deux rapports du FBI, des témoignages de John Bates, de Nancy, son épouse, et de leurs trois enfants, ceux d'Ethel Kennedy et des siens, il existait même, pour attester de la réalité de la présence de Bobby, le récit, révélé par Donald Spoto, de Roland Snyder, contremaître du ranch qui avait préparé les chevaux pour le samedi. Tous allaient dans le même sens : alors que Marilyn agonisait à cinq cent soixante kilomètres de là, Bobby, lui, se trouvait à Gilroy. Et n'avait jamais quitté les lieux.

Quant à ceux qui écarteraient ces preuves d'un haussement d'épaules et considéreraient comme plausible qu'il ait fait cinq heures de route pour se rendre à Los Angeles, voire qu'il ait utilisé un avion ou un hélicoptère, ils doivent savoir que le ranch des Bates se trouvait dans une zone inaccessible, que le plus proche aérodrome était à une heure de voiture et qu'en 2007, encore, le moindre vol effectué en jet entre San Francisco et Los Angeles met au minimum quatre-vingts minutes ! En se concentrant uniquement sur les trajets, Robert Kennedy aurait donc eu besoin de cinq à dix heures de trajet pour aller à Los Angeles et en revenir à temps pour la messe dominicale.

La vacuité de la thèse de Capell, reprise depuis sans le moindre effort d'analyse, était patente.

*

John Bates avait usé du mot juste pour résumer l'absurdité d'une accusation qui le révoltait.

Cet ami de John et Robert, républicain convaincu ayant voté pour Nixon en 1960 mais excédé par l'aveuglement obtus de ceux qui refusaient l'évidence, avait, une ironie amère au bord des lèvres, lâché : « La seule possibilité pour Bobby de se rendre à Los Angeles sans que nous nous en soyons rendu compte, c'était d'avoir un frère jumeau[1]. »

Une hypothèse que même le plus ardent partisan de la participation de RFK au crime n'avait osé formuler.

---

1. In *RFK : Brother Protector, op. cit*

71. Liste

Malgré la logique, malgré les rapports du FBI, malgré John Bates, ses souvenirs et ses photographies, une grande partie des ouvrages conspirationnistes persista à expliquer que Robert F. Kennedy se trouvait dans la chambre de Marilyn la nuit de son décès. Et, malgré la banalité de la vérité, la liste des témoins affirmant l'avoir croisé dans les parages ne cessa de s'allonger avec le temps.

Cette affluence de « sources » se mit à poser des problèmes aux promoteurs de cette thèse invraisemblable, les contraignant, tels des concepteurs d'une indigeste salade variée, à faire preuve de beaucoup d'imagination pour accommoder ces récits et les imbriquer avec une apparence de logique. Ainsi, à lire Don Wolfe, on découvrait que désormais Bobby s'était rendu au moins à deux reprises au domicile de Monroe lors de sa dernière journée !

C'était à se demander ce qui poussait ce groupe à s'enfermer ainsi dans leurs certitudes erronées.

*

Les motivations de Frank Capell, Norman Mailer et Robert Slatzer ayant été largement expliquées, mieux vaut passer à l'analyse d'autres « témoins » surprises.

Prenons Jeanne Carmen. À force d'inventions, celle-ci

s'était glissée dans la peau de la meilleure amie de Marilyn Monroe. Y croyait-elle vraiment ? On peut en douter. Toujours est-il qu'il n'est même pas certain que la Blonde l'ait un jour croisée, même si pendant quelques mois elles habitèrent dans le même immeuble. Ce qui n'empêcha pas le récit de Carmen de s'enrichir et de se développer au fil des années, afin de s'adapter aux thèmes et révélations du moment. Le sommet du ridicule fut atteint lorsque Carmen déclara se souvenir avoir maquillé et coiffé d'une perruque Robert Kennedy afin qu'il puisse se rendre sur une plage naturiste de Los Angeles en compagnie d'une Marilyn également grimée [1].

*

Dans la catégorie des personnes obnubilées par cette thèse incongrue, on peut citer aussi C. David Heyman, auteur d'une biographie consacrée à Bobby fréquemment citée par les ouvrages conspirationnistes [2]. Un ouvrage qui, comme le suggéra un jour un critique littéraire, aurait dû plutôt s'intituler « RFK et le sexe [3] », tellement l'auteur, soucieux de dénicher un angle vendeur, semblait obsédé par la chose.

Sans doute pour les mêmes raisons mercantiles, Heyman avait renforcé la complexité de la conspiration. Après avoir minutieusement décrit une Marilyn ingurgitant des litres de champagne en une journée, ce biographe assena que Greenson, suivant les ordres de Bobby évidemment présent cette nuit-là, avait lui-même administré l'injection fatale à l'actrice.

C'était évidemment en totale contradiction avec les résultats de l'autopsie et de l'analyse toxicologique du sang de la star, mais que pouvait-on attendre d'un auteur qui prétendait par

---

1. Ce genre d'inepties ne semble pourtant pas gêner la télévision américaine puisque Carmen est, par exemple, fréquemment invitée par Larry King sur CNN. Plus grave encore, en décembre 2007, son fils annonçait que la « fantastique » vie de Jeanne allait devenir un film de cinéma. Diffusant encore plus le mythe de l'implication des Kennedy dans la mort de Marilyn Monroe.

2. *RFK : A Candid Biography,* C. David Heyman, Dutton, 1999.

3. http://www.nytimes.com/books/99/01/03/reviews/990103.03judist.html

ailleurs que l'Attorney General avait été vu dans une cabine téléphonique de New York « embrassant passionnément sur la bouche » le danseur étoile Rudolf Noureev [1] ?

*

La présence de Jack Clemmons dans la liste des personnes plaçant Bobby avec Marilyn lors de son agonie était autrement plus intéressante.

Le sergent Clemmons avait été le premier policier à arriver sur les lieux ce jour-là. À 4 h 35 du matin, le 5 août 1962, il avait traité l'appel du docteur Hyman Engelberg prévenant les autorités du suicide de Marilyn. Avant d'être remplacé par les inspecteurs en charge du dossier, Clemmons avait donc effectué les premiers constats, puis brièvement parlé avec Greenson, Engelberg et Eunice Murray, l'assistante à domicile de l'actrice.

Au fil des ans, Clemmons devint une référence pour les auteurs convaincus de l'assassinat. Parce qu'ils mettaient en avant l'instinct de fin limier du policier pour parler de complot. Perturbé par la position du cadavre et l'attitude des trois témoins, Clemmons avait en effet raconté être sûr que d'autres personnes se cachaient dans la maison durant son intervention. Enfin, ne croyant aucunement au suicide, c'est lui qui avait « révélé » l'absence de verre d'eau dans la chambre.

Avant même de découvrir les billevesées concernant ce verre, une étape du parcours de Clemmons m'avait intrigué et livré bien des clefs. Le 8 avril 1986, l'ancien sergent participa à une conférence de presse durant laquelle il réclama l'ouverture d'une enquête officielle sur le meurtre de Marilyn Monroe. À ses côtés, l'organisateur de l'événement, celui-là même qui avait présenté le policier en mettant en avant son statut d'enquêteur du LAPD, n'était autre que... Robert Slatzer. En fait, Clemmons était l'une des sources privilégiées de

---

1. In *RFK : A Candid Biography, op. cit.*

Slatzer, et à ce titre citée à maintes reprises dans les deux ouvrages de ce dernier.

Certes, cette proximité ne signifiait pas pour autant que le témoignage du sergent était à écarter, mais elle incitait au moins à la prudence. Une nécessité quand j'ai réalisé que, à l'image de tant d'autres, la version de Clemmons s'était bonifiée avec le temps. Ou encore qu'il ne répondait jamais à la question embarrassante de savoir pourquoi, alors qu'il « ressentait » la présence d'autres personnes dans la villa, il n'avait pas fait son travail d'officier de police et vérifié. Et enfin que, contrairement aux louanges de Slatzer, le sergent Clemmons n'était en rien un limier d'exception.

Pendant ses quinze années de carrière, son travail avait surtout été administratif. Sa confrontation concrète avec le terrain avait à peine duré huit mois quand il appartenait à la division conduisant les investigations relatives aux accidents de la circulation[1].

Plus grave : le 19 juin 1965, Jack Clemmons avait été condamné par le tribunal de Los Angeles pour diffamation et usage de faux. Le policier, dans un ouvrage contre le sénateur républicain Thomas Kuchel, avait reproduit un faux rapport affirmant que ce dernier était homosexuel. Et en échange de sa démission du Los Angeles Police Department, un juge avait accepté de ne pas donner suite à l'affaire.

L'histoire vaut son pesant de médiocrité et de racisme. Kuchel, républicain progressiste, soutenait publiquement le Civil Right Act, et s'était attiré les foudres des groupes d'extrême droite ne supportant pas l'idée d'une égalité des droits avec la communauté noire. Or Clemmons appartenait à l'une de ces sections, plus particulièrement appelée Police and Fire Research Organization. Une association où il fit connaissance, en 1961, du futur coauteur du livre qui obligera Clemmons à quitter la police. Son nom ? Franck A. Capell, bien sûr.

Avant de devenir le « témoin » privilégié de Robert Slatzer,

---

1. In Report Re : *Oui Magazine, op. cit.*

Clemmons était donc l'ami de l'homme de Statten Island dont il partageait l'idéologie. Et, forcément, la même haine à l'égard de Robert F. Kennedy.

*

Clemmons ne fut pas le seul policier à affirmer que RFK se trouvait à Los Angeles le 4 août 1962.

Dans les années 1980, Lynn Franklin avait ainsi connu un moment de gloire médiatique en racontant comment il avait interpellé, pour excès de vitesse, une Mercedes noire dans cette nuit du 4 au 5 août. À l'en croire, l'incident n'avait pas été suivi d'une contravention parce qu'il avait identifié les passagers de la berline : Peter Lawford et Robert F. Kennedy. Sans oublier – pourquoi ? – le docteur Ralph Greenson !

Un récit évidemment invraisemblable quand on songe aux témoignages de Bates et des siens, au fait que Greenson n'avait jamais rencontré Bobby, et lorsqu'on constate que le lieu où il aurait arrêté la voiture se situait à l'opposé du trajet que RFK aurait dû prendre s'il avait quitté la ville pour arriver à temps à la messe dominicale de Gilroy.

Une énième piste menant à une impasse.

72. Convoi

Sur la liste, il restait un ultime témoignage a priori solide. Celui de Sam Yorty.

Maire de Los Angeles entre 1961 et 1973, il s'était épanché auprès de Robert Slatzer qui avait publié ses souvenirs, lesquels avaient ensuite été repris par Wolfe et Summers. Les confessions de celui que l'on présentait comme un éléphant du Parti démocrate ne manquaient pas de poids.

À l'en croire, son statut politique lui avait permis non seulement d'apprendre l'existence d'une idylle entre Marilyn et JFK, mais encore que Jackie n'ignorait pas la romance. Mieux, il confirmait la présence de Robert F. Kennedy à Los Angeles. Une certitude fondée, reconnaissait-il, sur une confidence du chef du LAPD, William Parker. Ce dernier, décédé en 1966, aurait déclaré à Yorty que Bobby était arrivé au *Beverly Hills Hotel* dans l'après-midi du 4 août 1962. Et que, de là, il aurait multiplié les allers-retours vers le 12305 Fifth Helena Drive.

Un esprit critique remarquerait d'emblée que la faiblesse principale du récit de Yorty tient au fait qu'il citait un personnage mort. Un homme qui, de son vivant, n'avait jamais exprimé ses doutes sur ce dossier ni rapporté à ses proches ou sa famille le séjour de RFK au *Beverly Hills Hotel*.

En vérité, comme dans le cas du sergent Jack Clemmons, c'était surtout le parcours de Sam Yorty qui affaiblissait grandement son récit.

*

En fait, en mal de reconnaissance, Yorty n'avait jamais été un ténor du Parti démocrate. Bien au contraire, le parti des Kennedy ayant tout entrepris pour empêcher ce candidat d'utiliser leur étiquette lors de sa première campagne. Finalement, à cause de complexes raisons de droit, Yorty avait pu maintenir le « D » à côté de son nom, s'assurant dès lors le vote des minorités noires et hispaniques. Une imposture, puisqu'il roulait surtout pour Richard Nixon, un proche, et avait quelques amis au sein du crime organisé de Los Angeles. De fait, en 1973, il quitta le Parti démocrate et rejoignit officiellement l'adversaire républicain.

Par ailleurs, le maire de Los Angeles ne cachait pas son animosité envers Robert Kennedy. Une aversion à vrai dire réciproque puisque Bobby ne lui avait jamais pardonné son soutien à Nixon en 1960 dans cet État clef, trahison qui avait failli coûter la présidence à JFK. Pis, RFK tenait Yorty pour responsable des conditions de vie désastreuses de la communauté afro-américaine du quartier de Watts qui avaient entraîné de terribles émeutes, et n'avait cessé, entre 1966 et 1968, de condamner sa politique ouvertement ségrégationniste au Sénat[1].

*

Afin de mesurer la violence de cette haine réciproque, il faut se plonger dans la journée du 5 juin 1968, date de l'assassinat de Bobby.

La veille, sillonnant Los Angeles pour décrocher une victoire essentielle dans sa course à l'investiture pour la

---

1. Les violentes émeutes de 1965, son peu d'intérêt affiché pour les actions sociales, l'état général des services publics de la ville, l'abandon des transports en commun, le sous-financement du *LAPD* et son soutien permanent à une politique de discrimination valurent à Yorty de figurer dans la liste des maires les plus incapables des États-Unis. In *The American Mayor : The Best and Worst Big-City Leaders,* Melvin G. Holli, Penn State Press, 1999.

présidentielle de novembre, RFK avait été reçu à la mairie. Où le maire, bien que détestant sa candidature, lui avait symboliquement offert les clés de la ville.

Mordant, l'ancien Attorney General lui lança immédiatement en recevant le cadeau : « J'imagine que vous avez dû faire changer toutes les serrures[1]. »

Il continua dans le même esprit dans la courte introduction de ce qui devint son dernier discours[2] : « Le maire Yorty m'a envoyé un message m'expliquant que nous sommes déjà restés ici trop longtemps. » Il ne croyait pas si bien dire.

*

L'homme qui assurait avoir reçu, en confidence, la confirmation d'une présence de RFK à Los Angeles se comptait donc une fois encore dans les rangs de ses ennemis.

Le récit de Yorty cumulait même tous les travers des pseudo- révélations parasitant la mort de Marilyn. Quand il ne s'agissait pas de faire parler de soi, de récolter une poignée de dollars, c'était la passion du règlement de comptes et l'occasion de salir la mémoire d'un adversaire qui l'emportaient.

Sam Yorty, comme tant d'autres, avait rejoint ce que l'expert David Marshall nomme le « train des anti-Bobby ». Un convoi créé par Frank Capell, propulsé par Mailer, Slatzer, Wolfe et les autres, et qui ne risquait pas de dérailler tant son itinéraire était jonché d'or et sa destination fort loin de la station la vérité.

---

1. In *RFK : A memoir*, Jack Newfield, Nation Books, 2003.
2. « *Mayor Yorty has just sent me a message that we have been here too long already... We can work together [despite] the division, the violence, the disenchantment with our society, the division between Black and White, between the poor and the more affluent, or between age groups or over the war in Vietnam. We are a great country, an unselfish country, a compassionate country. And I intend to make that my basis for running... So my thanks to all of you and now on to Chicago and let's win there.* »

SEPTIÈME PARTIE

Solution

73. Puzzle

La messe était dite.

Et il n'était plus nécessaire de disséquer la totalité des « témoins » confirmant la venue de Robert Kennedy à Los Angeles[1]. De Bernard Spindel[2] à William Woodlfield[3], tous menaient à la même conclusion : conformément à la version

---

1. Je me propose d'effectuer l'exercice sur le forum de discussion consacré à ce livre : www.marilynsecret.com.

2. Spindel était un spécialiste de l'écoute illégale travaillant pour Jimmy Hoffa. En décembre 1966, il affirmait posséder des bandes « dérangeantes pour Robert Kennedy ». Dont certaines « entourant les causes de la mort de Marilyn ». En réalité, au même moment, Spindel, arrêté par le *District Attorney* de Manhattan, risquait au moins vingt ans de prison pour ses activités. L'accusation contre Bobby, jamais suivie d'aucune révélation, était un moyen de pression sur l'Attorney General et une manière de convaincre ses futurs jurés qu'il était victime d'une manipulation politique. Reprise, sans en préciser le contexte par de nombreux auteurs, la fable de Spindel est devenue l'une des rumeurs les plus populaires du dossier Monroe.

3. Woodlfield avait été l'un des photographes immortalisant la baignade nue de Marilyn lors du tournage de *Something's Got to Give*. Des clichés qui lui avaient permis d'amasser une petite fortune. Mais cela ne devait pas suffire puisque Woodfield tenta de s'imposer comme le témoin de deux moments clefs de l'existence de la star. D'abord, il prétendait que Frank Sinatra lui avait confié le tirage de clichés montrant Marilyn en compagnie de Sam Giancana. Avec le temps, la nature de ces photographies évolua pour passer de Monroe, la tête dans les toilettes en train de vomir, à Marilyn, saoule et droguée, participant à une orgie avec le parrain. Concernant RFK, Woodfield affirma avoir « vu » les carnets de vols prouvant la venue en hélicoptère de Bobby qu'il n'avait hélas pas eu le réflexe de photographier.

de John Bates et des siens, aux rapports du FBI, aux articles de presse de l'époque, aux photographies, Robert F. Kennedy n'avait jamais quitté le ranch de Gilroy.

Et donc n'avait pu participer au meurtre de Marilyn Monroe.

*

Personnellement, je n'avais peut-être pas choisi la voie la plus évidente à suivre.

Les images retrouvées de *Something's Got to Give*, les derniers mois de Marilyn, les efforts thérapeutiques de Greenson et la présence massive de Nembutal dans le foie de l'actrice m'avaient convaincu de l'inexactitude de la thèse du suicide.

L'étape suivante aurait dû logiquement me conduire à accuser les Kennedy. Commercialement en tout cas, c'était la solution qui avait les faveurs du public. En outre, soyons honnête, la tâche aurait été plus aisée puisque, comme beaucoup avant moi, il m'aurait suffi d'accumuler les témoignages à charge – même falsifiés – et d'énumérer les étrangetés du dossier pour emporter l'adhésion. Certes, il aurait fallu négliger les dessous de certaines déclarations, fermer les yeux sur le « pedigree » de la majorité des professionnels du souvenir à charge et oublier le fait que les motivations de ce « complot » n'avaient jamais cessé d'évoluer. Rappelons que, selon les divers ouvrages consacrés à l'énigme, Robert Kennedy a commandité le meurtre parce que, tour à tour, il était communiste, amoureux éconduit, pervers sexuel, sous le coup d'un chantage organisé par la Mafia ou la CIA ou le FBI, en mission afin de récupérer un carnet contenant le récit d'un rapprochement avec Castro ou d'un plan destiné à abattre le leader cubain avec l'aide de la Mafia. Et je mets de côté les explications encore plus saugrenues affirmant que le crime organisé contrôlait JFK ou que les secrets de l'Area 51 et de ses fameux *aliens* se trouvaient à l'origine de tout.

En suivant cette logique sensationnaliste, on peut s'amuser

à imaginer encore d'autres « explications » tout autant abra-cadabrantesques. Peut-être le journal intime de Marilyn – que personne n'a jamais vu – contenait-il des informations compromettantes sur la sexualité de John Kennedy ou son habitude de jouer avec le bouton atomique alors qu'il était sous l'influence de LSD et de champignons hallucinogènes ? Peut-être le Président, flattant l'instinct patriotique de l'actrice, l'avait-il utilisée en Mata Hari des temps modernes, l'obligeant à coucher avec les grands de ce monde pour en connaître les secrets ?

La plaisanterie était facile et le réservoir inépuisable. Tris-tement, il me restait à l'admettre : l'industrie Monroe avait encore de lucratives années devant elle.

*

Si je m'étais refusé à prendre cette direction-là, ce n'était pas par souci d'affirmer ma différence. Ni par volonté de proposer un point de vue nouveau, ou de m'installer sur un segment nouveau et lucratif.

Ma décision n'avait rien à voir non plus avec ma relation aux Kennedy, argument opposé fréquemment aux historiens qui, timidement, tentaient de ralentir la machine médiatique ou s'arc-boutant à juste titre sur les documents et les récits avérés. Car on leur reprochait aisément de vouloir défendre un héritage politique, culturel et idéaliste, ou de refuser par principe toute théorie plaçant l'État comme acteur principal d'une conspiration. Or, je ne vouais, ni ne voue, la moindre admiration particulière à John ou Robert.

Je ne vivais pas non plus dans la nostalgie d'une époque que je n'avais pas connue. Certes, j'avais déjà écrit deux livres sur l'assassinat de JFK, mais il ne s'agissait en rien d'hagio-graphies, juste d'ouvrages d'enquête. Le premier était né parce que les événements de Dallas me semblaient un excellent sujet d'investigation comme le furent plus tard la Mafia, le *Bus-hland*, Coca-Cola ou les secrets toxiques de nos assiettes. Le second livre, comme je l'avais expliqué dans son prologue, avait vu le jour grâce à un concours de circonstances : *JFK, le dernier témoin* s'était imposé à moi plus que je ne l'avais choisi.

Quant à la dernière accusation – nier l'existence de complots –, certains de mes écrits plaidaient en ma faveur.

*

La réalité était simple. Pour moi, l'implication des Kennedy dans le meurtre de Marilyn Monroe ne tenait pas parce que de multiples démonstrations étayées de faits l'avaient démontré.

Non, JFK n'avait pas vécu une histoire d'amour passionnée avec la star. La vérité, à jamais fâchée avec le mythe, se résumait à une rencontre, peut-être deux, mais à rien d'autre.

Non, Bobby n'avait jamais été l'amant de l'actrice. Leur relation s'était limitée à quelques événements sociaux et à l'intervention de l'Attorney General dans le cadre de l'épineux dossier de la Fox. Et aujourd'hui il ne faisait aucun doute que leur engagement romantique avait été inventé par des hommes déterminés à détruire RFK par intérêt politique.

Non, Marilyn n'avait pas harcelé de coups de fil la Maison Blanche, le département de la Justice, le domicile de Robert et Ethel Kennedy. Ses appels téléphoniques avaient été rares, brefs, et liés au rôle joué par Bobby dans sa négociation avec le studio.

Non, Marilyn n'avait jamais tenu de journal intime. Le carnet rouge empli de secrets relevait du fantasme de personnages douteux soucieux de s'enrichir sur le dos des deux noms les plus célèbres d'Amérique.

Non, il n'existait pas de bandes audio ayant capté les dernières heures de Monroe.

Et non, enfin, Robert F. Kennedy ne se trouvait pas à Los Angeles, le 4 août 1962. Et, de fait, n'avait pas participé au meurtre de la star.

*

En prenant du recul, la mythologie entourant l'affaire Monroe n'est pas éloignée des pistes réelles et fausses entourant le 22 novembre 1963. Une analogie avec l'assassinat de JFK qui me sauta aux yeux. Et qui me ramena sur Dealey Plaza, à Dallas, là même où le 35e président des États-Unis avait été exécuté dans le cadre d'un complot bien préparé.

Me revint en mémoire une énième visite sur les lieux en compagnie du regretté Jay Harrison, un homme qui avait travaillé pour le renseignement militaire avant de rejoindre la police de Dallas. Le jour de la visite présidentielle, il se trouvait à quelques minutes de Dealey Plaza, surveillant le rassemblement d'un groupe d'activistes noirs.

Lorsque, sur sa radio, avaient crépité les premières indications d'une fusillade, Jay s'était précipité sur Elm Street. Il avait été l'un des premiers à arriver et à participer au bouclage du périmètre. Or moins de dix minutes après le passage du convoi présidentiel, en bon officier, Jay avait eu le réflexe de noter les plaques d'immatriculation des véhicules encore garés derrière la barrière de bois du désormais célèbre Grassy Knoll. Là où certains témoins situaient le point de départ des coups de feu.

Pendant de nombreuses années, Jay n'avait jamais remis en cause les conclusions du rapport Warren. Après tout, l'enquête avait été directement conduite par J. Edgar Hoover, le premier flic du pays. Et puis, un jour, Harrison avait demandé une copie de son propre calepin. Celui où il avait consigné ses renseignements sur les véhicules.

Son but n'était pas de pister les propriétaires mais de garder un souvenir personnel lié à ce 22 novembre. La réponse du FBI avait modifié son point de vue à tout jamais : absent des archives, son carnet n'avait officiellement jamais existé.

*

Jay Harrison, terrassé par un cancer, n'était plus là.

Mais certains de ses mots restaient ancrés en moi.

Ainsi, lorsqu'il évoquait les difficultés rencontrées pour tenter d'approcher la vérité des événements de Dallas, l'ancien policier utilisait une parabole. À l'écouter, l'assassinat de JFK était un immense puzzle dont nous ignorions le dessin final. Aussi, avant de tenter d'assembler ses pièces, convenait-il d'entreprendre un grand tri. Comme si différentes boîtes avaient été mélangées, il fallait déterminer quels morceaux de l'énigme appartenaient réellement à la solution. Et, forcément, écarter les autres, ceux que l'on avait glissés là pour rendre le mystère impossible à résoudre.

*

Cette métaphore s'appliquait à ce que j'avais tenté de faire.

L'énigme de la mort de Marilyn Monroe était depuis trop longtemps submergée par des données brouillant les pistes. Et, une à une, je venais de les éliminer. Une obligation, tant, sans ce grand ménage, toute tentative de recherche de vérité aurait été irrémédiablement vouée à l'échec.

Certes, je le reconnais volontiers, la route avait été longue. Mais après cette succession de boucles et de chemins de traverse, elle me conduisait directement à ma dernière étape.

74. Réflexe

Le réflexe était toujours le même. En terre inconnue, il faut d'abord rassembler ses certitudes. Le mystère de la mort de Marilyn Monroe n'échappait pas à la règle.

Une fois réduite à néant la fausse piste de l'implication des frères Kennedy, il en restait d'autres à écarter.

Toutes celles prouvant que l'actrice n'était pas en fin de parcours durant l'été 1962 montraient qu'un faux portrait de la star nous avait été présenté. L'actrice à la dérive était une invention des publicitaires de la 20th Century Fox pour justifier le renvoi de Marilyn.

À cela, s'ajoutaient les multiples témoignages, solides, sur son état mental attestaient qu'elle s'engageait sur la voie de la paix avec son double médiatique.

Enfin, dans cet océan de faux-semblants, l'autopsie effectuée par Thomas Noguchi demeurait une valeur sûre. Non seulement, la procédure entamée permettait de tordre le cou à de nombreuses rumeurs mais, plus important, elle m'avait permis de m'orienter sérieusement sur le terrain de l'assassinat.

Parce que le taux de somnifères retrouvé dans son sang dépassait le nombre de pilules à sa disposition. Parce que la quantité de barbituriques relevée dans son foie écartait la possibilité d'une ingestion de Nembutal.

Mais si Marilyn était décédée d'une overdose de calmants, il restait à déterminer comment et qui lui avait administré la dose fatale.

Aussi, il convenait une dernière fois de se plonger dans l'autopsie conduite par Noguchi.

*

Il existait à mes yeux plusieurs niveaux de lecture d'un rapport d'autopsie.

Le premier, le plus évident, délivrait des informations basiques sur les conditions de décès de la victime. L'analyse effectuée par le légiste avait permis de déterminer, par exemple, que Marilyn n'était pas décédée après une bagarre, son corps ne portant aucun des signes trahissant la violence.

À un deuxième niveau, une autopsie pouvait se transformer en machine à remonter le temps. Elle permettait en effet de revenir aux instants précédant le décès et de découvrir quels avaient été les faits et gestes de la future victime.

Ce retour dans le passé constituait un point fort de mon enquête car, d'ordinaire, il offre la possibilité de découvrir les circonstances même de la mort. Or dans l'affaire Monroe, le travail de Noguchi multipliait les révélations. Grâce à lui, on pouvait même affirmer que, le samedi 4 août 1962, Marilyn n'attendait personne. Ni Robert F. Kennedy ni aucun autre invité mystérieux.

*

Il n'y avait rien de magique à cette conclusion. C'est la description du corps de Marilyn telle que Noguchi l'avait rapportée qui « parlait ».

Ainsi, le médecin avait noté que le cadavre de la star n'avait pas les jambes rasées. Que ses ongles n'étaient pas manucurés. Et que ses racines de cheveux apparaissaient sous sa teinture blonde.

Rapprochées, ces trois informations confirmaient que Marilyn ne s'était pas préparée à accueillir quelqu'un. Elle qui, dès qu'une rencontre importante s'annonçait, réclamait les soins de son maquilleur et de sa coiffeuse, n'aurait pu recevoir quiconque sans être visuellement et esthétiquement parfaite. Sachant mieux que quiconque que son succès était largement lié à son apparence, jamais elle n'aurait dérogé à sa règle.

*

Le relevé de Noguchi confirmait que Marilyn Monroe n'attendait personne le 4 août 1962. Soit.

Ce constat-là ouvrait dès lors une troisième dimension d'analyse. Capitale, car elle permettait de s'approcher de l'identité du coupable.

Une fois encore, la logique allait m'aider. Si l'état du cadavre indiquait que la star n'avait pas prévu d'accueillir un visiteur, cela entraînait deux explications. Soit le meurtrier était arrivé sans s'annoncer au 12305 Fifth Helena Drive. Soit celui-ci... appartenait à son entourage proche.

75. Cristaux

Le rythme de la poursuite s'intensifiait.

Afin de conclure ma chasse, déterminer les causes réelles de la mort de Marilyn devenait incontournable.

Pour y parvenir, je devais me glisser dans la peau de Thomas Noguchi en ce 5 août 1962.

*

Croire que la personnalité du cadavre n'avait pesé sur aucun des gestes du médecin légiste relevait de l'illusion.

Le docteur lui-même reconnaissait que, « pour la première fois de (sa) jeune carrière, il avait été émotionnellement affecté par la vue d'un cadavre sur une table d'autopsie [1] ». Et d'ajouter : « (En découvrant le corps), j'ai réalisé l'énorme responsabilité qui m'attendait. Je savais que le monde entier voudrait savoir ce qui était arrivé à cette chère Marilyn Monroe. C'est avec cette responsabilité en tête que j'ai entrepris mon examen [2]. »

L'autopsie de Marilyn, qui ne présentait pas de difficultés particulières en elle-même, n'avait pas duré cinq heures pour rien. En plus de sa responsabilité devant l'histoire, le jeune

1. *Coroner, op. cit.*
2. *Ibid.*

médecin ne pouvait s'empêcher de songer aux conséquences inévitables que cette opération aurait sur sa carrière. Lui qui, dix ans plus tôt, avait débarqué du Japon pour terminer ses études de médecine, lui qui avait rencontré des difficultés pour maîtriser une langue et une culture si différentes, lui qui était entré au service du Coroner du Los Angeles County dans le courant de l'année 1960, devait entreprendre l'autopsie la plus importante jamais réalisée par le bureau.

Noguchi ne l'ignorait pas : son travail serait étudié à la loupe par certains et disséqué par d'autres durant des années. Exactement comme lui s'apprêtait à le faire avec la dépouille de la plus grande star de l'après-guerre.

Plus encore que la recherche de la vérité, c'est son propre avenir qui se jouait sur la table numéro 1.

*

Du Mortuary Death Report à la liste des prescriptions retrouvées sur le chevet de Marilyn dressée par le LAPD, tout laissait croire que l'actrice avait succombé à une overdose de barbituriques.

L'examen externe du cadavre avait renforcé cette thèse, le médecin ne relevant ni signes de violence ni traces d'injection. L'étape suivante devait donc corroborer à jamais la thèse du suicide.

Le légiste entreprit d'examiner l'estomac de Marilyn. Dont le contenu, comme nous l'avons vu, se limitait à vingt milli-litres, soit l'équivalent d'une cuillère à soupe. Noguchi préleva un échantillon du fluide et l'examina au microscope. L'analyse confirma son premier constat visuel. Il manquait quelque chose. Cette absence lui parut étrange. Pas nécessairement impossible, mais perturbante.

De nouveau penché sur le cadavre de l'actrice, il se mit à examiner de plus près son intestin grêle. Et se concentra plus particulièrement sur le duodénum, le seul segment fixe du petit intestin.

Cet organe, situé entre l'estomac et le côlon, représente le lieu principal d'absorption des nutriments par le corps humain. Dans l'intestin grêle, les aliments se « dégradent en nutriments ou métabolites pouvant franchir la barrière intestinale et passer dans les circulations sanguine et lymphatique[1] ».

Cela, il le savait pertinemment. Mais ce qui l'intéressait principalement, c'était le rôle joué par le petit intestin en cas d'administration de barbituriques par voie orale, puisque « l'absorption du médicament se fait principalement au niveau de l'intestin grêle en raison de sa grande surface d'absorption[2] ».

Une nouvelle fois, le médecin légiste préleva un échantillon et l'examina sous microscope. Et une fois encore, ses constatations correspondirent à celles du fluide collecté précédemment.

Dans l'estomac comme dans l'intestin, Thomas Noguchi ne parvenait pas à isoler la moindre concentration de barbituriques !

*

Comme n'importe quel médicament à ingestion orale, le Nembutal était composé de deux éléments bien distincts.

D'abord, une capsule de couleur jaune. Que les acides de l'estomac détruisent pour en libérer le contenu.

Lequel représente, comme chacun sait, la solution active du médicament, que les experts en pharmacologie désignent sous le terme de cristaux réfringents. Une fois libérés dans l'estomac, ces derniers devaient poursuivre leur « trajet » par l'intestin grêle, chargé, lui, de « casser » leur structure pour les rendre suffisamment fins et absorbables par le sang.

---

1. http://wwrocq.inria.fr/who/Marc.Thiriet/Glosr/Bio/TubDigest/Intestinp.html
2. Extrait du chapitre « Absorption, distribution et excrétion des médicaments » in *Pharmacologie médicale,* Michael Neal, De Boeck Université, 2003.

Dans le cas de Marilyn Monroe, tout cela signifiait que si l'actrice avait avalé la moindre surdose médicamenteuse, Noguchi aurait dû retrouver trace de ces cristaux dans son estomac. Ou, à défaut, dans l'intestin grêle. Ce qui n'était pas le cas.

*

Il ne fallait pas s'y tromper : l'absence de trace de somnifères avait gêné Thomas Noguchi, même si cela ne figurait pas dans son rapport.

Le médecin légiste l'avait d'ailleurs concédé quelques années plus tard dans son entretien à *Omni*. Ce qui l'avait conduit, comme il l'admettait dans cette revue, à envoyer plusieurs organes au laboratoire toxicologique, allant plus loin que la procédure de l'époque.

Si l'analyse du sang permettait de confirmer l'usage de barbituriques, les autres examens avaient pour objectif de déterminer la manière dont les produits étaient arrivés dans l'organisme de la star. Et de comprendre comment celle-ci avait pu mourir d'une overdose sans que la moindre trace de comprimés apparaisse dans son estomac et son intestin.

*

Avant d'élucider ce nouveau mystère, il convient d'apporter une précision utile.

Si dans la plupart des suicides l'autopsie permet de trouver des résidus de cristaux réfringents dans l'estomac ou l'intestin grêle, cela ne relève pas pour autant de la règle absolue. Lors de son passage sur Discovery Channel, le docteur Cozzi expliquait par exemple qu'en moyenne, l'estomac humain se vidait toutes les vingt minutes. Considérant que l'agonie de Marilyn avait duré une cinquantaine de minutes, cela justifiait à ses yeux cette absence.

Noguchi, lui, n'ignorait pas cette éventualité. Mais, par instinct – ou crainte d'être pris en défaut –, il avait réclamé les analyses complémentaires.

La remarque de Cozzi aurait pu me suffire. Certes, elle impliquait d'accepter la probabilité que le cas Monroe fût précisément hors des standards habituels, et cela j'aurais pu l'admettre. L'ennui, c'est que cette explication possédait d'autres défauts gênants.

D'abord, les images du documentaire qui accompagnaient ses propos ne confirmaient pas sa conclusion. Alors qu'il affirmait que l'estomac devait être vide après plus de cinquante minutes, le bécher dans lequel ce médecin avait reconstitué la poche présentait une concentration de cristaux visible à l'œil nu.

Par ailleurs, Cozzi avait sévèrement limité le nombre de capsules de Nembutal avalées par la star. Où, Noguchi, Curphey et Abernathy s'entendaient sur quarante-sept comprimés, lui se satisfaisait de vingt-quatre somnifères. Par définition, le double de pilules devait créer une concentration plus importante de cristaux, donc multiplier les chances de constater leur présence. Et si on y ajoutait la concentration de barbituriques découverte dans le foie, qui portait le total à près de deux cents comprimés de Nembutal, le résultat devait être plus flagrant encore.

Cozzi avançait aussi que le contenu de l'estomac pouvait dissimuler l'existence des cristaux. Or cette remarque n'avait aucun sens pour cette autopsie. Parce que Noguchi avait examiné sous microscope le fluide prélevé. Et parce que la quantité retrouvée n'excédait pas une cuillère à soupe. Une quantité trop minime pour cacher quoi que ce soit.

En vérité, l'absence de nourriture aurait dû donner un estomac saturé de cristaux. Ce qui, justement, avait interloqué Noguchi puisque, avant même que le nombre des Nembutal soit déterminé, il avait vérifié l'intestin grêle. Soit l'endroit où la concentration aurait dû être encore plus élevée.

C'était donc bien cette double absence qui avait conduit,

comme nous l'avons dit, le légiste à solliciter une vérification en laboratoire. Une analyse qui, pour des raisons administratives, n'avait jamais été effectuée.

*

Élucider quarante-cinq ans de mystère dépendait donc de la résolution d'une équation.

L'absence de marque de piqûre et cette trop forte proportion de barbituriques condamnaient la thèse de l'injection.

L'absence de concentration de barbituriques dans l'estomac et l'intestin de la star, couplée à un nombre de comprimés trop important, rendaient ensuite impossible l'administration orale du Nembutal.

La solution ?

Elle se nichait peut-être dans quelques mots de sir Arthur Conan Doyle, le père littéraire de Sherlock Holmes : « Lorsque vous avez éliminé l'impossible, ce qui reste, si improbable soit-il, est nécessairement la vérité [1]. »

---

1. In *Le Signe des Quatre*, Arthur Conan Doyle, Hachette, 2005.

76. Décoloration

Le plus déroutant, c'est que la solution n'avait rien d'improbable.

Car logique, imparable, inévitable, confirmée par l'autopsie, elle se tenait devant nous depuis toujours. Mais nous l'avions ignorée en raison d'une vision des choses perturbée, corrompue même, par des années de mensonges, de rumeurs et d'inventions, ainsi que par nos propres attentes, notre éducation et nos interdits.

Marilyn étant décédée des suites d'une surdose massive de barbituriques, une seule option pouvait l'expliquer : la plus célèbre des actrices du XXe siècle avait péri des suites d'un... lavement.

*

Le mot, évidemment, prête à sourire.

L'idée, quant à elle, timidement avancée auprès de proches dans un silence gêné, avait franchement fait rire.

Pourtant cette technique, connue et pratiquée depuis l'Antiquité, s'appuie sur des fondements médicaux sérieux depuis le XVIIe siècle.

Le clystère, que Molière [1] aimait évoquer, n'était rien

---

1. Voir http://pagesperso-orange.fr/raoul.perrot/clystere.htm

d'autre que la même pratique, celle d'« une injection de liquide dans le côlon, au moyen d'une canule insérée dans l'anus[1] ».

Si, aujourd'hui, ce mot renvoie à une pratique un peu barbare et archaïque du traitement de la constipation, il ne faut pas s'y tromper. Pendant des décennies, on n'avait pas seulement eu recours au lavement pour ses vertus laxatives, mais parce qu'il permettait d'administrer des médicaments en solution. Aujourd'hui, la méthode paraît désuète, mais elle est encore utilisée dans le cadre de certaines maladies[2], enseignée dans les manuels d'infirmerie[3] et même reconnue par l'OMS comme méthode d'injection de certains anti-inflammatoires type hydrocortisone[4].

*

Bien entendu, je n'avais pas abouti à cette théorie du lavement fatal uniquement parce qu'elle me semblait être le seul moyen d'injecter sans traces externes une importante quantité de barbituriques. Non, de nombreux éléments tangibles m'y conduisaient.

D'abord, Marilyn était une habituée de cette pratique. Ralph Roberts, le fidèle confident, William Travilla, le costumier de la star, et même le couturier Jean-Louis l'avaient affirmé à leur tour, précisant encore qu'il s'agissait d'une expérience fréquente à Hollywood[5], le lavement étant utilisé alors pour contrôler son poids. Il arrivait même à la presse féminine de le recommander.

---

1. Voir http://fr.wikipedia.org/wiki/Lavage_de_l'intestin
2. C'est le cas, par exemple, dans certains traitements de la maladie de Crohn, voir http://www.afa.asso.fr/presse/62afa_to.htm
3. Voir par exemple *Symptômes et pratique infirmière : fiches de soins,* Laurence Pitard, Masson, 2004.
4. In *L'Utilisation des médicaments essentiels – Neuvième rapport du Comité OMS d'experts,* 2000.
http://www.who.int/medicinedocs/index.fcgi?sid=Q10rVtjd9ee80ca7000000004742e93f&a=d&d=Js5510f.14
5. In *Marilyn Monroe, The Biography, op. cit.*

Établir que Marilyn n'ignorait pas l'exercice du lavement en 1962 constituait un premier pas. D'autant plus important qu'il laissait entendre que l'actrice possédait le matériel adéquat, lequel était facilement disponible en pharmacie et vraisemblablement constitué d'une poire munie d'une canule rectale [1]. Mais ce constat ne suffisait pas pour affirmer avec certitude qu'elle y avait eu recours dans la soirée du 4 août 1962.

Une fois la barrière intellectuelle franchie, une fois la gêne passée, le mystère devenait pourtant complètement limpide. Et la réponse se trouvait là encore dans l'autopsie menée par le Dr Thomas Noguchi.

*

L'erreur de Noguchi avait été de limiter son champ d'investigation.

De restreindre son mode de pensée. De manquer d'imagination.

Certes, son travail avait été exemplaire mais, une fois écartée la thèse de la mort violente, il s'était limité à deux options : une injection par piqûre dont il n'avait pas retrouvé trace ou une overdose par administration orale. Une quête à deux pistes qui avait dissimulé tout le reste, y compris les propres découvertes du médecin légiste.

Si son attention n'avait été focalisée sur l'ingestion de barbituriques, il aurait pu s'interroger sur une de ses observations relatives au gros intestin de la star : « Le côlon présente des marques de congestion et une décoloration de couleur mauve [2]. »

---

1. D'un modèle similaire à celle présentée à l'adresse suivante http://fr.wikipedia.org/wiki/Image:Rectal_bulb_syringe.jpg
2. In *Autopsy Report, File # 81128, August 5th, 1962*, voir annexe 1.

*

Cette remarque capitale méritait une série d'explications.

Le côlon, aussi appelé gros intestin, fait suite à la partie terminale de l'intestin grêle, à l'endroit même où Noguchi avait constaté l'absence de cristaux de barbituriques.

Afin de comprendre les propos du légiste, il convenait de se concentrer sur la partie basse du côlon, celle se concluant par le rectum, puis l'anus.

Pour schématiser, cette partie ressemble à une sorte de L majuscule qui serait la tête en bas. Or la décoloration notée par Noguchi apparaissait à la jonction de l'angle droit formé par les deux parties de la lettre [1].

L'altération mauve de la couleur du côlon de Marilyn pouvait de son côté signifier plusieurs choses.

Première possibilité, cette décoloration traduisait seulement un phénomène naturel survenant sur certains cadavres. Le délai entre la mort de l'actrice et l'autopsie de Noguchi était suffisamment long pour donner même un certain poids à cette hypothèse. Sauf que d'ordinaire ce phénomène suivait un parcours balisé, partant du rectum pour progresser vers l'intérieur. Or dans ce cas précis, l'étiolement commençait bien plus haut, directement sur la partie basse de l'intestin, et ignorait le rectum.

La deuxième explication envisageable était liée à l'état de santé de la star. Laquelle, depuis plusieurs années, souffrait de colites ulcéreuses, maladie chronique inflammatoire du côlon [2]. Et les symptômes décrits par Noguchi correspondaient à l'inflammation.

Mais une nouvelle fois, cette éventualité ne résistait pas à la confrontation entre les faits. Car le docteur Noguchi avait

---

1. Afin de compléter la description, voir l'illustration sur le site www.marilynsecret.com.

2. Voir http://www.passeportsante.net/fr/Maux/Problemes/Fiche.aspx?doc=colite_ulcereuse_pm

vérifié l'état du duodénum[1] et indiqué qu'il ne « présentait aucune trace d'ulcère[2] ».

*

La décoloration naturelle et l'inflammation écartées, demeurait une seule explication.

La zone de couleur mauve observée par Noguchi correspondait à la zone du côlon où le lavement médical avait été absorbé par l'organisme.

Le biographe Donald Spoto, arrivé au même constat que moi-même, si nous n'envisagions pas la suite de la même manière, avait consulté le Dr Arnold Abrams afin d'obtenir son opinion. Directeur médical du département de Pathologie de l'hôpital Saint-John de Santa Monica en Californie, ce médecin expérimenté avait déclaré, à propos des constatations de Noguchi : « Je n'ai jamais rien vu de semblable lors d'une autopsie. Quelque chose d'extraordinairement anormal s'est passé dans l'intestin de cette femme[3]. »

Il ne pouvait s'agir, comme certains l'avaient suggéré[4], des effets d'un suppositoire au Nembutal. Car, dans cette hypothèse, la décoloration de couleur mauve aurait été visible bien plus bas, à une dizaine de centimètres au maximum de l'entrée de l'anus.

Non, l'altération du côlon de la star ne pouvait avoir qu'une seule explication : le mélange avait été placé dans la poire de l'appareil, puis la canule délicatement introduite dans le rectum. Une pression sur la poire avait envoyé le liquide en direction de l'intestin, ce dernier poursuivant sa course jusqu'à heurter la paroi du côlon, précisément à l'angle droit marquant

---

1. Le duodénum est la partie de l'intestin grêle faisant suite à l'estomac.
2. In *Autopsy Report, File # 81128, August 5th, 1962* voir annexe/cahier photo.
3. In *Marilyn Monroe : The Biography, op. cit.*
4. Voir l'immensément improbable *Double Cross*, Sam and Chuck Giancana, Warner Books, 1992.

la fin du rectum et le début de la partie basse de l'intestin. Soit exactement où Noguchi avait noté la zone d'étiolement de couleur mauve.

*

Le mot ne me faisait plus sourire.

Son idée même ne me paraissait plus gênante.

Marilyn Monroe avait succombé à une surdose de barbituriques injectée par lavement médical.

Ma quête touchait presque à sa fin.

77. Eldorado

Le coup de grâce aurait dû venir maintenant.

Stratégiquement et littérairement parlant, c'était le meilleur moment pour abattre la carte maîtresse. Celle du témoin ultime, appartenant à l'enquête officielle mais refusant l'idée du suicide. Celle de la personne présente à l'autopsie et validant l'explication d'une « overdose » par lavement.

Oui, en y réfléchissant bien, il était temps d'évoquer John Miner.

*

Le matin du 5 août 1962, John Miner, assistant du District Attorney de Los Angeles, se trouvait aux côtés de Thomas Noguchi.

Comme le médecin légiste l'avait précisé dans sa biographie, sa présence traduisait à elle seule la particularité et l'enjeu de la procédure. Le cadavre de la salle numéro 1 étant la star la plus populaire du moment, le D.A. avait pris ses précautions et envoyé un de ses meilleurs éléments pour superviser l'autopsie.

Lequel John Miner avait souligné la méticulosité, la minutie et le sérieux du travail de Noguchi, s'avouant même impressionné par la recherche, loupe aidant, d'éventuelles traces de piqûre.

Soit. Mais la particularité du cas Miner, c'est que l'assistant du District Attorney émit des années après des doutes sur les conclusions du légiste. Dans le rapport d'enquête rédigé par le bureau de John Van de Kamp en 1982, on peut en effet lire : « John Miner, se fondant sur une série de conversations avec Greenson, développait de sérieuses interrogations concernant la conclusion selon laquelle mort de Mlle Monroe serait un suicide[1]. » Sur quoi basait-il ses doutes ?

En plus d'entretiens avec le psychiatre de la comédienne, Miner étayait sa remise en question à partir d'une constatation effectuée durant l'autopsie : « Le docteur Noguchi et moi avons observé sur le côlon sigmoïde – la portion la plus basse du gros intestin – une large zone qui est congestionnée et de couleur mauve foncé. Ce qui constitue une complète anomalie. Ainsi, j'ai assisté à de nombreuses autopsies de cadavres décédés après une surdose de barbituriques et je n'ai jamais constaté un phénomène semblable[2]. »

Fort de cette remarque, John Miner ajoutait : « Après avoir vérifié auprès des meilleurs pathologistes du monde, il me semble que la seule possibilité concernant l'administration des barbituriques soit l'utilisation d'un lavement[3]. »

*

Dans un monde idéal, mon enquête aurait dû s'arrêter là John Miner confirmant mon raisonnement, il ne restait dès lors plus qu'à raconter les dernières heures de Marilyn.

Mais hélas, l'ancien assistant du District Attorney de Los Angeles n'était pas à la source de cette seule confidence. En réalité, John Miner avait eu son heure de gloire en révélant un énorme secret. Quelque temps après la mort de l'actrice,

---

1. In *Los Angeles County District Attorney Bureau of investigation, Investigation Report, Re : Oui Magazine 10/75, File # 82-G-2236*.
2. In *Say Goodbye to the President*, Christopher Olgiati, Winstar, 1997
3. *Ibid.*

Ralph Greenson l'aurait autorisé à écouter une série de bandes magnétiques enregistrées par Marilyn dans les jours précédents son décès.

Un véritable eldorado qui permettrait enfin de découvrir la vérité du 4 août 1962.

78. Exclusivité

Entre émotion sincère et spectacle de mauvais goût, le pèlerinage au cimetière affichait toujours les mêmes couleurs.

Comme chaque 5 août depuis quarante-trois ans, une foule d'admirateurs s'agglutinait autour de la crypte de Marilyn Monroe dans le Westwood Village Memorial Park. Si le gros des troupes venait des quatre coins des États-Unis, quelques-uns avaient effectué le voyage depuis l'Europe et le Japon. Et, comme d'habitude, une poignée de prétendus sosies de la star, dont la ressemblance avec l'actrice tenait uniquement au choix des accessoires, attirait l'attention.

Mais en cette année 2005, la commémoration avait pris un tour nouveau. Un journal jugé sérieux consacrait une « une » retentissante à la mort de l'actrice. Ce jour-là, le *Los Angeles Times* titrait sur « Les cassettes secrètes de Marilyn », dont il proposait tout bonnement des transcriptions [1].

John Miner, âgé de 86 ans, venait de se mettre à table.

*

Robert Welkos tenait un scoop.

Contacté par John Miner, ce journaliste du *Times* était

---

1. « Marilyn's secret tapes », *Los Angeles Times*, 5 août 2005, http://www.latimes.com/features/lifestyle/la-et-marilyn5aug05,0,1222515.story

parvenu à convaincre sa hiérarchie de la solidité de ce dossier. Et de la rigueur de sa source. Laquelle, pour la première fois, reniant le serment de silence prêté à Ralph Greenson jadis, acceptait la publication de l'intégralité de la dernière conversation de Marilyn Monroe. Miner avait expliqué son revirement par le souci de défendre la mémoire du psychiatre. À l'entendre, le médecin étant injustement attaqué quant aux effets positifs de sa thérapie, il fallait divulguer le contenu de ces bandes prouvant que Marilyn était en voie de guérison.

De fait, le premier enseignement de ce document était celui-là : à la veille de sa disparition, la star y apparaît bouillonnante de vie, multipliant les projets et les références à son avenir

Mais il y avait mieux encore.

L'autre révélation de cette plongée dans l'intimité de Marilyn, c'est la confirmation de son fréquent recours aux lavements. Non pour leurs vertus thérapeutiques comme on l'imaginait, mais à cause du plaisir sexuel qu'ils sont censés apporter [1].

Pour couronner le tout, l'actrice en veine de confidences – de quoi attiser plus encore l'intérêt de cette retranscription – évoquait également des relations homosexuelles, une description précise de son corps alors qu'elle s'admire nue devant son miroir en pied. Enfin, Marilyn évoquait avec sarcasme ses relations intimes avec John et Robert Kennedy !

*

Un choc pour tous que ces propos exhumés d'outre-tombe. Car ils confirmaient étrangement l'intuition de Capell – et soit dit en passant remettaient en question une partie de ce livre. Dès lors, on comprenait mieux l'espace offert par le *Los Angeles Times*.

---

1. On parle alors de clystérophilie ou de klysmaphilie. Voir http://fr.wikipedia.org/wiki/Klysmaphilie

Mais les fans du Westwood Village Memorial Park eux, s'ils évoquaient le quotidien, ce n'était pas pour se réjouir de l'apparition d'une avancée capitale dans la résolution du mystère. Entre lassitude, tristesse et colère, les adorateurs de Marilyn fulminaient. À leurs yeux, une fois de plus, quelqu'un tentait de s'enrichir sur le dos de leur idole.

*

L'exclusivité est toujours, en presse, une question de perspective.

Car avant de surgir dans les pages du *Los Angeles Times*, puis de servir de source d'inspiration principale au romancier français Michel Schneider, les dernières conversations de Marilyn avaient déjà été publiées. Dans un livre paru en 2003.

Cette année-là, le Britannique Matthew Smith publiait en effet *Marilyn's Last Words*[1], soit, littéralement *Les Derniers Mots de Marilyn*. Or cet auteur spécialiste de la conspiration, ayant pu bénéficier de la collaboration pleine et entière de John Miner, proposait à l'époque de longs extraits de ces transcriptions censées prouver que Monroe avait été assassinée dans le cadre d'un complot impliquant les Kennedy.

La parution, à deux ans d'intervalle, des « dernières paroles » de Marilyn devait donc d'emblée alerter tout enquêteur indépendant. D'un coup, Miner y perdait en crédibilité. Et la lecture du livre de Smith renforça cette impression.

Car l'ouvrage se contente de multiplier et d'amplifier les rumeurs récurrentes entourant la disparition de la star. Et accorde un grand crédit à Frank Capell. Qualifié de « journaliste travaillant pour un petit magazine assez peu connu[2] », l'extrémiste proche de J. Edgar Hoover y est dépeint comme « un homme astucieux qui, rapidement après la mort de Marilyn, avait réussi à acquérir une remarquable somme

---

1. *Marilyn's Last Words,* Matthew Smith, Carrol & Graff, 2003.
2. *Ibid.*

d'informations pointues sur les circonstances de sa mort[1] ».
Ignorant la genèse de *The Strange Death of Marilyn Monroe*
et les liens entre Capell et le directeur du FBI, Smith regrettait
juste les accents d'extrême droite de cet auteur, tout en précisant que, côté faits, le livre s'avérait « important ».

Il recourait d'ailleurs au même qualificatif pour évoquer
l'ouvrage de Norman Mailer paru en 1973, oubliant de mettre
en avant les motivations du romancier pour insister sur le fait
que Mailer « croyait très fortement à la piste criminelle[2] ».

Mais le pire restait à venir. Car l'ouvrage qui, le premier,
publiait les retranscriptions effectuées par John Miner s'ouvrait
sur une introduction signée Robert Slatzer. Deux pages – où
Slatzer ne résistait pas à la tentation de mettre en avant sa
« relation » avec la star – qui tenaient une place à part dans le
livre. Car on y percevait clairement qu'il constituait sa source
essentielle. De fait, les remerciements de *Marilyn's Last Words*
en disaient long. « Je dois exprimer ma gratitude à Robert
Slatzer, écrit Smith. (...) S'il existe quelqu'un de particulièrement bien informé sur les détails de la mort de son amie de
toujours Marilyn Monroe, il s'agit bien de Robert Slatzer[3]. »

D'un coup, tous les signaux venaient de virer au rouge.

Les bandes de Miner chutaient brusquement sur l'échelle
de la crédibilité.

*

Comme dans un mauvais film, l'histoire se répétait.

Si John Miner avait collaboré au livre de Matthew Smith,
c'est parce que Robert Slatzer avait joué les entremetteurs[4].

L'ancien assistant du District Attorney de Los Angeles, au
même titre que Sam Yorty, Jeanne Carmen, Lionel Grandison

---

1. *Ibid.*
2. *Ibid.*
3. *Ibid.*
4. *Ibid.*

et bien d'autres, appartenait au groupe de témoins instrumentalisés par Slatzer pour valider ses conclusions.

C'est d'ailleurs à ce titre qu'en 1982 John Miner avait été interrogé par les enquêteurs de John Van de Kamp. Et, de fait, la lecture du rapport ayant suivi l'entretien ne manquait pas d'intérêt. Car, contrairement aux propos péremptoires que Slatzer lui prêtait, Miner ne qualifiait pas la mort de Monroe de meurtre, il préférait parler de « suicide accidentel [1] ». Devant une instance officielle, le poids des mots oblige à la prudence que les *scoops* à sensation n'aiment guère. Une modération qu'il conserva lorsque les inspecteurs lui demandèrent sur quelles bases s'était construit son doute. Là, pour toute réponse, John Miner évoqua « des conversations qu'il avait eues avec le docteur Ralph Greenson [2] ».

*

Interrogé dans le cadre d'une procédure judiciaire menée afin de déterminer si les autorités devaient reprendre l'enquête entourant la mort de Marilyn Monroe, l'ancien assistant du District Attorney n'avait pas seulement fait preuve de réserve : il avait refusé d'évoquer les dernières séances enregistrées de la star. Pourquoi ? Parce qu'elles n'avaient jamais existé ?

---

1. In *Los Angeles County District Attorney Bureau of investigation, Investigation Report, Re : Oui Magazine, op. cit.*

2. Là encore, une analyse point par point sera proposée sur le forum de discussion consacré à l'affaire Monroe : www.marilynsecret.com

79. Argent

En vérité, les transcriptions des « confidences » de Marilyn avaient vu le jour en 1995.

À une époque où l'industrie consacrée au mystère Marilyn tournait à plein régime, multipliant livres, documentaires, exclusivités de tabloïds et miniséries télévisées.

Peut-être John Miner, inspiré par l'exemple d'autres « témoins », s'était-il dit que son tour venait ?

Peut-être les difficultés financières dont il était la proie alors l'avaient-elles convaincu ?

*

Quoi qu'il en soit, c'est à cette période qu'il avait contacté un autre journaliste, le populaire Anthony Summers, pour vendre ses fameux *verbatim*.

Interrogé dix ans plus tard sur MSNBC à propos du *scoop* sorti par ses confrères du *Los Angeles Times*, l'auteur britannique se souvenait parfaitement des circonstances, les enrobant d'une précision ne laissant guère planer de doute sur la crédibilité que lui-même accordait à la révélation de Miner : « John Miner est quelqu'un de bien (...) et il raconte une belle histoire. Mais aussi talentueux soit-il, cela ne rend pas l'histoire véridique pour autant[1]. »

---

1. In *The Abrams Report*, MSNBC TV, 17 août 2005, http://www.msnbc.msn.com/id/8989583/

L'échange qui s'ensuivit avec Dan Abrams, le journaliste animant l'émission, fut placé sous le sceau de la même franchise :

« Il m'a contacté en 1995 à propos de sa prétendue transcription afin de la faire publier par *Vanity Fair*, magazine auquel je collabore parfois. Il disait qu'il ne l'avait montrée à personne d'autre auparavant. *Vanity Fair* et moi-même avons conclu que cela ne valait pas une publication. Et je n'ai pas changé d'avis depuis.

– Pourquoi donc ?

– (...) Il prétendait détenir 70 à 80 pages de notes manuscrites sur ce qu'il avait soi-disant entendu en 1962. Sans surprise, il désirait être payé. Il était évident, que contre l'intégralité, il voulait de l'argent. Une partie peut-être, m'avait-il dit, aurait contribué au financement d'une bourse en mémoire de Ralph Greenson, mais c'était principalement pour lui. Et il nous avait précisé qu'on lui avait déjà proposé plusieurs centaines de milliers de dollars afin de publier son histoire [1]. »

Une fois les motifs lucratifs évacués, Summers en arriva aux raisons profondes de ses doutes.

« Je lui ai demandé comment il était possible qu'il puisse se souvenir de l'équivalent de quatre-vingts pages de propos tenus par Marilyn Monroe trente ans plus tôt. Il m'a répondu (...) qu'il avait noté tout cela à l'époque dans son carnet. (...) Et qu'il avait une mémoire extraordinaire.

Plus tard, il a prétendu avoir retrouvé ses notes en train de dormir dans un carton. Mais, malgré des mois à insister pour qu'il nous les montre, il ne l'a jamais fait. Comme il n'est jamais parvenu à nous présenter ses 70 ou 80 pages. Nous avons juste vu une version totalement rédigée de 35 pages. Que, plus tard, il a avoué avoir écrites quelques semaines auparavant.

---

1. Idem.

Vanity Fair et moi avons préféré poliment décliner l'offre[1]. »

La conclusion d'Anthony Summers fut implacable

« Je ne comprends pas comment des journaux réputés tels que le *New York Times* et le *Los Angeles Times* peuvent publier ce genre de matériel[2]. »

*

Certes, on pourrait à notre tour reprocher à Anthony Summers de n'avoir pas hésité lui-même à offrir sa crédibilité aux paroles de Slatzer et de sa cohorte de témoins douteux, mais l'accusation qui pointait dans cette interview se révélait autrement plus grave.

Très clairement, Summers et *Vanity Fair* avaient considéré les transcriptions des ultimes confidences de Marilyn comme des faux. Or, sans même connaître les motivations profondes de John Miner, force était de reconnaître à la simple lecture des documents que l'accusation paraissait fondée.

Sans entreprendre une analyse détaillée des incongruités et impossibilités contenues dans ces prétendues bandes, en souligner quelques incohérences ou raccourcis hasardeux méritait un court détour[3].

Selon la transcription de Miner, c'est l'actrice Mae West qui aurait initié Marilyn à la pratique quotidienne du lavement. Une assertion cocasse à découvrir puisque si la plupart des biographies consacrées à cette vamp gouailleuse confirmaient son goût pour cette technique, toutes expliquaient aussi combien celle-ci regrettait de ne jamais avoir rencontré Marilyn Monroe !

Autre billevesée des pseudo-enregistrements, quelques références à l'ami de Miner, Robert Slatzer. Pour que la ficelle

---

1. Idem.
2. Idem.
3. Là encore, une analyse point par point sera proposée sur le forum de discussion consacré à l'affaire monroe : www.marilynsecret.com.

soit moins grosse, on prêtait à l'actrice des paroles désobligeantes à son égard... qui ne tenaient pas la route. Ainsi Marilyn, le 3 août 1962, aurait déclaré être embarrassée par les propos que Slatzer venait de tenir sur elle dans la presse. Le hic, c'était que leur parution remontait à... 1957.

En fait, à force de vouloir tout englober en surfant sur les thèmes porteurs de son époque, du sexe aux Kennedy, John Miner avait cherché à trop bien faire. Et s'était pris les pieds dans le tapis.

*

Un ultime élément vint ranger les prétendues dernières séances de Marilyn au rayon des illusions commerciales fleuries après son décès.

Il ne s'agissait pas de la réponse paranoïaque proférée par Miner lorsqu'on l'interrogeait sur les raisons de son long silence, lui dont la mission en 1962 consistait précisément à exprimer ses doutes auprès de ses supérieurs s'il en avait eu à l'époque, lui qui rétorquait l'avoir fait par écrit mais que, grand complot oblige, l'original et les copies de son rapport avaient disparu des archives[1].

Non, l'estocade fut donnée par Hildegard Greenson, la veuve du psychiatre de Marilyn. Sollicitée par le *Los Angeles Times*, celle-ci avait exceptionnellement accepté de sortir de sa réserve en expliquant qu'elle n'avait jamais entendu parler de l'existence d'éventuels enregistrements de Marilyn Monroe, et que ce procédé ne faisait même pas partie des outils thérapeutiques utilisés par son époux[2].

*

---

1. In *Marilyn's Last Words, op. cit.*
2. In *Los Angeles Times,* 5 août 2005.

Effectivement, le coup de grâce aurait dû venir maintenant.

Stratégiquement et littérairement parlant, c'était le meilleur moment pour abattre la carte maîtresse.

Celle du témoin ultime.

Celui susceptible de corroborer mes intuitions, déductions et découvertes devait être affranchi de tous ces doutes, n'avoir jamais cherché à monnayer ses souvenirs, être d'une certaine manière vierge de tout parasitage. Il ne devait pas, en fait, constituer la pièce maîtresse de ma démonstration, son pivot, celle qui, une fois ôtée, fait tout s'écrouler, mais au contraire, apparaître comme l'élément qui la corrobore, sans l'empêcher de tenir par elle-même, par tous les indices et pièces apportés et cumulés.

Et, heureusement pour moi, il ne s'agissait pas de John Miner.

HUITIÈME PARTIE

Traque

80. Certitudes

Des doutes avaient remplacé mon impatience.

Et ce alors que ma dernière étape n'était assurément pas la plus compliquée.

Parti à la source de l'énigme, j'avais réussi à m'approcher de la vérité. Une à une, les pièces s'étaient emboîtées, dissipant les mensonges et les rumeurs. Désormais, je connaissais les détails du drame qui s'était déroulé derrière les lourds rideaux du 12305 Fifth Helena Drive. Il me restait donc à raconter les ultimes instants de Marilyn Monroe.

Mais, pour la première fois depuis le début de cette enquête, j'hésitais.

Non sur la validité de mes conclusions, mais sur une opportunité : celle de révéler ou pas le dernier secret.

*

Je me souviens parfaitement du jour où j'avais accepté l'idée de vivre durant des mois l'esprit uniquement obnubilé par ce travail en profondeur sur la mort de Marilyn.

Or les débuts se ressemblent tous. Et ont comme point commun l'assurance.

À l'époque, je considérais que l'affaire était trop populaire et trop usée pour espérer découvrir une preuve absolue.

J'en étais convaincu : cette fois, il n'y aurait ni document accusateur, ni enregistrement révélateur, ni images chocs.

Dans le même registre, je n'espérais pas obtenir le moindre témoignage permettant de clore l'énigme. Puisque le temps avait fait son œuvre et que l'argent avait corrompu les souvenirs d'une poignée de survivants, comment cela aurait-il été possible ?

Mais qu'importe. À mes yeux, l'enjeu ne résidait pas là. Remonter à la source de l'information, décrypter les intérêts des uns et les motivations des autres, effectuer le tri entre la mystification et l'authenticité, analyser et comprendre l'autopsie, tenter de découvrir la vérité du printemps et de l'été 1962 semblaient bien plus importants. Parce que ces démarches et étapes éclairaient d'un jour nouveau les circonstances de sa disparition. Parce que cette quête construite pas à pas donnait vie à une vision plus claire et plus vraie, que rien ni personne n'avait polluée.

J'avais entamé mon investigation avec ces convictions. Mais un document attaché à un courrier électronique suffit un jour à balayer mes certitudes.

81. Obsession

L'investigation est une étrange maîtresse.

Ses charmes n'ont rien d'affriolant mais elle exige une complète disponibilité. Sous son emprise, la frontière entre le jour et la nuit fond jusqu'à disparaître dans un épais brouillard. Un flou où elle occupe chacune de vos pensées et offre rarement le moindre répit.

C'est à ceux qui doivent l'endurer sans y être impliqués qu'elle réserve ses pires moments. À leurs proches, à leur famille, à leurs enfants. Je l'admets : aux yeux des miens, mon métier est étouffant.

Il ne connaît pas d'heure, se moque des obligations, déteste les calendriers et bafoue le temps qui passe.

Il m'impose le silence, la solitude, et teste les limites de ma patience.

Il m'accapare entièrement et m'assigne à résidence dans un univers dont je suis le seul à apprécier la hauteur des murs.

Il faut l'admettre, l'art de l'enquête est d'abord une obsession. Où la notion d'heure est discutable et le progrès une affaire d'appréciation.

Mais le plus incompréhensible est ailleurs. Dans ce métier-là, le concept de succès relève de la douce chimère. On vit plutôt des successions de petites victoires personnelles dont personne ne comprendra jamais les efforts qu'elles ont exigés.

Ma quête pour mettre la main sur Steven Miller me l'avait prouvé une fois encore.

*

Le courrier électronique envoyé par David Marshall contenait quelque chose qu'il qualifiait lui-même d'étrange.

Pour être plus précis, il s'agissait d'une copie d'un article paru le 24 juillet 1995 dans *Woman's Day*. Où, sous une manchette vantant son exclusivité, un papier promettait des révélations sur les circonstances entourant la mort de Marilyn Monroe.

Dans ces colonnes intrigantes, Steven Miller, un infirmier, dévoilait les confessions livrées sur son lit de mort par Eunice Murray, assistante à domicile de l'actrice et unique témoin de l'ultime nuit de Marilyn.

Plus que sa teneur même, cette double page avait attiré l'attention de David Marshall parce qu'elle était unique. Contrairement à l'habitude, aucun autre média n'avait en effet repris les informations révélées par le magazine. Exactement comme si la nouvelle n'avait eu de valeur qu'une semaine, celle de la mise en vente de l'hebdomadaire.

Cette particularité était en soi intéressante, mais c'est autre chose qui avait interrompu l'écriture de ce livre. Une fois évacué le folklore alourdissant chaque papier consacré à la disparition de la star, l'essentiel du propos de Miller me renvoya directement à mes propres conclusions. Sans prévenir, le mystérieux article de *Woman's Day* venait de me rattraper. Désormais, il me fallait trouver cette source. Une tâche à laquelle j'allais consacrer des mois.

*

Pour retrouver Steven Miller, nom relativement commun aux États-Unis, j'ai d'abord tenté de contacter les deux journalistes ayant signé l'article. C'est ainsi que je découvris que

Woman's Day n'était pas un hebdomadaire populaire américain déclinant son label dans de nombreux pays, mais un titre indépendant installé en Australie.

Un magazine qui n'était pas un tabloïd, mais pas non plus une référence incontestable du métier. Un hebdomadaire qui, hélas, avait changé d'orientation, de personnel et de locaux depuis la parution de l'article consacré aux confidences post mortem d'Eunice Murray. Autant de mutations qui avaient conduit à la disparition des archives du titre, ce qui annihilait tout espoir de retrouver les notes ayant servi à la rédaction du papier.

Parallèlement, j'étais parvenu à identifier plusieurs Steven Miller résidant en Australie. Mon intuition – qui allait se révélait complètement inexacte – était que si *Woman's Day* avait été le seul journal au monde à diffuser le récit de Miller, cela signifiait que ce dernier ne résidait plus aux États-Unis mais du côté de l'Océanie.

Mais avant d'appeler un à un les noms figurant sur ma liste, je souhaitais obtenir plus d'informations quant aux origines de l'article. Il fallait donc retrouver Brian Blackwell et David Brown, les deux auteurs du scoop.

*

Bien évidemment, compliquant la donne, Blackwell et Brown avaient changé de métier depuis 1995.

Brian, qui fut le premier à me répondre, était devenu le directeur d'une lettre hebdomadaire privée consacrée aux paris hippiques. Après relecture de ce papier, il m'affirma avoir seulement participé à sa réécriture et, de fait, n'avoir aucune idée du lieu où se trouvait Steven Miller.

David Brown, désormais responsable de la communication australienne du groupe Endemol, m'offrit une réponse similaire.

*

Quel paradoxe saisissant !

J'avais entre les mains un article sensationnel paru dans un obscur hebdomadaire australien, jamais repris ailleurs, mais les deux journalistes dont les signatures figuraient en bas de colonne assuraient ne pas en être les auteurs.

Avant de baisser les bras, j'avais heureusement obtenu une autre piste : celle de Bob Cameron. Lequel, en 1995, avant de devenir le rédacteur en chef de *Woman's Day*, était responsable des pages actualités du magazine. Or Blackwell pensait que ledit Cameron avait acheté les droits de reproduction de l'histoire aux États-Unis et demandé à ses deux confrères de réécrire l'ensemble.

Après deux semaines supplémentaires à attendre que Bob Cameron se remette d'une grippe, survint un début de réponse. S'il ne se souvenait pas de l'origine précise de l'histoire, il était persuadé qu'elle ne provenait pas d'Australie, mais d'Amérique du Nord.

Steven Miller n'avait pas quitté le pays. C'était donc sur un territoire que je commençais à bien connaître qu'il me fallait dorénavant chasser.

82. Infirmier

Le fil était ténu.

Tellement fragile même, que par anticipation, j'avais réussi à me convaincre qu'il se romprait avant de me guider jusqu'à la solution. Pourtant, il était obligatoire de le suivre jusqu'au bout.

Ma tentative australienne s'étant soldée par un échec, je n'avais pas d'autre option que le retour au pays d'origine de mes recherches. Or l'article de *Woman's Day* contenait peu d'informations factuelles sur le mystérieux Steven Miller.

Tout juste savais-je qu'il était « l'infirmier certifié (...) ayant recueilli les confidences d'Eunice Murray quelques semaines avant son décès dans une maison de convalescence de Tucson en Arizona [1] ». Le même Miller affirmait avoir été « l'infirmier d'Eunice Murray pendant les six derniers mois de sa vie [2] ». Rien d'autre !

*

La logique incitait à rechercher les Steven Miller de la région de Tucson.

Après tout, l'infirmier pouvait avoir échappé à l'étonnante

---

1. In *Woman's Day,* 24 juillet 1995.
2. *Idem.*

manie américaine qui pousse ses habitants à déménager fréquemment. Peut-être même avait-il, depuis 1995, poursuivi sagement sa carrière dans la ville où Eunice Murray était décédée ?

Une quarantaine de coups de téléphone plus tard, une énième porte venait de me claquer au nez. Aucun des Steven Miller de ma liste n'était le bon. Je devais donc trouver une autre manière de l'atteindre.

Mais comment ? Miller avait pu quitter l'Arizona ou être inscrit sur liste rouge, ou posséder seulement un téléphone portable ou... Ou, pis, être décédé !

*

Cette dernière option, bien qu'angoissante, semblait fort probable.

L'article de *Woman's Day* était paru depuis douze ans et je n'avais aucune idée de l'âge de cet infirmier. Une autre option s'ouvrit alors : plutôt que de me lancer dans l'impossible opération « je téléphone à tous les Steve Miller du pays », mieux valait retrouver ceux qui avaient fréquenté cet inconnu au milieu des années 1990. Donc, fouiller dans le passé d'Eunice Murray.

Un membre de sa famille se souviendrait peut-être de celui qui déclarait avoir passé six mois auprès d'elle ?

Avec un peu de chance, la piste me permettrait peut-être de résoudre certains des mystères entourant l'assistante à domicile de Marilyn Monroe...

Tout cela se tenait.

Enfin, il suffisait de s'en convaincre !

De toute manière, disposais-je d'un autre choix ?

83. Évasive

Elle tenait un second rôle, mais elle méritait à coup sûr plus de lumière.

Emporté par le rythme effréné des révélations accusant tour à tour les Kennedy, la mafia, le FBI ou encore la CIA, l'image d'Eunice Murray se fondait dans l'arrière-plan.

Pourtant elle était *officiellement* la seule personne présente au domicile de Marilyn durant ses ultimes heures. N'était-ce pas elle qui avait découvert le corps de l'actrice et donné l'alerte ?

Mais son retrait rapide ne signifiait pas que l'assistante avait disparu des thèses et hypothèses proposées livre après livre. Si, de l'un à l'autre, le portrait que l'on en brossait, pouvait varier, tous, au fond, traçaient cependant les contours d'un personnage essentiel.

L'un des rares connaissant la réalité des événements survenus dans la nuit du 4 août 1962.

L'un de ceux aussi qui, avec opiniâtreté, année après année, avait tout fait pour étouffer la vérité.

*

Évidemment, Frank Capell émit rapidement des doutes sur la personnalité et le rôle d'Eunice Murray. Dans son livre, l'extrémiste de Statten Island n'avait pas résisté à la tentation de noter que son mari avait appartenu au Parti communiste américain, omettant au passage que le couple était séparé et que John Murray vivait depuis près de dix ans au Texas. Mais bon, cette première salve poussa d'autres auteurs à exploiter la même veine bien des années après.

Le dernier en date, Don Wolfe, pointa à son tour du doigt les liaisons « rouges » de l'assistante. Et utilisa le témoignage de Norman Jefferies, un neveu de Murray, pour la discréditer. Les « confidences » de ce dernier ne tenaient guère la route, et se révélaient même quasiment grotesques lorsqu'on connaissait ses motivations réelles, mais qu'importe, le ver était dans le fruit. Norman Jefferies avait beau détester sa parente, user à son égard de diatribes dignes des plus tragiques heures de la guerre froide, quand il se disait persuadé que Marilyn avait été victime d'un complot orchestré par un agent communiste – Robert F. Kennedy – et que, par ordre du Parti, Eunice Murray avait aidé à l'exécution de Monroe[1], certains se laissaient berner.

*

Avant Capell, accordant par sa propre réticence du poids au mystère Murray, c'est le Détective Sergeant R. E. Byron qui avait été le premier à émettre des réserves sur ce personnage.

Byron, arrivé au 12305 Fifth Helena Drive aux alentours de cinq heures du matin, soit quelques minutes après Jack Clemmons, avait constaté le décès de Marilyn, entamé son enquête dans la foulée, interrogeant les trois témoins présents, commençant par les docteurs Greenson et Engelberg, puis terminant par Eunice Murray. Et la déclaration de cette dernière alimenta l'essentiel du LAPD Death Report, rédigé le 10 août 1962 par ce même détective Byron.

Certes, le policier avait interrogé d'autres proches de l'actrice mais, comme Murray était l'unique témoin de la soirée

---

1. In *The DD Group*, *op. cit.*

du 4 août, son récit avait permis de construire une chronologie dont certains points furent vérifiés par l'inspecteur de la section West du LAPD.

Ce soir-là, l'assistante regardait à la télévision la série Perry Mason, ce qui lui permit de donner l'heure précise de la conversation téléphonique que sa patronne avait eue. À l'en croire, elle aurait entendu Marilyn pour la dernière fois vers 20 h 30. Après une conversation téléphonique avec Joe Di Maggio Jr, l'actrice avait contacté le Dr Greenson. Du son qui s'échappait de la chambre, Eunice Murray avait déduit que l'actrice était de bonne humeur. Murray se souvenait avoir ensuite répondu à un autre appel, survenu vers 21 heures. Milton Rudin, l'avocat de Marilyn, appelait afin de vérifier qu'elle se sentait bien. Et Eunice lui avait expliqué que Marilyn semblait dormir, sans aller vérifier, celui-ci ne tenant pas à ce qu'on la réveille.

Rien d'autre ensuite n'était venu perturbé le déroulement de la soirée.

*

En soi, le rapport de Byron ressemblait à des centaines d'autres.

Ne laissant aucune place à l'interprétation, il était purement factuel. C'était donc avec cette remarque en tête qu'il convenait de lire les deux dernières lignes du policier évoquant ce témoignage : « Note : il est de l'opinion de l'officier (auteur de ce rapport) que Mlle Murray était vague et évasive dans sa manière de répondre aux questions concernant les activités de Mlle Monroe dans la soirée du 4 août. Il n'est pas possible de déterminer si cela était intentionnel ou pas[1]. »

*

---

1. In *Re : Interview of persons known to Marilyn Monroe,* 10 août 1962. Voir annexe.

Au fil des années et au gré de ses très rares interventions publiques, Eunice Murray ne fit rien pour infirmer l'étrange impression du détective Byron.

Au contraire même.

Ainsi, en 1962, interrogée par la LAPD, l'assistante avait affirmé s'être inquiétée du sort de la star quand, au beau milieu de la nuit, elle avait remarqué de la lumière filtrant sous la porte de sa chambre. Or, en 1973, dans un entretien accordé au *Ladies Home Journal* pour contrer les accusations contenues dans le livre de Norman Mailer, Murray changea sa version. Désormais, c'était le fil du téléphone passant sous la porte qui avait attiré son attention. Parce que Marilyn souffrait d'insomnies et prenait soin de placer le combiné dans la pièce la plus éloignée du lieu où elle dormait, le recouvrant de coussins afin d'étouffer le son d'une éventuelle sonnerie.

Ce détail pourrait paraître insignifiant, mais il ne l'était pas. Si Eunice Murray avait modifié son témoignage, c'était parce que, quelque temps plus tôt, la presse avait révélé que la moquette de la chambre empêchait toute lumière de passer. L'argument ayant justifié son intervention ne fonctionnant plus, l'assistante avait modifié son récit sans même prendre le soin de s'en justifier.

*

Et ce revirement n'a rien d'un cas d'espèce...

Questionnée par Byron, Eunice Murray avait déclaré avoir trouvé le corps sans vie de Monroe aux alentours de 3 h 30 du matin, le 5 août 1962. Mais en 1973, elle estimait que la macabre découverte s'était produite aux alentours de minuit. Un horaire qu'elle confirmait deux ans plus tard dans *Marilyn : The Last Months* [1], insipide tentative de récit de ses derniers mois en compagnie de la star.

---

1. *Marilyn : The Last Months,* Eunice Murray, Pyramid Books, 1975.

*

Mais le contre-pied le plus spectaculaire concerna la venue de Robert F. Kennedy au 12305 Fifth Helena Drive dans la journée du 4 août 1962.

Après avoir nié sa présence en 1973 et 1975, Murray revint sur ses déclarations en 1986 lors du tournage du documentaire de la BBC, *Say Goodbye to the President*.

Un coup de théâtre dont le réalisateur, Ted Landreth, se souvenait parfaitement : « L'interview avait été conventionnelle en ceci que Mrs Murray n'avait pas changé la version qu'elle avait récitée durant tant d'années. Mais, aussitôt la caméra arrêtée et les lumières éteintes, Mrs Murray avait fait une remarque stupéfiante. Par chance, la bande-son tournait encore et nous avons inclus son commentaire dans le film [1]. »

Hors champ, Eunice assurait qu'il était en effet présent, déclaration qu'elle agrémenta de détails. Anthony Summers, qui venait de mener l'interview, eut le réflexe de poursuivre l'entretien : « Mrs Murray m'a dit soudain : "Pourquoi donc, à mon âge, dois-je ainsi continuer à dissimuler la vérité ?" Je lui ai demandé ce qu'elle voulait dire, et elle nous a stupéfiés en admettant que Robert Kennedy avait effectivement rendu visite à Marilyn le jour de sa mort, et que le médecin [le Dr Greenson] et une ambulance étaient arrivés alors qu'elle était encore en vie [2]. »

*

Cette brusque et tardive confidence devenait une énigme supplémentaire à déchiffrer.

Comme je l'ai démontré plus haut, il était impossible que l'Attorney General ait pu rendre visite à Marilyn le jour de

---

1. Cité in http://users.skynet.be/p.pollefoort/pages/enquete/quiatuemm. htm
2. *Ibid.*

son décès. Partant de cette vérité aussi étayée qu'établie, cela signifiait que Murray mentait. Comme l'histoire farfelue de l'ambulance chère à James Hall le confirmait d'ailleurs.

Dès lors, une autre interrogation surgit : qu'est-ce qui poussait l'ex-assistante à domicile de Monroe à distordre ainsi la vérité ?

Pour certains, Eunice avait été victime de son âge. De fait, en entendant l'enregistrement de sa conversation avec Summers on la devinait quelque peu confuse[1].

Personnellement, je ne croyais pas à cette explication. De mon point de vue, Murray avait au contraire pesé ses mots. Et l'implication de Bobby ne relevait ni du hasard ni d'une sénilité précoce.

« L'aveu » à Summers relevait de la même logique personnelle que ses autres arrangements avec les faits. Mises bout à bout, ses déclarations variaient pour ne prouver qu'une chose : l'assistante à domicile de Marilyn Monroe ne souhaitait surtout pas que l'on connaisse les secrets de la dernière nuit de l'actrice.

Plus que jamais, retrouver Steven Miller s'imposait.

---

1. In *The DD Group, op. cit.*

84. Veuve

Reconstituer la vie d'un inconnu est un exercice troublant.

Normalement, en fin de parcours, une fois assemblés les morceaux épars du puzzle que forme l'existence de quelqu'un, domine le sentiment de vagabonder en terres familières. On a l'impression de connaître la personnalité, les traits de caractère, de celui ou de celle sur qui on a enquêté.

Mais là, après des mois passés à suivre patiemment les traces d'Eunice Murray, j'avais toujours la sensation de me confronter à une étrangère. À un mystère même.

*

Le portrait habituel de l'assistante à domicile de Monroe constitue un curieux mélange de style, tant les informations semblent contradictoires.

Selon certains ouvrages, Marilyn détestait Eunice, l'actrice ayant l'impression d'être jugée en permanence par son employée. De fait, d'après d'autres livres, la vraie fonction de Murray n'était pas de tenir compagnie à la star mais d'espionner ses faits et gestes au bénéfice du Dr Greenson.

Murray, Greenson... l'histoire méritait quelques lignes.

En 1946, Ralph Greenson s'était porté acquéreur de la villa d'Eunice Murray. À quarante-quatre ans, abandonnée par son mari, celle-ci n'avait plus d'autre choix que de vendre la propriété de type mexicain construite à Santa Monica. Quinze ans plus tard, le psychiatre parvint à convaincre Marilyn d'engager une assistante à domicile et recommanda Eunice. D'où l'idée que Murray avait été en réalité placée là pour la surveiller. Un sentiment renforcé à la fois par le fait qu'Eunice ne possédait aucune qualification en psychiatrie et par le sentiment que Ralph Greenson désirait réellement contrôler l'existence de sa patiente.

Si l'on voulait présenter le Dr Greenson comme un mélange de Raspoutine et de Machiavel, alors Eunice Murray enfilait parfaitement les habits de l'âme damnée à son service. D'ailleurs, n'avait-elle pas déclaré, le 6 août 1962, dans les colonnes du *Los Angeles Herald Examiner,* que, « concernant Marilyn, le Dr Greenson [m']avait donné certaines instructions que je ne peux pas répéter [1] » ?

C'est en tentant de compléter cette ébauche, à mon sens caricaturale, que je découvris les raisons de croire un peu plus aux révélations de Steven Miller.

*

Eunice Marjorie Joerndt vint au monde le 3 mars 1902 à Chicago. Élevée au sein d'une organisation religieuse rigoureuse, sous l'influence de sa sœur aînée, elle se maria à vingt-deux ans.

Neuf mois plus tard, Eunice donnait naissance à sa première fille. Et – cela ne s'inventait pas – celle-ci fut prénommée Marilyn !

Quelque temps plus tard, la famille Murray quitta l'Illinois pour la Californie. Où, le 20 mars 1926, Eunice accouchait de jumelles, Patricia et Jacqueline.

Ces précisions généalogiques pourraient paraître superflues si elles n'étaient pas à l'origine de la rencontre avec le

---

1. In *Los Angeles Herald Examiner,* 6 août 1962.

Dr Greenson. Or aucune biographie consacrée à Marilyn Monroe n'a jamais éclairci ce point, pourtant susceptible d'éclairer d'un jour nouveau la relation entre le médecin et la future assistante de la star. En fait, Jacqueline Murray souffrant de troubles psychologiques à l'adolescence, Eunice, désemparée, fut orientée vers le Dr Greenson afin de trouver un traitement[1]. On apprend donc que, en 1946, quand Eunice, abandonnée par son mari, se décida à vendre sa villa, le Dr Greenson n'était en rien pour elle un étranger. Et encore moins quand, à la même époque, le médecin lui proposa d'entrer au service de ses patients. La mère de famille ne possédait aucun diplôme, mais le praticien, impressionné par la manière dont elle s'occupait de sa fille[2], estima qu'elle serait capable de gérer ses malades. Son aptitude à marier douceur et attention l'ayant séduit, Greenson souhaitait qu'elle l'applique à ses propres patients. C'est d'ailleurs pour cette raison qu'avec une certaine fierté Eunice préférait le titre de « compagnon rémunéré » au terme d'assistante dont les médias l'avaient affublée[3].

Tous ces éléments, ce sont des proches ou des parents d'Eunice qui me les ont confiés. Dessinant une image ne correspondant guère à celle présentée depuis plus de quarante-cinq ans. Une image que je considérais plus proche de la réalité : Eunice étant entrée au service de Monroe en 1961 et s'y trouvant encore en août 1962, si elle avait réellement été l'épouvantail rigide condamnant le métier et le mode de vie de Marilyn chargé de la surveiller au profit de Greenson, pourquoi la star l'aurait-elle gardée aussi longtemps ?

Mieux, les déclarations d'impôts de Murray attestaient que l'actrice avait augmenté son salaire à plusieurs reprises depuis son embauche. Tout comme elle avait multiplié les cadeaux

1. Entretien avec Patti Mocella, nièce d'Eunice Murray, 20 juillet 2007.
2. *Ibid.* Voir aussi entretien avec David Stanowski, neveu d'Eunice Murray, 18 juillet 2007.
3. *Ibid.*

et les primes. Récompense-t-on un garde-chiourme acariâtre de la sorte ? Évidemment pas.

Enfin, pourquoi le 6 août 1962 Joe Di Maggio, l'éternel confident de Marilyn, aurait-il proposé à Eunice de choisir un objet ayant appartenu à la star en signe d'éternels remerciements, si l'actrice ne l'appréciait pas ?

Une conclusion s'impose : si le comportement et le double jeu de Murray avaient été conformes à ceux colportés dans la littérature conspirationniste, il ne fait aucun doute que la star s'en serait ouverte à son ancien mari. Ce que ce dernier n'a jamais évoqué. Une fois encore, beaucoup d'ouvrages n'ont fait que trahir la réalité pour broder à l'envi.

*

Cette plongée dans le passé d'Eunice Murray avait été enrichissante. Et, comme nous le verrons plus tard, m'avait fourni des éléments déroutants sur les suites de la mort de Marilyn. Surtout, elle m'avait offert une raison supplémentaire d'accorder crédit aux propos de Steven Miller.

*

Le 19 mars 1976, Eunice Murray se mariait une seconde fois. À l'âge de soixante-quatorze ans, quand son mari venait de fêter, lui, ses soixante-dix-sept ans.

L'union avait été tardive, mais Eunice connaissait son nouvel époux depuis plus d'un demi-siècle. Et pour cause : avant cette union, Franklin Henry Blackmer avait été marié pendant plus de cinquante-deux ans à Carolyn Allison Joerndt, la propre sœur d'Eunice !

Le 19 mars 1976, Eunice épousait donc son ancien beau-frère et quittait la Californie afin de s'installer à Bath, dans le Maine. Dix-huit mois plus tard, Eunice se retrouvait veuve et rejoignait des membres de sa famille en Arizona, où elle mourut à son tour le 5 mars 1994[1].

Les secondes noces d'Eunice, courtes et tardives, ne figurent dans aucun des livres et documentaires consacrés à la mort de Marilyn. Une lacune regrettable en vérité. Car si son nom de jeune fille était apparu dans la biographie rédigée par Donald Spoto, jamais personne n'avait désigné l'ancienne assistante de Marilyn sous celui d'Eunice Blackmer. Jamais personne à l'exception de... Steven Miller.

Ainsi, dans l'article de l'australien *Woman's Day*, l'ancien infirmier confiait un détail a priori insignifiant, mais en réalité capital : « J'ai été l'infirmier d'Eunice Murray durant les six derniers mois de sa vie. Mais dans un premier temps, je n'avais aucune idée de qui elle était. Elle était inscrite sous le nom d'Eunice Blackmer[2]. »

Or nous étions en 1995, le réseau Internet faisait ses premiers pas[3] et Steven Miller n'avait aucun moyen extérieur de connaître l'ultime identité d'Eunice. Et encore moins de savoir que trente-trois ans plus tôt, la veuve Blackmer, sous le nom d'Eunice Murray, avait été le témoin des dernières heures de Marilyn Monroe. Il avait donc bel et bien connu de près ce personnage clef !

---

1. Et non en 1993, comme il est généralement indiqué. L'avis de décès d'Eunice Murray a été publié le 6 mars 1994 à la page 8B de *The Arizona Daily Star*. La loi de l'Arizona laissant aux familles le droit d'informer sur un décès, l'avis ne contenait que l'âge de la décédée et le nom de l'organisme de pompes funèbres chargé de la cérémonie. La dépouille de Murray repose aujourd'hui au cimetière d'Arivaca, au sud-ouest de Tucson.

2. In *Woman's Day*, 24 juillet 1995.

3. À noter que la page wikipedia consacrée à Eunice Murray affiche désormais son mariage avec Franklin Blackmer. Une modification effectuée seulement le 26 décembre 2007. Voir http://en.wikipedia.org/wiki/Eunice_Murray

85. Lumière

M'étais-je engagé sur une voie sans issue ? J'en arrivais à me le demander.

Certes, les membres de la famille d'Eunice Murray m'avaient été d'une précieuse aide, comblant les nombreux vides de la biographie de l'ancienne assistante de Marilyn. Des indications qui, à mes yeux, firent gagner en crédibilité aux révélations de Steven Miller, donnant par ricochet plus de poids à mes propres déductions. Mais, hélas ! les bonnes nouvelles s'arrêtaient là.

Après plusieurs mois, la traque de l'ancien infirmier n'avait pas progressé d'un iota. Ce qui me procura un sentiment d'inaccompli assez pénible.

Heureusement, cet abattement dura à peine deux jours.

Juste le temps de me convaincre que la piste Miller méritait un dernier effort.

Restait à savoir dans quelle direction orienter mes recherches.

*

L'évidence est une piqûre de rappel douloureuse parce qu'elle vous renvoie à vos propres faiblesses.

Or je disposais depuis le premier jour du moyen le plus sûr de retrouver Steven Miller. Et je ne l'avais pas remarqué.

Comme nous l'avons vu, l'article de *Woman's Day* débutait par une courte introduction de Miller. Où le lecteur apprenait qu'en 1994, alors qu'il s'occupait d'Eunice Murray, l'homme était infirmier certifié.

« Certifié »... Ce fut le déclic.

Au Texas, où je réside, une licence, pour être active, doit se voir renouvelée tous les deux à cinq ans. Pour répondre à d'éventuelles poursuites judiciaires, l'organisme de certification doit même conserver les données de ses candidats durant au moins dix ans.

En 1995, lorsqu'il avait dévoilé les confidences de Murray, Steven Miller était certifié en Arizona. Nous étions désormais en 2007. Soit douze ans plus tard.

Le délai flirtait avec les limites de l'archivage, mais je sentais que ma chance avait tourné.

*

Certes, l'Arizona n'est pas le Texas. Les recherches y sont plus compliquées, les droits des citoyens mieux protégés. Mais l'État possède des lois similaires.

Afin de recevoir sa certification, la candidature de Steven Miller avait dû être approuvée par un organisme qualifié. Et si la durée de conservation ne dépassait pas une décennie, la procédure était obligatoire tous les vingt-quatre mois. Donc, si je ne pouvais accéder aux archives de l'année du décès d'Eunice Murray, je pouvais commencer mes recherches par 1997, en espérant toutefois que l'infirmier ait renouvelé son dossier depuis son premier passage.

Mon intuition fut la bonne.

Alors que j'étais censé mettre une touche finale à mon enquête, je venais de trouver les premières traces de Steven Miller. La course-poursuite était lancée.

86. Trésor

Du Nord au Sud, d'Est en Ouest, après quelques semaines j'étais parvenu à reconstituer trente années d'une vie.

Steven Miller ne résidait plus en Arizona.

L'adresse figurant dans son dossier n'était plus valable depuis 1998.

L'homme avait déménagé sans cesse, multipliant les points de chute. En à peine trois semaines, j'avais retrouvé sa présence dans sept États différents !

Les archives de l'organisme de certification de l'Arizona m'avaient livré deux sésames. Dorénavant, je connaissais le deuxième prénom de l'infirmier, information qui avait considérablement réduit mon champ d'investigation. En outre, pénétrant dans les franges de la légalité, j'avais réussi à obtenir son numéro fédéral de licence, cette sorte d'identité professionnelle qui suivait un membre du corps médical tout au long de sa carrière quel que soit son lieu de résidence.

*

Mais c'était ailleurs que j'avais récolté le plus d'éléments.

J'avais découvert qu'avant d'obtenir sa certification en Arizona, Miller avait entrepris la même procédure dans plusieurs États limitrophes.

Dans l'un d'eux, une secrétaire sensible à mes recherches et à mon accent français m'accorda l'accès à un véritable trésor : le dossier original, rempli par Miller lui-même, qui contenait l'essentiel de son identité administrative. De son cursus scolaire aux noms de ses parents, de son lieu de naissance à la liste des contacts à prévenir en cas d'urgence, les pièces du puzzle s'assemblèrent d'un coup les unes dans les autres, et à une vitesse insoupçonnée. Un sentiment grisant qui me plongeait parallèlement dans une sorte de malaise. Car en quelques semaines, mon enquête s'était transformée malgré moi en obsession monomaniaque, me faisant glisser insensiblement dans la peau d'un voyeur.

La facilité avec laquelle je déroulais la bobine de la vie d'un inconnu me déconcertait. Si, sur le coup, cela me permettait d'avancer dans mes travaux, il s'agissait aussi d'une inquiétante constatation : aux États-Unis, la notion de vie privée se révélait totalement élastique.

En outre, je savais que jamais je ne devrais partager avec ma future proie la quantité d'informations que j'avais amassée. Recevoir un appel téléphonique le renvoyant douze ans en arrière constituerait sans doute déjà une expérience particulière. Inutile, donc, d'ajouter au traumatisme un sentiment de suspicion si une voix inconnue lui débitait les différents épisodes de son existence.

*

L'homme qui avait recueilli les confidences d'Eunice Murray résidait désormais sur la côte Est.

Son adresse, je l'avais vérifié, était toujours active. Restait à user des bons moyens pour le contacter. Puisque aucune ligne de téléphone ne semblait rattachée à son domicile, soit il était inscrit sur la liste rouge, soit il possédait seulement un téléphone portable.

La première option ne me laissait pas d'autre choix que de prendre l'avion et de me présenter chez lui. Sans m'être annoncé.

Or la perspective de se faire claquer la porte au nez n'avait rien d'encourageant. La seconde pouvait sembler compliquée, mais je savais où m'adresser afin de contourner l'absence d'annuaire public.

En réfléchissant, j'ai aussi constaté que les deux dernières adresses de Miller correspondaient à des appartements de location. S'il n'était pas propriétaire, les chances qu'il utilise seulement un portable devenaient plus fortes.

La déduction se révéla correcte. Et, en quelques minutes, je parvins à obtenir l'équivalent du Saint-Graal.

La traque touchait à sa fin : Steven Miller était à la portée d'un simple appel.

87. Charges

Bien entendu, en m'entendant il avait été surpris.

Bien entendu, il avait du mal à croire que je venais de passer presque trois mois à le poursuivre d'Australie aux États-Unis.

Bien entendu, il se souvenait parfaitement d'Eunice Murray.

*

Avant même d'évoquer le nom de Marilyn, nous avions discuté d'Eunice.

La façon dont il en parlait, cadrait avec les propos de la famille de l'ancienne assistante à domicile.

Le portrait était identique. Il était question d'une douceur dans la voix, d'une gentillesse dans le regard et, malgré l'âge, d'une vraie vivacité d'esprit. Eunice Murray n'était pas, semblait-il, une grande bavarde mais possédait le sens de la repartie.

La conversation avait naturellement dérivé sur la relation qu'elle entretenait avec Monroe.

Comme me l'avaient raconté quelque temps plus tôt David Stanowski et Patti Mocella, le neveu et la nièce d'Eunice, Miller confirmait que Murray éprouvait une réelle sympathie pour la star. Certes, Marilyn n'était pas son actrice préférée et Eunice doutait même de l'étendue de son talent,

377

mais, en plus d'une beauté dont elle assurait qu'aucun cliché ne lui rendait pleinement hommage, Eunice avait été subjuguée par la sensibilité et la bonté de l'actrice.

Les souvenirs de Miller me renvoyèrent à l'instant où, lors d'un entretien téléphonique, Patti Mocella avait eu l'expression la plus aboutie pour résumer le point de vue de Murray : « Eunice aimait Marilyn pour ce qu'elle était, pas ce qu'elle prétendait être. »

Le tableau touchait à sa fin. Le moment était venu. Il convenait maintenant d'évoquer la nuit du 4 août 1962.

*

La principale différence entre les récits de Steve Miller et ceux des parents d'Eunice résidait dans la manière dont cette dernière avait évoqué le décès de la star.

Ainsi, Patti m'avait confié avoir tenté à plusieurs reprises d'aborder le sujet avec sa tante. Mais, à l'exception d'une seule fois, sa réaction avait toujours été identique : enjouée quelques secondes plus tôt, Eunice se fermait ensuite très vite, refusant de revenir, même brièvement, sur la mort de Marilyn. Quelque temps avant son décès, probablement en 1993, Patti avait toutefois entrepris une énième tentative.

Ayant lu de nombreux ouvrages évoquant les dernières heures de Monroe, y compris ceux soulevant une prétendue responsabilité de Murray, elle souhaitait réellement entendre la version de l'intéressée.

Comme d'habitude, l'ancienne assistante n'avait d'abord rien dit. Quand Patti, insistant, avait jeté dans la conversation les noms de Robert F. Kennedy et Joe Di Maggio, Murray n'avait pas flanché. Sans émettre le moindre commentaire, elle avait évité le regard de sa nièce, exactement comme si elle se laissait submerger par ses souvenirs. Mocella s'apprêtait à capituler lorsque, tandis qu'elle se levait de sa chaise, Eunice avait fait un geste dans sa direction. Et comme si chaque mot nécessitait un effort extraordinaire, sans élever le ton, la vieille dame lui avait lancé : « Ce n'était pas un suicide[1]. »

*

La confidence n'était pas allée plus loin.

Et aujourd'hui Patti regrettait de n'avoir pas insisté. Avec du recul, la réponse de sa tante lui apportait toutefois une certaine satisfaction. Bien sûr, elle ignorait l'identité des responsables de la mort de Marilyn, mais l'essentiel était là : l'unique témoin de la dernière nuit avait avoué que la star ne s'était pas donné la mort seule.

Et, à elle seule, cette confession modifiait l'ensemble de l'histoire.

*

L'expérience de Miller avait été différente.

L'infirmier, lui, n'avait jamais sollicité les confidences de Murray.

Ainsi, pendant plusieurs semaines après qu'il eut découvert l'ancienne identité d'Eunice Blackmer, leur échange s'était limité au partage de souvenirs anodins sur la vie en compagnie de Marilyn.

L'assistante de la star aimait notamment évoquer un voyage au Mexique où les deux femmes avaient multiplié les visites chez les antiquaires et les artisans locaux pour meubler le 12305 Fifth Helena Drive que Monroe avait acheté quelques semaines plus tôt.

À mesure que sa confiance en Miller grandit, Eunice se fit cependant plus sûre d'elle, s'aventurant même sur le terrain du portrait psychologique : « Lorsqu'elle évoquait Marilyn, Eunice ne lui manquait jamais de respect. Au contraire même, il est évident qu'elle avait eu une réelle sympathie pour

---

1. Entretien avec Patti Mocella, *op. cit.*

l'actrice. En fait, Eunice estimait que les problèmes de Marilyn tournaient autour d'une seule cause : son impossibilité à trouver l'amour. Eunice en était persuadée : tout ce que Marilyn voulait, c'était être aimée et aimer en retour. Le reste ne lui importait guère [1]. »

À mesure que leurs conversations se multipliaient et s'allongeaient, Miller fut toutefois convaincu d'une chose : l'ex-assistante ne révélait pas tout. « Au bout d'un moment, il était devenu clair que quelque chose tourmentait Eunice, confia-t-il. De plus en plus fréquemment, Eunice se mettait à pleurer lorsqu'elle parlait de Marilyn. » Par respect pour sa patiente, Steven Miller n'avait pas tenté d'éclaircir les raisons de ce mal-être. « Ce n'était pas mon rôle de questionner Eunice. Et je pense d'ailleurs qu'elle n'aurait pas apprécié l'exercice et se serait complètement fermée. »

La confiance étant un équilibre fragile, Eunice se sachant en fin de vie, la brusquer n'aurait servi à rien. « J'avais pris soin de lui faire savoir clairement que j'étais à sa disposition. À plusieurs reprises d'ailleurs, elle m'avait sonné dans sa chambre. Mais, jamais elle n'avait réussi à trouver les mots justes. »

*

Sous le poids du passé, Eunice se réfugiait en effet dans le silence et les larmes.

Tentant de noyer une vérité qu'elle étouffait depuis plus de trente ans.

---

1. Entretien avec l'auteur.

88. Dernier

Bientôt tout serait terminé.

Et c'était beaucoup plus simple que ce que l'on redoutait.

D'abord, fermer les yeux. Lentement, se laisser glisser. Cesser de s'accrocher. S'oublier. Refuser de résister...

Une dernière fois, offrir au passé l'occasion de la rattraper. Et pour un instant, un instant seulement, oser en affronter les démons. Soutenir ce regard. Ne pas s'en détourner.

Rapidement, le mélange chimique commencerait à la submerger.

Elle n'aurait même pas le temps d'avoir peur.

Tout allait ralentir, se brouiller, s'adoucir et, enfin, s'effacer.

Bientôt, ce serait terminé.

Les illusions, les silences, les confidences et les mensonges. Une vie.

*

Tout ne pouvait s'achever ainsi. Sans traces.

Il lui fallait s'assurer que rien ne disparaisse avec son dernier souffle.

Elle devait parler.

Partager, offrir et avouer.

Elle devait le faire pour elle, pour lui, et pour cette voix qui n'avait jamais cessé de l'habiter

En fait, ce choix ne lui appartenait plus. Bientôt, il serait trop tard. Et les ombres allaient se dérober, et les noms disparaître.

Aujourd'hui, ses options étaient limitées. Il n'y avait que lui pour, une fois encore, l'entendre.

Dès leur première rencontre, quelque chose dans la douceur de son regard lui avait inspiré confiance.

Peut-être se trompait-elle ? Mais elle aimait croire qu'il savait l'écouter.

Alors, parce que les minutes avaient à son âge des accents d'éternité, elle se tourna vers la lumière.

Le temps était venu.

Après des années à brouiller les pistes, à cultiver l'esquive, à taire la vérité, sonnait l'heure des explications.

*

Une nouvelle fois, Steven Miller avait répondu à l'appel de la sonnerie.

Il faisait nuit noire mais Eunice ne dormait pas.

Elle n'avait laissé aucun répit à l'infirmier, sachant que la moindre hésitation lui serait fatale.

Son ton était définitif, presque tragique.

« Eunice m'a immédiatement dit qu'elle avait des choses importantes à me révéler. Je n'ai même pas eu le temps d'ajouter quoi que ce soit. Elle s'est aussitôt lancée. »

L'empressement de l'ancienne assistante de Marilyn n'avait pas surpris l'infirmier : « Je pense qu'elle savait qu'elle était arrivée au bout du chemin et souhaitait me raconter ce qui s'était passé avant qu'il ne soit trop tard. »

Le flot des paroles de la vieille dame trahissait l'urgence du moment : « Lorsqu'elle a commencé, elle ne s'est plus arrêtée. C'était comme si un énorme poids disparaissait enfin. Un peu comme... »

L'infirmier s'était tu. Au téléphone, il cherchait les mots justes.

De mon côté, je retenais mon souffle, sachant que la moindre distraction risquait de briser le flux des souvenirs.

Enfin, Steven Miller reprit : « En fait, le moment qui m'a le plus marqué est venu avec la fin. Elle était en larmes mais, en même temps, elle respirait la quiétude. Oui, l'idée est juste. C'était exactement comme si elle venait de soulager sa conscience. »

*

Steven Miller conservait un souvenir vivace des confessions d'Eunice Murray.

Si je n'avais pas les moyens de vérifier certains de leurs aspects, d'autres s'assemblaient parfaitement dans le puzzle que je tentais de terminer depuis longtemps et dont il ignorait tout.

La conversation avec l'infirmier ne modifia en rien mes conclusions. Au contraire, elle les renforça. Au bout de ma route, j'avais enfin l'intime conviction de connaître les circonstances exactes de la mort de l'actrice.

La prochaine étape coulait de source.

Cela faisait plus de quarante-cinq ans que Marilyn Monroe attendait.

Le temps était venu de dévoiler son dernier secret.

NEUVIÈME PARTIE

Failles

89. Jardin

Le samedi 4 août 1962 ressemblait à la veille.

Certes, le cœur de Los Angeles battait un peu moins fort. Mais, comme depuis des jours, le souffle chaud du Santa Ana enrobait la ville. Le vent arrivait avec le printemps et disparaissait dans les premiers frimas de l'hiver.

En Californie, cet alizé avait une sale réputation. Sec, il favorisait les risques d'incendies. Mais surtout, à en croire les autochtones, celui que certains surnommaient *El Diablo* avait, parait-il, le pouvoir de rendre fou. D'accélérer les divorces des couples fragiles, de pousser au crime les caractères excédés et d'encourager au suicide les désespérés.

Le vent, la lune, la peur... Qu'importe ! Le résultat était le même, une fois de plus, Marilyn entamait sa journée assommée par le manque de sommeil.

*

Son programme du 4 août 1962 était relativement léger.

Les jours précédents, Marilyn avait réussi à trouver un terrain d'entente avec les dirigeants de la 20th Century Fox. La reprise du tournage de *Something's Got to Give* sans George Cukor derrière la caméra était annoncée pour la rentrée et il fallait juste attendre que l'emploi du temps de Dean Martin lui permette de rejoindre la Blonde. Plus que de ce projet,

Monroe était satisfaite des conditions financières conclues pour son prochain contrat, enfin à la hauteur de son statut de star.

Si la visite d'Allan Snyder, son fidèle ami maquilleur, était prévue le lendemain afin de fêter la victoire sur le studio, l'actrice n'avait envisagé aucune activité sociale particulière pour ce samedi. C'était du reste pour cette raison que ses ongles n'étaient pas manucurés et ses jambes non épilées.

Le programme tournait en fait autour de sa nouvelle passion : le jardin. À plusieurs reprises depuis le début de l'été, la star avait visité des serres afin de sélectionner des pousses destinées à son petit bout de terrain. Ce matin-là, dès le lever du soleil, Marilyn avait donc rejoint son havre de paix, déterminée à mettre en terre les derniers arrivages.

Depuis son installation au 12305 Fifth Helena Drive, Marilyn avait changé. En bien. Ses proches avaient d'ailleurs noté les signes positifs qui ne trompaient pas : la star n'avait jamais été aussi épanouie. Le crédit de cette évolution revenait au Dr Greenson, puisque c'est lui qui avait suggéré l'achat d'une maison. À bon escient, il estimait que les insomnies de Marilyn étaient liées à son passé mouvementé d'orpheline. L'accès à la propriété, une première pour elle, lui offrirait un sentiment de stabilité autant que de sécurité. Bien entendu, le déménagement ne serait pas suffisant, mais ajouté aux heures de thérapie et au traitement de désaccoutumance mené par Engelberg, il devait permettre d'accompagner la comédienne sur la voie de la guérison.

*

La veille, Marilyn avait invité Pat Newcomb à passer le week-end en sa compagnie. L'assistante de presse, devenue une de ses rares amies, combattait depuis plusieurs jours les symptômes d'une bronchite. Le vendredi 2 août, son état s'étant aggravé, Newcomb avait annoncé à l'actrice qu'elle allait se faire hospitaliser. Mais Monroe, qui détestait les hôpitaux, était parvenue à la convaincre de modifier ses plans en optant pour le calme du 12305 Fifth Helena Drive. En lui suggérant de passer quelques heures à « cuire » sous la lampe à bronzer et de terminer cette « cure » originale au bord de la piscine. Un traitement qui, à l'en croire, devait terrasser n'importe quel virus.

Pat avait quitté son appartement le vendredi soir et, assommée par un somnifère, était encore couchée à midi au moment où Marilyn s'activait dans son jardin.

*

L'après-midi s'écoula au même rythme. Marilyn ayant abandonné ses plants, elle s'occupait des pièces de mobilier et de décoration arrivées la veille du Mexique.

De son côté, Eunice Murray, vaquant de la cuisine à la machine à laver installée dans le garage, préparait son départ. L'assistante à domicile avait en effet prévu de consacrer son été à visiter l'Europe. Pour la remplacer durant ce séjour, Marilyn avait demandé à sa cuisinière new-yorkaise d'assurer l'intérim.

Pat Newcomb, après une omelette aux herbes provenant du potager du 12305 Fifth Helena Drive, était retournée sous les rayons assommants de la lampe.

En milieu d'après midi, le Dr Greenson était arrivé. Si, par moments, Marilyn avait eu recours à deux consultations quotidiennes, la plus importante demeurait celle de la fin de journée. Censée apaiser l'actrice, la séance devait aider Monroe à se glisser avec moins de difficultés dans les bras de Morphée. Ralph Roberts et Allan Snyder considéraient que cet horaire de visite renforçait les mauvaises habitudes de sommeil de Marilyn, l'actrice aimant se coucher avant même l'arrivée de la nuit, la disparition du jour l'angoissant terriblement.

Le problème, comme l'avait remarqué Snyder, c'était que

Marilyn se réveillait souvent autour de minuit et ne parvenait plus à se rendormir ensuite [1].

Quoi qu'il en soit, le Dr Greenson s'était enfermé avec Marilyn aux alentours de 16 h 30 pour tenter de calmer ses peurs. Comme d'habitude, la séance tourna autour de la crainte de la patiente de ne pouvoir trouver le sommeil.

Une heure plus tard, Greenson interrompait la séance pour demander à Pat Newcomb de retourner chez elle. Sa présence, expliqua-t-il, contribuait à éprouver nerveusement l'actrice.

Il quitta ensuite le 12305 Fifth Helena Drive entre 18 h 30 et 19 heures.

---

1. In *Marilyn, The Last Take, op. cit.*

90. Téléphone

Lentement, le domicile de l'actrice s'enfonça dans la nuit.

Marilyn, qui n'avait rien avalé depuis son petit-déjeuner frugal, avait rejoint sa chambre, tirant derrière elle le long fil de son téléphone privé. Comme de coutume, elle escomptait passer les prochaines heures à multiplier les appels, tentant de trouver une voix rassurante dont le *tempo* parviendrait à la bercer jusqu'au sommeil.

Dans le salon, Eunice Murray s'était installée devant la télévision.

Tout juste après 19 h 15, Joe Di Maggio Jr téléphona pour la troisième fois de la journée. Le fils de l'ancien mari de Marilyn, alors basé à Camp Pendleton, avait appelé sur la ligne « publique » de Marilyn, celle ouverte à certains journalistes et aux contacts professionnels. Eunice Murray avait donc répondu et, après avoir vérifié que sa patronne ne dormait pas, avait accepté l'appel en PCV. Le jeune soldat tenait à dire à Marilyn, qu'il avait toujours considérée comme une amie de confiance, que, suivant ses conseils, il renonçait à épouser sa fiancée du moment. La conversation dura une vingtaine de minutes.

Dans la foulée, l'actrice appela le Dr Greenson afin de lui faire partager ce qu'elle considérait comme une bonne nouvelle. La porte de la chambre étant ouverte, Eunice Murray capta quelques bribes de cette courte communication avec le médecin. L'assistante en déduisit que Marilyn était dans un « très bon état d'esprit ».

Quelques minutes plus tard, l'actrice confia le téléphone à Murray et, après lui avoir souhaité une bonne nuit, retourna dans sa chambre.

Il était approximativement 19 h 40, ce samedi 4 août 1962.

*

Environ une heure et demie après l'appel de Di Maggio Jr, la ligne principale sonnait à nouveau.

Milton Rudin, l'avocat de Marilyn, venait s'enquérir de sa santé. Une vingtaine de minutes plus tôt, il avait reçu un appel urgent de Milton Ebbins, agent du comédien Peter Lawford, beau-frère de JFK et mari de Pat Kennedy, l'une des plus proches amies de la star. Lawford, rongé par l'alcool et la drogue, craignant le poids du scandale si cette dépendance devenait publique, se reposait en tout sur Ebbins. Chaque décision, chaque geste de l'acteur britannique devaient obtenir l'aval de ce manager[1].

Or vers 20 h 15, Lawford lui avait téléphoné, visiblement inquiet. Quelques minutes plus tôt, alors qu'il parlait à Marilyn, le comédien avait trouvé de plus en plus incohérents les propos de l'actrice. Le rythme de ses mots avait même considérablement ralenti jusqu'à s'interrompre au beau milieu d'une phrase. Lawford avait hurlé au téléphone afin de la secouer, mais il n'avait plus rien entendu. Pensant à un problème technique, il avait demandé à l'opératrice de le reconnecter au numéro privé de Monroe. La tentative avait échoué, comme si, dans la chambre de la star, le combiné n'avait pas été raccroché.

Impulsivement Lawford se serait volontiers précipité au 12305 Fifth Helena Drive, situé à quelques minutes à peine

---

1. In *The DD Group, op. cit*

de son domicile. Mais, avant de rejoindre son véhicule, il avait préféré contacter Milton Ebbins.

Constatant que son client était passablement éméché, ce dernier lui déconseilla formellement d'entreprendre cette démarche. Après tout, il était un acteur, également beau-frère du Président et, à ce titre, ne pouvait se permettre d'être mêlé à un scandale. Ebbins affirma comprendre l'urgence mais suggéra à Lawford de patienter chez lui tandis que lui-même tentait d'éclaircir les choses. Après tout, peut-être s'agissait-il d'une fausse alerte ?

Ebbins téléphona donc à Rudin, lequel n'était pas seulement l'avocat de Marilyn Monroe, mais aussi le beau-frère du Dr Greenson. Quelqu'un au fait de l'état de santé de la star.

L'agent de Lawford avait mis une bonne dizaine de minutes à localiser Rudin, lequel participait à une soirée au domicile de la veuve du manager de Sinatra. C'est donc vers 20 h 45 que Ebbins informa Rudin des craintes de Lawford.

Une dizaine de minutes plus tard, le téléphone sonna chez Monroe. Eunice Murray répondit et rassura l'avocat : Marilyn se trouvait dans sa chambre et dormait. Comme il le dira plus tard au détective Byron, Milton Rudin en conclut que l'appel de sa cliente à Lawford relevait de ses habituelles demandes d'attention.

Après avoir informé Ebbins, qui prévint à son tour Lawford, Milton Rudin retourna à son cocktail.

Et Eunice Murray à sa série télévisée.

91. Aseptisée

Soudain, Eunice Murray avait sursauté.

Un bruit peut-être ?

Non, le silence enveloppait les murs du 12305 Fifth Helena Drive.

Il s'agissait donc d'autre chose.

Un sentiment étrange, une sorte de peur l'empêchaient d'essayer de s'endormir. Pour se rassurer, mieux valait se lever.

Le rai de lumière s'échappant sous la porte de Marilyn attira d'emblée son attention. Doucement, elle frappa. Devant l'absence de réponse, ses coups se firent plus lourds et insistants.

Dans le même geste, elle tenta de tourner la poignée. Mais Marilyn s'était enfermée.

Il n'y avait qu'une chose à faire : se précipiter vers le téléphone et joindre le Dr Greenson. Lui saurait.

*

Le médecin, qui habitait à proximité, rejoignit Murray après quelques minutes.

En l'attendant, Eunice eut la présence d'esprit d'aller regarder par la fenêtre donnant sur la cour. Et l'image s'était instantanément inscrite dans sa mémoire.

Marilyn allongée sur son lit. Dans une position étrange.

*

Greenson arriva.

À son tour, il constata que la porte de la chambre était bloquée. Et que Marilyn ne répondait toujours pas.

Devant la fenêtre, le médecin brandit un tisonnier. Un coup vif et le verre vola en éclats.

Du bout de l'objet, il écarta le rideau.

À son tour, il venait de la voir.

Nue, allongée sur son lit, le visage écrasé sur son matelas et le combiné du téléphone serré dans sa main droite.

Greenson s'approcha.

Il n'avait même pas eu besoin de la toucher, de chercher un pouls éphémère : tout de suite, il avait compris.

Une étoile venait de s'éteindre.

*

Nous étions à Hollywood et le récit de la découverte du corps de Marilyn Monroe avait tout d'un final cinémascope : l'assistante impuissante, la course contre la montre et, avant la révélation du drame, l'effort chevaleresque du héros tentant de sauver sa Belle... Certes, nous parlions ici du médecin de Monroe, mais par extension, n'était-ce pas ce que le psychiatre entreprenait depuis des mois, sauver la diva ?

Quoi qu'il en soit, si cette version possédait d'évidentes vertus cinématographiques, c'est tout simplement parce qu'elle se révélait aussi imaginaire et fausse que n'importe quelle œuvre de fiction. Les dernières heures de la star ne ressemblaient évidemment en rien à ce récit aseptisé. Car cette présentation des choses ne cherchait qu'à camoufler une série de manipulations pour, en bout de course, étouffer la terrible vérité · Marilyn ne s'était pas suicidée.

92. Faille

La toile de mensonges était épaisse mais sa trame bien fragile.

Il suffisait de tirer sur le bon fil pour voir l'ouvrage commencer à trembler, puis se déchirer.

En toute logique, il fallait commencer par le récit d'Eunice Murray.

*

L'assistante à domicile joua un rôle essentiel dans le drame du 4 août.

De fait, le rapport du LAPD avait été construit principalement sur ses souvenirs de la nuit, elle-même étant la seule garante de l'emploi du temps de Marilyn. Si Rudin et Di Maggio Jr avaient confirmé leurs appels du début de soirée, la suite des événements dépendait des seuls propos d'Eunice. Elle seule assurait que le calme régnait, que Marilyn dormait, qu'une intuition l'avait réveillée au milieu de la nuit et que la lumière s'échappant de la chambre de la star l'avait alertée.

Or, on l'a vu, ce point essentiel était faux. Et, confondue par la presse, Eunice l'avait d'elle-même corrigé. Dix ans après le drame, la lueur filtrant de la chambre n'était plus le facteur ayant attiré son attention. La moquette trop épaisse l'avait conduite à revenir sur son récit. Désormais, à l'entendre, c'était le fil du téléphone qui avait attiré son attention. Or là encore il ne s'agit pas d'un détail, mais d'une faille.

Une brèche dans laquelle il me fallait m'engouffrer pour avancer vers la vérité.

*

La version de Murray débordait d'incongruités.

Son explication censée justifier son réveil en pleine nuit était par exemple assez particulière. Dans son propre ouvrage de souvenirs, elle avait même eu recours à une improbable explication astrologique, prétextant qu'une des caractéristiques de son signe était une intuition développée. Sur ce point, et jusqu'à preuve du contraire, on pouvait lui accorder le bénéfice du doute.

Mais l'épisode de la moquette se transformant en fil de téléphone et les embarras avec les horaires achevaient de rendre ses explications douteuses.

Certes, personne n'exigeait de l'assistante à domicile qu'elle connaisse à la seconde près le déroulé de la découverte du cadavre, mais il faut admettre que son témoignage paraissait bien élastique.

Ainsi, interrogée par le sergent Clemmons, premier policier sur les lieux, Eunice avait déclaré s'être précipitée à la fenêtre de la cour aux alentours de 3 h 30 du matin. Une heure qui avait surpris le policier. Car si Murray disait vrai, cela signifiait que le docteur Engelberg avait prévenu le LAPD au moins cinquante-cinq minutes après le premier constat visuel du décès.

Ce laps de temps ne choquait pas les deux médecins présents au 12305 Fifth Helena Drive. Murray avait joint le Dr Greenson qui, le premier, avait pénétré dans la chambre, et Engelberg était arrivé quelques minutes plus tard. Clemmons le comprenait, mais calculant les distances séparant les domiciles des médecins et celui de la star, il restait quasiment une demi-heure de flottement avant l'appel d'Engelberg informant les autorités.

Là encore, Greenson avait fourni une explication : la mort de Marilyn Monroe n'était pas un cas comme les autres ; dans quelques heures, l'annonce de son décès allait choquer le monde entier. Mais avant, dès que l'information commencerait à circuler sur les radios de la police, il faudrait à peine quelques minutes pour voir apparaître les premiers journalistes. Avant de contacter le LAPD, le médecin avait donc informé la... 20th Century Fox, afin d'obtenir l'autorisation de rendre publique l'information.

Pour Clemmons, ce retour à la réalité avait été rude : l'espace d'un instant, il avait failli oublier qu'Hollywood vivait par et pour les studios.

*

La chronologie de la nuit avait donc été établie ainsi. Murray apercevait le corps vers 3 h 30. Dans l'heure qui suivait, Greenson brisait la vitre de la chambre, Engelberg arrivait, le studio était prévenu et, enfin, à 4 h 25, le sergent Clemmons répondait à un appel du Dr Hyman Engelberg l'informant du suicide de Marilyn.

Il n'avait évidemment pas fallu attendre longtemps avant que cette version montre ses défaillances. En 1963, dans le cadre du documentaire hommage réalisé par la Fox, Eunice Murray modifia en effet son témoignage. À l'entendre, elle s'était rendue dans la cour du 12305 Fifth Helena Drive vers 2 heures du matin. Le reste du scénario, quant à lui, ne bougeait pas puisqu'elle avait vu le corps de Monroe et attendu l'arrivée de Greenson.

Le seul problème de cette nouvelle chronologie résidait dans le temps mis pour prévenir les autorités. Car, désormais, près de deux heures trente s'étaient écoulées.

Or ce n'était pas fini. En 1973, nous l'avons vu aussi, Eunice accordait un long entretien au *Ladies Home Journal*. Où elle variait à nouveau sur l'heure de la découverte du corps. Il ne s'agissait plus cette fois de 3 h 30 ou de 2 heures du matin, mais de minuit ! Une différence de taille.

Si Murray disait vrai cette fois, cela signifiait que le LAPD avait été informé quatre heures trente après le décès. Et aucun des arguments avancés par le Dr Greenson ne justifiait un si long silence.

Que s'était-il passé durant l'intervalle où, a priori, Murray, Engelberg et Greenson étaient restés seuls avec le cadavre de Monroe ?

Pourquoi, après le réveil spontané au milieu de la nuit et la fausse histoire du rai de lumière, les souvenirs de l'assistante à domicile s'accordaient-ils si mal avec la vérité ?

La réponse trouvait son origine dans une autre fable d'Eunice Murray.

93. Serrure

La peur ne quittait jamais Marilyn Monroe.

Elle était même trop profondément ancrée en elle pour disparaître sous l'effet des paroles apaisantes de Greenson.

Si la crainte de l'enlèvement hantait les nuits de Marilyn, son aversion de l'enfermement ne connaissait pas plus de répit. Une phobie directement liée au passé de Norma Jean Baker, à ses origines familiales, et au fait que l'asile ait constitué la triste réalité des vies de ses mère et grand-mère. Il y avait eu aussi les heures traumatisantes passées dans un placard lorsque, fillette, elle était victime de la folie de son aïeule. L'internement dans un hôpital psychiatrique de New York, en février 1961, l'avait directement renvoyée à ses terreurs. Et le traumatisme des journées d'isolement en cellule capitonnée ne la quittait plus depuis.

On s'en doute, les anxiétés de l'actrice pesaient sur son quotidien, l'incitant à adapter son environnement pour essayer de les apaiser. Les épais rideaux couvrant le mur de sa chambre jouaient un rôle précis : ne pas laisser passer le moindre rayon de lumière afin que son sommeil si fragile ne soit pas interrompu avant la complète levée du jour.

Comme Ralph Roberts et Allan Snyder l'avaient expliqué aussi, la comédienne ne se couchait jamais sans avoir vérifié à plusieurs reprises que la porte de sa chambre n'était pas complètement fermée. Une précaution logique si l'on considère la nature de ses phobies.

Or Eunice Murray semblait avoir négligé, oublié même, cette donnée qu'il lui était pourtant impossible d'ignorer.

*

Le point essentiel du témoignage de l'assistante concerne donc la porte de la chambre. Elle prétendait avoir trouvé la serrure fermée. Une description confirmée ensuite par le Dr Greenson pour justifier le recours au tisonnier brisant la fenêtre. Sans cette serrure condamnée, c'est bien l'ensemble du déroulé de la nuit du 4 août qui s'effondre.

Les interprétations psychologiques, insuffisantes pour prouver quoi que ce soit, de même que les souvenirs de proches de la victime, sans doute altérés par le temps, ne suffisent pas pour trancher. Il faudrait des éléments solides, tangibles...

Contre toute attente, ils ne manquent pas.

*

La confirmation provient d'où on l'attendait le moins. D'Eunice elle-même.

Murray revint à plusieurs reprises sur ce point. Certes, elle ne l'avait pas fait publiquement continuant, dans ses mémoires par exemple, à raconter comment elle avait tenté en vain d'ouvrir la porte. Mais au fil des années, elle avait entretenu une correspondance mesurée avec une poignée d'admirateurs de la star, dont certains s'interrogeant sur la thèse du suicide. Si la plupart des échanges se consacraient aux habitudes de la comédienne, certaines missives abordaient les circonstances de son décès. Et, en 1982, dans une lettre adressée au collectionneur Justin Clayton, Eunice Murray reconnut, sans aller plus loin, que la porte n'était pas condamnée.

Cette confidence ne fut pas un acte isolé. Quatre ans plus tard, l'ancienne assistante communiquait la même information à Roy Turner, chercheur spécialisé dans les premières années de Monroe. À l'époque peu intéressé par les circonstances du décès et ne percevant pas l'enjeu de l'information, Turner n'avait pas relancé Murray. Une prudence d'autant plus regrettable qu'il s'agissait peut-être, de la part de Murray, d'une tentative d'orientation de la conversation vers les événements du 4 août. Car, en près de dix ans d'échanges, c'était en effet le seul indice qu'Eunice avait délivré volontairement.

*

Les propos mesurés à Justin Clayton et Roy Turner n'étaient en rien des cas isolés. Patti Mocella, la nièce d'Eunice, et Steven Miller, son infirmier avaient eux aussi évoqué devant moi une confidence semblable.

Mais si, grâce à ces quatre témoignages, la thèse de la porte fermée se trouvait d'un coup sérieusement ébranlée, une confirmation infaillible devait encore survenir. Or, par chance, la preuve définitive existait.

*

Tony Plant, citoyen américain fasciné par Marilyn Monroe en général et le mystère de son décès en particulier, avait consacré plusieurs années à essayer d'approcher de la vérité, lisant l'ensemble des documents publiés sur ce thème et, à chaque fois que c'était possible, en rencontrant les témoins encore en vie.

Membre actif du DD Group – une entité virtuelle rassemblant autour de David Marshall des admirateurs de l'actrice décidés à unir leurs forces et informations pour élucider les circonstances de sa mort – Tony avait, voilà quelques années, longuement rencontré Linda Nunez.

Le père de celle-ci, le Dr Gilbert Nunez, avait racheté le 12305 Fifth Helena Drive en 1962 et y avait habité avec sa famille jusqu'en 1977. Comme on peut s'en douter, l'acquisition de l'ultime résidence d'un mythe hollywoodien avait été riche en émotions pour les Nunez. D'autant que si les effets personnels de Marilyn ne se trouvaient plus dans la villa, l'aspect et l'agencement de celle-ci n'avaient pas changé depuis le fameux 4 août 1962. Personne d'autre n'avait vécu entre ses murs depuis la disparition de la star.

Linda Nunez, elle, avait résidé dans ces lieux durant presque quinze ans et se souvenait donc parfaitement de l'aménagement intérieur du dernier domicile de la star. Et plus particulièrement des portes intérieures, ayant passé son adolescence à maugréer contre le manque d'intimité qu'elles impliquaient. Devant Tony Plant, la fille du premier acquéreur de la propriété de Marilyn était catégorique : les portes des chambres, y compris celle de l'actrice, étaient de vieux modèles de style hispanique qui, s'ils étaient équipés de serrures à l'ancienne, ne disposaient d'aucune clé pour les condamner

Sans clé, la porte aurait donc dû s'ouvrir sous l'action de l'assistante.

Le récit de la découverte du corps s'écroulait d'un coup comme un pathétique château de cartes. Ce qui signifiait qu'Eunice Murray et le Dr Ralph Greenson avaient menti.

Restait maintenant à découvrir pourquoi.

94. Perception

Cette avancée décisive me permettait d'éclaircir un point de la version de Murray et Greenson qui m'avait toujours chagriné.

L'assistante à domicile et le médecin avaient toujours affirmé avoir vu le corps sans vie de Marilyn depuis la cour de la villa. Greenson avait même déclaré être persuadé que l'actrice était décédée avant d'avoir mis un pied dans la chambre, parce que sa position sur le lit, découverte à travers la fenêtre, ne laissait aucun espoir.

Or je ne comprenais pas comment Monroe, victime de graves crises d'insomnie, aurait pu espérer parvenir à dormir sans avoir tiré ses épais rideaux, les volets étant une commodité plutôt rare aux États-Unis. Si Murray et Greenson proclamaient l'avoir vue, cela signifiait que rien n'empêchait qu'ils la voient. Certes, on pouvait les imaginer se contorsionnant un peu afin de jeter un regard depuis les côtés des rideaux, mais le témoignage du fidèle Ralph Roberts allait dans un autre sens. Après avoir posé un double et épais tissu noir dans l'ex-appartement de la star, il avait installé le même élément de décoration 12305 Helena Drive.

Une tenture qui, nous l'avons vu, couvrait la fenêtre ainsi que l'ensemble du mur, de quoi rendre impossible la version de Murray et Greenson.

*

L'autre conséquence de cette avancée, c'était de modifier radicalement la *perception* des circonstances entourant la mort de Marilyn.

Toute enquête policière se voit orientée par la première impression des enquêteurs. Si ce réflexe, aussi psychologique qu'intellectuel, a parfois du bon, il peut être, *a contrario*, à l'origine de conséquences tragiques dans la recherche de vérité. Ce qui est le cas pour la mort de Marilyn.

Ainsi que nous l'avons décrit précédemment, la campagne de destruction orchestrée par la Fox et le parcours de la comédienne avaient servi de terreau idéal pour orienter les enquêteurs vers l'idée de suicide. Une perception renforcée par une série d'éléments directement liés au décès. Dès le premier appel au LAPD, la mort ayant été présentée par le Dr Engelberg comme un suicide, c'est dans cet état d'esprit que Clemmons avait rejoint le domicile de Marilyn. Comme, sur place, un second médecin, le Dr Greenson en l'occurrence, confirma la nature du décès et, ajoutant le geste à la parole, désigna la table de chevet surchargée de tubes et comprimés, croire à autre chose relevait de la suspicion irrationnelle. Surtout quand l'idée du suicide fut ensuite corroborée par le récit de Murray, avec l'évocation des bris de verre et de la porte fermée.

Ces éléments, à travers le Mortuary Death Report, ont été par la suite communiqués au Dr Noguchi afin qu'il commence l'autopsie. Laquelle fut entreprise dans cette optique. Quelque temps plus tard, lorsque la Suicide Prevention Team rend un rapport classant définitivement le décès de la star dans cette catégorie, on y découvre la série des éléments ayant conduit à cette conclusion. Dont la fameuse porte fermée à double tour. Pour les médecins réunis autour de Curphey, cet enfermement confirmait le désir de la star de mettre fin à ses jours.

*

Longtemps, l'invention de Murray et Greenson m'a perturbé.

Pourquoi avaient-ils éprouvé le besoin d'inventer cet épisode ? Pourquoi le médecin et l'assistante avaient-ils poussé la fable jusqu'à la mettre en scène, brisant une vitre de la chambre afin de justifier l'acte héroïque du médecin ?

Car, après tout, l'histoire de la découverte du corps aurait pu se passer de cet épisode. Murray se serait réveillée au milieu de la nuit, se serait engagée dans le couloir et aurait remarqué la lumière. Elle aurait alors ouvert la porte pour pénétrer dans la chambre. Et voilà, pas besoin d'en faire plus.

J'avais d'abord pensé que l'invention était liée au temps mis à prévenir la police de Los Angeles. Mais les changements d'horaires de Murray n'expliquaient plus, par la suite, l'obligation de gagner une quinzaine de minutes en obligeant Greenson à passer par la fenêtre.

En vérité, le mensonge de la porte condamnée avait été inventé pour une raison bien précise. Pour anticiper une question qui, au final, n'avait jamais été posée.

95. Fonction

Le choc de la découverte du cadavre avait caché une autre pièce du puzzle.

Aux alentours de 21 heures, soit sept heures et trente minutes avant que le Dr Engelberg prévienne le LAPD de la mort de la star, Milton Rudin avait téléphoné au 12305 Helena Drive pour s'assurer du bien-être de Marilyn. Coup de fil, comme on l'a raconté, qui avait été le dernier d'une succession de communications lancée par Peter Lawford.

Une demi-heure plus tôt, le beau-frère de JFK était en ligne avec l'actrice lorsque son élocution avait ralenti jusqu'à s'interrompre brutalement, laissant place à un angoissant silence.

Eunice Murray avait répondu à l'appel de l'avocat. Le rapport du détective Byron, celui-là même qui nota l'attitude équivoque de l'assistante, résumait l'échange téléphonique en quelques mots : « (Rudin) interrogeait Mlle Murray sur l'état physique de Mlle Monroe et était assuré par Mlle Murray que Mlle Monroe se portait bien[1] ».

Eh bien le mensonge de la porte fermée était né de ces quelques mots échangés avec l'homme de loi.

*

1. In *Re : Interview of persons known to Marilyn Monroe,* 10 août 1962. Voir annexe.

Pour le comprendre, il suffisait de se mettre à la place d'Eunice Murray.

Il était 21 heures ce samedi soir, et Monroe s'était retirée dans sa chambre depuis plus de deux heures. Soudain, le téléphone sonna. L'avocat de la star venait d'interrompre sa soirée mondaine pour vérifier l'état de santé de sa cliente.

Eunice Murray était à l'autre bout du fil. Son dernier contact avec Marilyn remontait à l'appel de Joe Di Maggio Jr, une heure et trente minutes plus tôt.

La démarche de Rudin était inhabituelle...

La fonction de Murray était *justement* de veiller sur une personne réputée pour ses tentatives de suicide et sa fragilité psychologique.

La question de l'avocat résonnait dans la tête d'Eunice.

La chambre de Marilyn se trouvait à moins de trois mètres. Le cordon du téléphone lui permettait de s'y rendre sans même poser le combiné.

Rudin attendait une réponse.

Sachant la porte toujours entrouverte, Eunice Murray alla discrètement jeter un regard.

Et là...

*

Cette question majeure n'était jamais venue.

Aucun inspecteur n'avait songé à demander à Eunice comment elle avait pu assurer Rudin de la bonne santé de Marilyn.

Si tel avait été le cas, l'assistante aurait évoqué l'humeur enjouée de la star suite au coup de fil de Joe Di Maggio Jr. Et là, normalement, le policier aurait pu – et dû – lui demander si elle était allée vérifier.

C'était inutile, aurait-elle répondu, puisque l'actrice avait fermé à double tour sa porte.

La fable constituait donc une assurance sur le futur.

Dans la mesure où Greenson n'ignorait pas que l'autopsie

permettrait d'établir le moment précis du drame, le mensonge de la porte condamnée et la mise en scène des bris de verre avaient en fait été imaginés afin de protéger certaines personnes de la révélation de l'heure véritable de la mort de Marilyn Monroe.

96. Lividité

La position de la défunte paraissait étrange.

Marilyn était allongée sur le côté gauche du lit, le visage était écrasé contre le matelas. Sous le corps, Eunice Murray pouvait apercevoir le cordon du téléphone.

Lentement, elle s'était approchée.

Elle avait d'abord tapoté l'épaule puis, plus fermement, secoué le bras.

La chair n'était pas encore froide, mais il était déjà trop tard.

La Blonde ne répondrait plus.

À un peu plus de vingt et une heures, Eunice Murray venait de découvrir le corps sans vie de Marilyn.

*

Même si quarante-cinq ans après les faits, certains – suivant les indications de Greenson et Murray – persistent à situer le décès de l'actrice aux premières heures du 5 août 1962, il apparaît relativement facile de déterminer le moment précis où Marilyn a succombé à une overdose massive. Car, une fois encore, la réponse se trouve dans l'autopsie du Dr Noguchi.

Comme le voulait l'usage, le médecin avait établi la rigidité cadavérique du corps, puis examiné ses lividités. La *rigor mortis,* raidissement progressif de la musculature commençant généralement trois à quatre heures après le décès, si elle n'était pas le seul outil possible, permettait, selon l'intensité de la rigidité, d'estimer le moment de la mort. Sur ce point Noguchi avait noté une intensité de niveau maximum. Ce qui signifiait que l'actrice était décédée au moins douze heures avant le début de son examen. L'autopsie de Noguchi ayant commencé à dix heures dans la matinée du 5 août, cela voulait dire que Marilyn était décédée la veille avant 22 heures.

En plus de la *rigor mortis,* le médecin avait remarqué deux zones de lividités. En plus de l'indication, comme nous le verrons, que le corps avait été déplacé, les *livor mortis*, colorations violacées de la peau liées à un phénomène de transfert de la masse sanguine entraînée par la pesanteur [1], confirmaient la première estimation. Du reste, dans son rapport, Noguchi évoqua « des zones de lividités dites fixes au niveau du visage, du cou, de la poitrine, de la portion supérieure des bras et du côté droit de l'abdomen [2] ».

En clair, Marilyn était morte allongée sur le ventre, le visage plaqué contre le matelas. Et ce, au moins douze heures avant l'autopsie, puisqu'une lividité devenait fixe lorsqu'une pression sur la partie colorée ne chassait plus le sang pour donner une teinte plus pâle à la peau [3], phénomène irréversible apparaissant au minimum douze heures après le décès [4].

Une soustraction de ce chiffre de celui de l'heure de l'autopsie permet donc d'affirmer que Marilyn était décédée avant dix heures le soir du 4 août.

*

1. Voir http://www.med.univ-rennes1.fr/etud/medecine_legale/la_mort.htm

2. In *Autopsy Report, File # 81128, August 5th, 1962,* voir annexe.

3. .http://fr.wikipedia.org/wiki/Datation_des_cadavres

4. In *Guide to Forensic Medicine and Toxicology,* B. Jain Publishers, 2005.

Un dernier élément aide à affiner cette estimation.

En 1962, les répondeurs téléphoniques n'existaient pas. À la place, certains usagers souscrivaient à un service de réponse en cas d'absence. Milton Rudin avait utilisé ce service durant la nuit du 4 août 1962. Et lorsqu'Ebbins avait tenté de le contacter, il était tombé sur une standardiste. À laquelle, il avait laissé un message invitant Rudin à le joindre de toute urgence. Conformément aux recommandations de son client, la nature du message avait poussé l'employée à téléphoner à la soirée où Rudin se trouvait.

Une fois averti par la standardiste, Rudin avait rappelé Ebbins puis, *in fine*, Eunice Murray.

À New York, Ralph Roberts, le fidèle ami de Marilyn, était abonné au même genre de service. Et comme ce samedi 4 août 1962 le masseur était lui aussi de sortie, il avait activé le programme. À 20 h 30, comme le prouvaient les notes de la standardiste, la ligne de Ralph Roberts avait sonné [1]. Mais la préposée eut du mal à comprendre les mots susurrés par la voix féminine à l'autre bout de la ligne, tant son discours était haché, incohérent, et sa voix cotonneuse. Plus étrange, dans une sorte de lente glissade, le flot irrégulier des paroles s'était interrompu sans que l'interlocutrice ait raccroché l'appareil.

Après quelques exhortations inutiles, la préposée avait interrompu la communication et préparé son rapport pour Ralph Roberts. En le découvrant, et après vérification, le confident de la star fut interloqué. Dans la poignée d'amis possédant son numéro, personne ne lui avait téléphoné cette nuit-là. Un seul nom restait donc sur la liste. Marilyn.

À 20 h 30, alors qu'elle était en train d'agoniser, dans un réflexe aussi vain que tragique, l'actrice avait tenté de joindre son ami de toujours. Et les sons incompréhensibles perçus par la standardiste du service de messagerie de Ralph Roberts n'étaient autres que les derniers mots de Marilyn Monroe.

---

1. In *Legend : The Life and the Death of Marilyn Monroe,* Fred Lawrence Guiles, Scarborough House, 1992.

97. Brouillard

Le brouillard se dissipait.

Primo, la version de la découverte du corps de Marilyn présentée par Eunice Murray et confirmée par le Dr Greenson était un mensonge.

Secundo, la course précipitée vers la fenêtre de la chambre, l'utilisation du tisonnier, les bris de verre résultaient d'une mise en scène.

Tertio, l'heure du décès avait sans cesse reculé dans le temps pour, finalement, s'imposer en début de soirée.

Les conséquences de ces révélations étaient majeures. Car, ainsi que nous le verrons, elles permettent de déterminer avec certitude le moment où Marilyn a reçu la surdose fatale. Et de dévoiler qui se trouvait au 12305 Fifth Helena Drive à cet instant précis.

*

Mais pour l'instant, il faut s'arrêter sur la conséquence la plus logique liée à cette énième découverte.

Si Marilyn agonisait aux alentours de 20 h 30, Eunice Murray avait obligatoirement découvert son corps une demi-heure plus tard, après l'appel de Milton Rudin.

Il devenait donc évident que l'excuse de la porte fermée à clé avait été inventée pour dissimuler cette révélation-là. En

413

outre, cela signifiait que le délai pris pour prévenir les autorités avait atteint presque... sept heures et trente minutes.

Sept heures et trente minutes !

Ce chiffre faisait tourner la tête. Ce laps de temps phénoménal permettait même d'envisager toutes les possibilités.

Sept heures et trente minutes !

Désormais, une seule interrogation importait : que s'était-il passé dans la nuit du 4 août autour du cadavre de Marilyn Monroe ?

DIXIÈME PARTIE

Le dernier secret

98. Séisme

L'erreur consistait à oublier qu'Hollywood ne ressemblait pas à l'Amérique. Que l'usine à rêves demeurait un monde à part. Un univers dont les règles, les obligations et les fidélités différaient de celles du reste du pays.

Les raisons de l'appel tardif au LAPD tombent alors sous le sens. Quand, à 4 h 25, le Sergent Clemmons avait décroché son téléphone, il avait été le dernier à être prévenu parce que, ce dimanche 5 août 1962, la loi des studios venait une nouvelle fois d'être appliquée.

*

Marilyn n'était en fait qu'un nom sur une longue liste où figuraient Thelma Todd, Paul Bern, William Desmond Taylor, Rock Hudson ou Lana Turner. Celle des mensonges perpétuels d'Hollywood.

L'usine à rêves s'était construite sur une montagne d'illusions, et le cas de Monroe n'échappait pas à la règle.

Les amours homosexuelles de Rock Hudson se voyaient camouflées par un mariage très médiatique. Les hématomes sur le visage d'Élizabeth Taylor résultaient d'un accident de la route alors qu'en réalité ils étaient le fruit d'une dispute alcoolisée avec Richard Burton. L'assassinat de Thelma Todd, actrice des années 1930, avait été déguisé en improbable suicide afin de ne pas évoquer les relations douteuses et délicates entre les studios et le crime organisé[1]. Les exemples de maquillages de la réalité ne manquaient pas.

Paul Bern, par exemple, était un metteur en scène et scénariste sous contrat avec la MGM. Et, depuis le 2 juillet 1932, le mari de Jean Harlow, la plus grande star de l'époque. Mais deux mois après les noces, il avait été retrouvé dans la villa du couple, entièrement nu, une balle dans la tête. Avant l'arrivée de la police, le studio avait passé plusieurs heures à modifier la scène du crime, pour s'assurer que les autorités concluent bien au suicide. Harlow étant le plus précieux investissement de la MGM – ainsi que l'avait reconnu un membre de la direction du studio – il fallait à tout prix la protéger du scandale[2]. Quitte à faire avaler l'improbable explication selon laquelle Bern avait mis fin à ses jours à cause de son impuissance sexuelle[3].

La mort inexpliquée de William Desmond Taylor illustre de même la mainmise des studios. Acteur, puis réalisateur à succès de films muets, il rendit son dernier soupir le 1er février 1922. La première raison invoquée pour justifier ce décès inattendu avait été une crise cardiaque. Une explication qui avait dû être modifiée lorsque le légiste avait découvert une balle dans son dos. Toujours est-il que quatre-vingt-quinze ans plus tard, son meurtre n'est toujours pas élucidé. Pour les spécialistes du dossier, on peut totalement imputer ce piètre résultat au pouvoir des studios. Car le lieu du crime avait été visité par les hommes d'Hollywood chargés de vérifier que rien ne relierait la mort du réalisateur à certaines des actrices qu'il fréquentait. Ensuite, comme pour Paul Bern, les studios avaient mis en marche la machine à enveloppes bien garnies en corrompant des membres du LAPD et du District Attorney[4].

---

1. In *Hollywood Confidential*, *op. cit.*
2. In *Deadly Illusions,* Samuel Marx et Joyce Vanderveen, Random House, 1990.
3. *Ibid.*
4. *Ibid.* et *A Deed of Death : The Story behind the Unsolved Murder of Hollywood Director William Desmond Taylor,* Robert Giroux, Knopf, 1990.

*

On se tromperait en croyant que les mœurs hollywoodiennes d'après-guerre avaient changé.

Au contraire même. Le cinéma était devenu une activité économique tellement importante, avec des studios côtés en bourse, des budgets de films s'élevant à plusieurs dizaines de millions et des stars sous le feu d'une attention médiatique et populaire sans égal, que rien ne devait venir enrayer la machine. Comme l'écrit David Marshall, « la majeure partie de [leur] travail [1] consistait à protéger [2] » les dollars misés sur une poignée d'acteurs et d'actrices.

Partie visible de l'iceberg, l'expansion des services chargés des relations publiques des compagnies. Leur mission, comme aujourd'hui d'ailleurs, était de s'assurer que les acteurs apparaissent sous un jour favorable dans la presse et, en cas de scandale, d'étouffer la vérité. En plus de spécialistes de la communication, les studios avaient également recruté dans les rangs des anciens du FBI et du LAPD, histoire de muscler leur sécurité. Du bon déroulement d'un tournage aux mesures de rétorsion à l'encontre des membres du crime organisé essayant de pratiquer certains chantages, ces hommes de main servaient à protéger coûte que coûte les intérêts des studios.

*

Le cas de Mickey Cohen, l'un des plus importants parrains de la cité Los Angeles, est à cet égard instructif. Malin, il avait rapidement perçu les craintes des studios. Et plus encore celles des acteurs et actrices qui, par contrat, s'étaient souvent engagés à éviter de créer le moindre scandale, donc d'éviter absolument de se retrouver mêlés à des affaires de drogue ou

---

1. Celui des hommes des studios.
2. In *The DD Group, op. cit.*

de sexe[1]. À ses yeux, l'hypocrisie ambiante cachait un filon inépuisable s'il savait l'exploiter habilement : en tendant lui-même les pièges où tomberaient ses victimes.

Une des combines préférées de Cohen consistait à mettre les stars dans des situations scabreuses. Puis, photographiés et films en poche, lui assuraient un revenu régulier.

En 1958, Lana Turner tomba dans un traquenard tendu par Johnny Stompanato, belle gueule virile recrutée par Cohen. L'affaire se termina dans le sang.

Officiellement, Cheryl Crane, fille de l'actrice alors âgée de quatorze ans, s'était interposée pour protéger sa mère des coups de son amant et avait poignardé ce dernier. Évidemment, l'histoire passionna et émut l'Amérique, Crane fut immédiatement libérée et Turner put triompher dans *Le Mirage de la vie,* film dont les recettes sauvèrent de la faillite – et de justesse – Universal Pictures.

La réalité n'avait bien sûr rien à voir avec cette bluette, mais elle illustrait le mode opératoire d'Hollywood lorsqu'un de ses « investissements majeurs » se voyait confronté au risque d'une infamie publique. Avant de contacter le LAPD, Lana Turner avait en effet téléphoné à son agent, lequel avait joint son avocat, puis les responsables de la communication du studio. Conduite par le détective privé Fred Otash, ancien flic et agent du FBI, la sécurité d'Universal arriva rapidement sur les lieux du meurtre. Et là, le cadavre avait été déplacé, les lieux nettoyés afin de correspondre à un déroulement dédouanant Lana Turner de toute responsabilité. Ensuite, l'actrice et sa fille répétèrent ce qui allait devenir la version officielle. C'est seulement trois heures plus tard que le meurtre fut signalé à la police de Los Angeles[2]

---

1. In *Hollywood Confidential, op. cit.*
2. *Hollywood Confidential, op. cit.* Dans son livre, Ted Schwarz multiplie les témoignages et indices laissant fortement présumer que Johnny Stompanato aurait été poignardé par Lana Turner et non sa fille.

*

En 1962, quatre ans après l'affaire Turner, Hollywood se voyait donc secoué par un tremblement de terre majeur.

Dans la nuit du 4 au 5 août, sa star ultime venait de mourir.

Car Marilyn Monroe n'était pas seulement populaire. Elle s'était trouvée depuis deux mois au centre d'une terrible partie d'échecs avec le plus important studio d'Hollywood. S'il était trop tard pour elle, il fallait en revanche s'activer pour protéger du séisme ce qu'il était encore possible d'y soustraire.

99. Manipulations

Arthur Jacobs avait d'emblée saisi la portée des mots murmurés par son interlocuteur. Il est vrai que le patron de l'agence en charge des relations publiques de Marilyn Monroe avait trop de métier pour ne pas anticiper la suite des événements.

Pourtant le mois d'août avait si bien commencé pour lui. Peter Levathes, de la 20th Century Fox, ne lui avait-il pas confirmé quelques jours plus tôt l'accord du studio ? Une nouvelle pas encore officielle, mais ô combien agréable : aussitôt *Something's Got to Give* achevé, il deviendrait coproducteur du prochain film de la star ! Mais le destin en avait décidé autrement...

*

En attendant, ce samedi 4 août, Jacobs profitait de sa soirée.

En compagnie d'amis et de Natalie Truly, sa future femme, ce *Public Relation* était venu applaudir Henry Mancini à la salle de concert du Hollywood Bowl. Le spectacle de ce compositeur de musiques de film avait débuté aux alentours de 20 h 30 et devait durer deux heures et demie. Mais une trentaine de minutes avant la fin, l'un des ouvreurs s'approcha de lui pour l'avertir qu'un appel urgent l'attendait.

Arthur Jacobs s'était levé immédiatement. De retour

quelques minutes plus tard, il se pencha vers sa fiancée et lui annonça son départ. Il venait, lui confia-t-il, de se passer quelque chose d'horrible chez Marilyn.

Avant de se retourner, il glissa dans un souffle l'impossible : la star était morte.

Il était 22 h 30 et l'alarme venait de sonner.

*

Le récit de Natalie Truly Jacobs, recueilli en 1986 par Anthony Summers [1], ne souffre aucune contestation.

Depuis sa publication, il a non seulement été confirmé par les époux LeRoy, lesquels accompagnaient Jacobs et sa fiancée au concert de Mancini, mais également par Juliet Roswell, l'une des secrétaires du publicitaire [2].

Par ailleurs, contrairement à certains personnages évoqués plus haut, Truly a toujours limité son rôle à ce seul souvenir. Chez elle, pas d'enjolivement de la réalité pour vendre un hypothétique livre ou s'assurer une présence sur le plateau de Larry King. Non, le récit de Natalie Truly Jacobs s'est toujours cantonné à la venue d'un employé de la salle de spectacles une demi-heure avant la fin du concert, à la confidence de son futur mari et à son absence durant les deux journées qui suivirent.

Quant à l'heure avancée par Natalie Truly Jacobs, elle a été, involontairement il va sans dire, validée par le docteur Engelberg en personne. À la fin des années 1970, ce dernier avait rompu son silence pour participer à une émission de débats. Où, sans que quiconque le remarque, il avait en effet expliqué que « l'alerte avait été donnée vers 23 heures [3] » !

Le récit de la fiancée du publicitaire de Marilyn explique le délai mis pour prévenir le LAPD. Son futur mari avait quitté le Hollywood Bowl vers 22 h 30 pour aller au 12305 Fifth

---

1. In *Goddess : The Secret Lives of Marilyn Monroe, op. cit.*
2. *Ibid.*
3. Cité in *The D.D. Group.*

Helena Drive. Et c'est seulement six heures plus tard que Clemmons recevait un appel signalant le suicide de la star.

Entre-temps, les hommes du studio avaient mis au point leur meilleure mise en scène.

*

Aussi étrange que cela puisse paraître, plusieurs sources attestent de la présence des hommes de la Fox au domicile de Marilyn plusieurs heures avant l'arrivée de la police.

Dont Arthur Landau, l'un des voisins de l'actrice. Retrouvé par Peter Harry Brown et Patte Barham, Landau raconta pour *Marilyn, The Last Take* ses souvenirs de la nuit du 4 au 5 août 1962. D'après ses souvenirs, vers une heure du matin, il avait eu toutes les peines à rejoindre son garage situé dans Fifth Helena Drive, la rue étant bouchée par de nombreux véhicules parmi lesquels il remarqua une « Mercedes, un break, un petit convertible de marque étrangère et deux voitures classiques qui ressemblaient à des véhicules banalisés[1] ». Alors qu'il tentait une manœuvre, Landau interrogea l'un des « gardes en uniforme qui se tenaient devant la porte de la résidence de Marilyn. La réponse avait fusé : "Ne vous inquiétez pas[2]" ». Le voisin comprit les raisons de cette agitation en écoutant les informations à la radio le lendemain matin.

Si la présence de gardes devant le domicile de la star pouvait, selon certains, traduire une faiblesse du récit d'Arthur Landau, à mon sens elle lui donnait plutôt un parfum d'authenticité. Car en 1991, Peter Levathes s'est souvenu avoir reçu, au milieu de la nuit du 4 août, un appel de Frank Neill. Le chargé des relations publiques de la 20th Century Fox, en partance pour la villa, demandait en effet à son patron d'envoyer de toute urgence une poignée de gardes du studio au domicile de la Blonde[3].

---

1. In *Marilyn, The Last Take, op. cit.*
2. *Ibid.*
3. *Ibid.*

*

En recoupant l'intégralité des témoignages, documents et informations publiés sur ce sujet, on peut assez aisément dresser une liste précise et fiable des personnages présents au 12305 Fifth Helena Drive dans les heures précédant l'arrivée de la police. En plus d'Eunice et des deux médecins, Arthur Jacobs, le responsable de l'image de la star, avait dû apparaître moins d'une heure après son départ du concert d'Henry Mancini.

Frank Neill, son équivalent de la Fox, était également sur place.

Milton Rudin, l'avocat de Monroe, faisait lui aussi partie du groupe, puisque Ebbins, l'agent de Peter Lawford, avait reçu un coup de fil de lui avant 4 heures du matin où le juriste expliquait être « chez Marilyn et qu'elle était morte[1] ».

C'était impossible à prouver, mais Fred Otash clama plus tard dans ses mémoires avoir été convoqué chez la star pour passer l'appartement au peigne fin[2]. Certes, l'autobiographie d'Otash vire souvent à la fiction, mais son rôle de « nettoyeur » au service des studios constitue un fait largement établi, comme, par exemple, sa présence au domicile de Lana Turner après le meurtre de son amant.

Et bien sûr, on peut ajouter la présence, à l'extérieur, d'au moins deux gardes.

*

Pour comprendre la série de manipulations orchestrées au domicile de Marilyn, il importait de se couler dans le mode de pensée de personnages obsédés par l'image et la réputation d'Hollywood, mais aussi hantés par la notion de risque.

---

1. In *Marilyn, The Last Take, op. cit.* Dans la nécrologie de l'avocat publiée le 17 décembre 1999, le *New York Times* nota aussi qu'il « avait été l'un des premiers à arriver chez Marilyn suite à son overdose ».
2. In *Investigation Hollywood,* Fred Otash, Regenry Co., 1976.

Leur star fétiche étant morte, bientôt, un flot de questions les submergerait. Les demandes d'entretiens avec les témoins, de photographies des lieux, de détails sur tout et n'importe quoi, surgiraient du monde entier, confirmant la popularité planétaire de l'actrice. Répondre intelligemment à ces sollicitations, en vendant une histoire « positive » si je puis dire, relevait de leurs compétences. Après tout, vivante ou morte le boulot était toujours le même : commercialiser Marilyn comme d'autres de la lessive.

Dès lors, ce n'était pas l'aspect promotionnel du dossier qui justifiait la réunion de crise au 12305 Fifth Helena Drive, mais la nécessité d'anticiper les événements. Car après l'instant de l'émotion naîtrait le temps des justifications. Or, depuis deux mois, les publicitaires de la 20th Century Fox ne s'évertuaient-ils pas à faire passer la défunte pour une caractérielle aux tendances suicidaires ? Le studio ne risquait-il pas, aux yeux du public, de porter une lourde responsabilité dans le décès de la comédienne ?

Pis, depuis quelques semaines, Monroe menait en coulisses une contre-attaque habile qui, sans que quiconque l'ait su à l'extérieur, avait été couronnée de succès, incitant la Fox à faire machine arrière. Quelques jours plus tôt, Levathes avait d'ailleurs passé plusieurs heures en compagnie de l'actrice pour reconnaître l'erreur du studio. Une nouvelle inquiétude surgissait d'un coup : existait-il une preuve écrite de ce revirement ? Qu'avait découvert Pinkerton, la célèbre agence de détectives que Marilyn avait engagée pour préparer son combat contre la Fox [1] ?

Enfin, on ne pouvait écarter des motivations plus basses, ignobles même. L'appât du gain. Et celui-ci hantait déjà certains esprits. À l'époque du renvoi de l'actrice, le studio avait annoncé son intention de la poursuivre devant les

---

1. La facture établie par la *Pinkerton National Detective Agency* se révéla impayée au moment du décès de Marilyn. À ce titre, l'agence figure dans la liste des débiteurs exigeant un paiement sur la succession de l'actrice. Voir annexe.

tribunaux et d'exiger un demi-million de dollars de dommages et intérêts. Une somme que les avocats de la Fox menaçaient de doubler. Évidemment, les négociations entamées en juillet avaient rendu caduques les poursuites judiciaires. Et puisque les deux parties étaient parvenues à un accord, il ne restait plus qu'à abandonner la plainte. De fait, un rendez-vous avait été pris avec Marilyn et Rudin pour le lundi suivant[1]. Maintenant, la star décédée, la donne était différente : si toute trace de l'accord entre la 20th Century Fox et l'actrice disparaissait, le studio était libre de poursuivre sa démarche post mortem et d'exiger le paiement de l'amende sur la succession de la défunte.

Je n'extrapolais pas. En réalité, c'était exactement ce qu'il s'était passé.

Ainsi, profitant de la discrétion avec laquelle les négociations d'apaisement avaient été menées, la Fox changea son fusil d'épaule en exigeant que 500 000 dollars de l'héritage lui reviennent. Et la preuve existe.

Le 5 août 1964, Aaron Frosch clôturait la succession. Tout en se référant au testament de la comédienne, le notaire avait aussi dû arbitrer les demandes de paiements soumises par divers organismes et particuliers. Une liste de débiteurs sur laquelle apparaissaient les compagnies du téléphone, d'électricité, les services des impôts, ainsi que les médecins de la défunte, son maquilleur, sa coiffeuse. Qui, tous, réclamaient la rémunération de prestations effectuées durant le mois de juillet. Et sur la page six de ce document, en soixante-cinquième position, figurait une demande de versement de un demi-million de dollars déposée par les avocats de la 20th Century Fox[2].

---

1. Lorsque la nouvelle du rendez-vous avec Rudin fut connue du public, l'avocat expliqua qu'il s'agissait pour Marilyn de changer certains bénéficiaires de son testament. Il précisa même que la star souhaitait le faire depuis un moment mais qu'il avait reculé le rendez-vous, « inquiet par [son] état psychologique ». Une précision non conforme à la réalité et qui rend suspecte la raison invoquée par Rudin pour justifier le rendez-vous du 6 août 1962.

2. Voir annexe.

Le studio avait bel et bien tenté de s'enrichir sur le dos d'un cadavre.

*

Une série d'éléments permet en outre d'affirmer que les heures précédant l'arrivée de la police avaient été utilisées pour purger les dossiers de Monroe de toute trace de son conflit avec la Fox.

Comme le craignaient les patrons du studio, Marilyn avait effectivement pris ses précautions lors de la visite de Peter Levathes, celui-ci étant venu détailler les nouvelles dispositions chargées de garantir le retour de la star.

Car Pat Newcomb, dont les déclarations relatives aux derniers jours de l'actrice ont été mesurées et rares, s'est souvenue que, ce jour-là, son amie lui avait demandé de se cacher dans une pièce mitoyenne, laissant la porte entrouverte pour qu'elle puisse noter les détails de la conversation[1]. Mais, comme par hasard, son *verbatim* scrupuleux ne fut jamais retrouvé parmi les effets de Marilyn. Alors que Newcomb se souvenait parfaitement que le tas de papiers était encore sur une table du salon le samedi 4 août[2].

En effet, à part quelques propositions de scénarios et des correspondances sans importance, aucun document lié à l'affaire contre la Fox ne figurait dans les relevés effectués par Inez Melson, l'exécutrice testamentaire de la star. Pour être exact, il y en avait quand même un. Une chemise cartonnée sur laquelle était inscrite au stylo la mention « *Something's Got to Give*, juillet 1962[3] ». Une chemise avec une date critique, puisqu'elle correspondait à un tournage alors interrompu et à la période où Marilyn avait été renvoyée. Vraisemblablement, s'agissait-il du dossier rassemblé par l'actrice sur cette

---

1. In *Marilyn, The Last Take, op. cit.*
2. *Ibid.*
3. *Ibid.*

affaire épineuse. Sans grande surprise, la chemise cartonnée était... vide.

*

Il existe une dernière trace du travail de nettoyage effectué autour du cadavre encore chaud de Marilyn Monroe.

Une preuve qui, là encore, se nichait dans les documents de la succession. La pièce est une facture adressée à Inez Melson pour des travaux effectués au domicile de la comédienne le 15 août 1962. Dix jours après son décès, les serruriers de la compagnie A-1 Lock & Safe avaient en effet œuvré sur le secrétaire contenant divers documents de Marilyn Monroe.

Un meuble dont la serrure, à remplacer, avait été forcée[1] !

*

Je n'avais donc plus aucun doute sur la manière dont le laps de temps avant l'appel à la police de Los Angeles avait été rempli.

Conformément aux pratiques d'Hollywood, la 20th Century Fox avait protégé ses « investissements ».

Je me demandais en revanche si, en retour, les hommes mêlés à ces manipulations avaient été récompensés de leur fidélité. Si, d'une manière ou d'une autre, le studio s'était assuré de leur silence. Je m'étais donc plongé dans le parcours professionnel de Rudin et Jacobs, personnages dont les rôles me paraissaient essentiels.

La carrière de l'avocat s'était poursuivie avec succès. Sans que l'on puisse en tirer la moindre conclusion.

Le parcours d'Arthur Jacobs me sembla par contre plus intéressant. Dès 1963, il rejoignit en effet la... 20th Century Fox au titre de producteur. Devenu l'un des piliers du studio,

---

1. In *The D.D. Group, op. cit.*

il fut celui qui initia et supervisa la lucrative saga de *La Planète des singes*.

Et Eunice Murray, dans tout cela ? Après mes entretiens avec les membres de sa famille, un doute s'empara de moi. Qu'était-elle devenue ? L'itinéraire de l'ancienne assistante après le décès de sa patronne ne manquait pas de zones d'ombre.

Capell puis Slatzer avançaient qu'elle avait quitté les États-Unis durant six mois à un an. Mais ensuite, personne ne s'était intéressé à elle. Grâce à ses proches, j'ai pu retracer son existence. Ainsi, grâce aux récits de Patti Mocella et David Stanowski, j'appris qu'elle effectua un voyage de trois semaines en Europe, puis revint à Los Angeles, s'installant à Santa Monica, dans un bungalow appartenant à la famille de Richard Cromwell, acteur décédé en 1960. Mais comment expliquer que, pour la première fois de son existence, Eunice Murray n'avait plus eu besoin de travailler, la couture et le macramé occupant l'essentiel de son temps ?

D'après Patti Mocella et David Stanowski, leur tante avait aussi continué à entretenir des relations avec certaines personnalités d'Hollywood. Il lui arrivait même, m'avait confié Stanowski, d'accompagner des petits-enfants de producteurs à des matchs de base-ball.

Par curiosité, j'avais demandé à David, puis Patti s'ils se souvenaient de l'identité des principaux clients d'Eunice. Leurs réponses avaient été semblables. Durant toutes ses années, Eunice Murray n'avait jamais cessé d'évoquer un unique bienfaiteur.

Son nom ?

Darryl F. Zanuck, le grand patron de la 20th Century Fox [1].

---

1. Entretien avec David Stanowski, neveu d'Eunice Murray, *op. cit.* Et entretien avec Patti Mocella, nièce d'Eunice Murray, *op. cit.* Zanuck rémunérait-il des services rendus ou agissait-il par amitié envers une femme ayant travaillé auprès d'une star qu'il appréciait ?

100. Entrée

Dès lors, l'histoire était presque complète.

Le délai pris avant de signaler la mort de Marilyn Monroe avait servi à s'assurer qu'aucune information compromettante ne puisse être découverte à son domicile.

Puisque, à Hollywood, les studios évoluaient dans un milieu contrôlé où l'imprévu représentait le pire ennemi, le décès des icônes les plus populaires méritait une solide mise en scène.

Mais avant d'achever mon enquête, il me fallait dire tout le reste. Car l'opération de nettoyage constituait seulement l'acte final du drame.

*

Nous l'avons vu, Arthur Jacobs avait été prévenu du décès de la star aux alentours de 22 h 30.

Si jusqu'à présent mon attention s'était focalisée sur le laps de temps que cela représentait avant l'appel à la police de Los Angeles, cette information impliquait autre chose. Elle signifiait que les services de communication de la Fox avaient été avertis environ une heure trente après la découverte du corps par Eunice Murray.

Quatre-vingt-dix minutes manquaient donc encore dans la chronologie de cette nuit du 4 août 1962.

Quatre-vingt-dix minutes capitales durant lesquelles les

responsables de la mort de Marilyn avaient eu tout le loisir d'effacer les traces de leur méfait.

Quatre-vingt-dix minutes dont il fallait apprendre la teneur pour comprendre enfin le mystère.

Et la meilleure manière de s'y prendre consistait à raconter, pour la première fois, les derniers moments de la vie de la star.

101. Collatérale

Le drame s'était joué la veille. Personne ne s'en était douté, mais le sort de Marilyn avait été scellé le vendredi 3 août 1962. Et ce à cause de deux événements qui ne la concernaient même pas directement.

Quarante-cinq ans après sa disparition, même si les faits ne mentaient pas, il était étrange de se dire que la Blonde avait été en réalité, une victime collatérale.

*

À force de se polariser sur le tube de Nembutal retrouvé vide chez Marilyn ainsi que sur le nombre de comprimés qu'il contenait à l'origine, l'essentiel avait été négligé.

À savoir que l'ordonnance prescrivant les somnifères avait été rédigée par le Dr Engelberg dans l'après-midi du 3 août 1962. Or cette décision n'entrait pas dans le cadre du programme de désintoxication de l'actrice, qui battait alors son plein.

Dans le but d'aider Marilyn à réduire sa surconsommation de barbituriques puissants, Greenson et Engelberg avaient élaboré une feuille de route très précise. Les comprimés de Nembutal avaient été remplacés par de l'hydrate de chloral, considéré alors par les milieux psychiatriques comme moins nocif et engendrant moins d'addiction. Et, pour sevrer l'actrice sans qu'elle endure avec peine la réduction du nombre de pilules, Engelberg lui injectait à intervalles réguliers du Nembutal sous forme liquide. Au fil des jours, la quantité diminuait, tout le monde espérant qu'on atteindrait le moment où le produit serait inutile et les insomnies de l'actrice un mauvais souvenir.

Comme le prouvaient les documents issus de la succession, Engelberg s'était bien rendu au 12305 Fifth Helena Drive le 3 août 1962. Pour effectuer une injection et dresser une ordonnance, décision pour le moins étrange tant elle contrecarrait le processus entrepris depuis des mois. Engelberg reconnaissait d'ailleurs lui-même que la précédente remontait au 30 juin 1962 et qu'aucune autre n'avait été établie durant les cinq dernières semaines.

Mais alors, pourquoi prescrire du Nembutal alors que Marilyn venait d'en recevoir une injection ? La piqûre ne signifiait-elle pas que la star n'avait aucun besoin de cette substance sous forme de comprimés ?

L'explication se révèle plus prosaïque et tient à la vie privée du médecin. Le 3 août 1962, parce que son mariage se trouvait au bord du précipice, Engelberg avait voulu accorder une dernière chance à son couple en passant les prochaines quarante-huit heures avec Esther, son épouse. Comme il ne voulait pas être dérangé pendant ces deux jours cruciaux, il avait prescrit le tube de comprimés, ce qui le dispensait de passer chez l'actrice pour lui injecter le Nembutal liquide. Autant pour rassurer sa patiente que pour remplacer le médecin si, par malheur, les insomnies revenaient hanter Monroe.

Le premier jalon de la tragédie venait, involontairement, d'être posé.

*

Le suivant fut tout aussi accidentel.

Le vendredi 3 août, Marilyn passait une partie de l'après-midi avec son amie et collaboratrice Pat Newcomb. Et depuis quelques jours, l'attachée de presse se traînait. Le rhume semblant s'être transformé en bronchite, elle avait décidé de se faire hospitaliser.

La nouvelle contraria Marilyn, les hôpitaux figurant à la première place des lieux qu'elle détestait. Elle avait même dit à son amie qu'on y entrait avec un refroidissement mais qu'on y attrapait bien pire. L'actrice avait une meilleure proposition : Pat viendrait passer les prochains jours au 12305 Fifth Helena Drive, où elle « cuirait » ses germes sous la lampe à bronzer de l'actrice.

Newcomb venait de vivre un mois fou à orchestrer le retour en grâce médiatique de Marilyn et il n'était que justice que celle-ci lui consacre quelques jours. Convaincue par la gentillesse et la compassion de la comédienne, elle avait donc cédé.

Hélas, ce ne fut pas la seule chose que l'attachée de presse accepta ce jour-là. Constatant ses difficultés à s'endormir à cause de l'infection, Marilyn lui avait proposé quelques comprimés de Nembutal. Ceux-là même que le docteur Engelberg lui avait prescrits quelques heures plus tôt.

La suite ? Pat Newcomb, sans jamais mesurer l'enjeu de sa déclaration, l'avait elle-même raconté [1].

Après avoir avalé un comprimé, Newcomb avait commencé à réfléchir. N'ignorant rien de l'état de Marilyn et du traitement de désaccoutumance administré par Greenson et Engelberg, elle arriva à la conclusion qu'il était risqué de laisser à la disposition de l'actrice un tube presque entier de somnifères. Qui plus est de Nembutal, médicament à l'origine de ses accoutumances.

Elle se dit qu'une seule chose était sensée. Soucieuse de la santé de son amie, elle vida le contenu du tube dans les toilettes puis regarda le tourbillon d'eau emporter les pilules jaunes.

Sans le savoir, l'attachée de presse détruisait ainsi l'assurance du docteur Engelberg.

Et plus rien n'arrêterait le drame.

---

1. In *Marilyn, The Last Take, op. cit.*

102. Folle

L'angoisse virait à l'obsession.

L'obsession se transformait en crise.

Dans quelques heures, le soleil se coucherait et d'avance Marilyn craignait le pire. Maintenant que les comprimés prescrits par Engelberg avaient disparu, l'actrice était persuadée, convaincue, que jamais elle ne trouverait le sommeil. Sa nuit serait blanche. Une idée qui la rendait folle.

*

Le Dr Greenson avait dû se déplacer en urgence.

Monroe n'étant pas un sujet facile, la session promettait d'être longue.

Le médecin s'était donc enfermé avec l'actrice afin de l'écouter, la guider, lui parler, espérant parvenir à la rassurer.

Mais la star était un mur. Sur lequel les mots de Greenson ne faisaient que rebondir.

Marilyn n'arrivait pas à oublier la confession de Pat Newcomb. Certes, son acte partait d'une bonne intention, mais en se débarrassant du Nembutal, l'attachée de presse avait commis l'irréparable. Un véritable crime de lèse-majesté. Sa seule bouée de sauvetage ayant disparu, Monroe risquait de se noyer.

Greenson eut alors une idée.

Puisque la présence de Newcomb excitait la contrariété de sa patiente, il lui demanda de partir. À dix-huit heures, l'amie quitta donc le 12305 Fifth Helena Drive. Mais avant de refermer la porte derrière elle, l'attachée de presse avait entrevu une dernière fois Marilyn. La comédienne n'avait rien dit, tout juste esquissé un geste dans sa direction. Et sur son visage, Newcomb avait aperçu l'ombre d'un regret.

C'est en tout cas, aujourd'hui encore, le souvenir qu'elle souhaite conserver de cet ultime contact avec un mythe vivant.

*

Le départ de Newcomb n'arrangea pourtant rien. Marilyn étouffait sous ses propres peurs.

Greenson, de son côté, fut rapidement préoccupé par un autre aspect de la situation. À plusieurs reprises, il avait tenté de joindre Engelberg pour le convaincre de passer au domicile de la star, tant il était évident qu'une injection s'imposait. Mais en vain.

Enfin, le téléphone sonna. À l'autre bout du combiné, Engelberg, auquel Greenson expliqua ce qui arrivait.

Mais pour son interlocuteur, Marilyn, ses caprices, ses insomnies, ses angoisses, ne comptaient plus. S'il quittait son épouse sur-le-champ pour se porter au chevet de la star, Esther demanderait le divorce. Engelberg se dit désolé mais, cette fois, il refusa de céder à la supplique de son collègue. Monroe devrait se débrouiller sans lui [1].

*

---

1. Les appels de Greenson et le refus d'Engelberg sont un fait établi depuis de nombreuses années. Esther, l'ex-femme du médecin, est revenue dans le détail sur le rejet de la demande de Greenson dans *Marilyn Monroe : The Biography*, de Donald Spoto, *op. cit.* Dans le même ouvrage, Spoto cite un courrier de Greenson à une consœur où il raconte le refus d'Engelberg.

Greenson se vit livré à lui-même. Sans espoir d'injection salvatrice et avec une patiente dans l'incapacité d'attendre. Il lui fallait trouver une solution.

103. Évidente

La réponse était évidente.

Et elle seule justifiait le taux phénoménal de barbituriques retrouvé dans le sang et le foie de Marilyn Monroe.

Elle seule expliquait l'étrange décoloration mauve de son intestin.

La réponse était évidente : le médecin avait préparé pour la star un lavement à base de Nembutal sous forme liquide [1].

Une pratique que l'ultime confession d'Eunice Murray recueillie par Steven Miller confirmait.

La réponse était évidente mais, pour convaincre définitivement, elle devait être confrontée à une série de questions clés.

*

La première énigme à résoudre concernait l'heure de cette injection par voie rectale.

Nous l'avons vu, la rigidité cadavérique et les lividités du corps permettaient de situer le décès de l'actrice aux alentours de 20 h 30, en tous les cas avant 21 heures lorsque, après l'appel de Rudin, l'assistante avait découvert le cadavre.

---

1. Cette forme de produit existe toujours aujourd'hui. Elle est utilisée entre autres dans certains cas d'euthanasie. Voir http://www.ewtn.com/vnews/getstory.asp?number=3685

Comme le temps d'absorption du Nembutal par le côlon est égal à celui d'une ingestion orale [1], cela signifie que le lavement avait dû être effectué une heure avant que la star ne sombre dans un coma profond. En clair, le Nembutal avait été injecté aux alentours de 19 h 30.

Problème : à cette heure-là, Marilyn avait accepté l'appel de Joe Di Maggio Jr. Paradoxalement, ce coup de fil ne détruit pas la démonstration, mais la conforte. Car le ton de la conversation tel qu'il a été rapporté permet d'affirmer que le lavement au Nembutal avait été réalisé quelques minutes plus tôt. Car avant de provoquer un ralentissement des capacités physiques du patient (et notamment son aptitude à parler de manière cohérente), le Nembutal produisait au contraire un effet opposé : dans un organisme habitué à sa présence, l'absorption de ce barbiturique crée une première phase... d'euphorie !

Eunice Murray ayant entendu les propos enjoués tenus par Marilyn au fils du joueur de base-ball, elle en avait donc conclu que l'actrice était de bonne humeur.

*

Le lavement avait été pratiqué quelques minutes avant 19 h 30, soit au moment où Greenson avait quitté le 12305 Fifth Helena Drive. Il n'était donc pas l'auteur de ce geste médical inhabituel.

Il est vrai que les rôles étaient parfaitement établis. Le psychiatre ne pratiquait ni piqûre ni injection rectale, la première fonction dépendant de Hyman Engelberg, la seconde ayant été attribuée à... Eunice Murray !

Dans sa dernière conversation avec son infirmier en Arizona, l'ancienne assistante avait confié que Greenson avait préparé le mélange mais lui avait laissé le soin de l'administrer.

Son aveu cadrait. Il était établi que le psychiatre avait quitté le domicile de Marilyn vers 19 h 15. Dans la foulée, Murray

---

1. In *The DD Group, op. cit.*

avait donc réalisé le lavement, et ensuite Joe Di Maggio Jr avait téléphoné. L'ensemble fonctionnait.

Pourtant, l'histoire comporte un écueil de taille : d'où venait le Nembutal liquide utilisé par le Dr Greenson ? Imaginer que le psychiatre s'était déplacé avec le produit n'avait pas plus de sens que de croire qu'il l'avait trouvé dans l'armoire à pharmacie de la résidence.

Si Engelberg pouvait avoir fourni le produit, affubler le médecin d'un costume de livreur de luxe acceptant un saut rapide chez la star ne tenait pas la route. Aussi, l'idée la plus sensée était-elle de reconsidérer le rôle de Greenson, décidément au centre de l'échiquier

*

Peut-être, après le refus d'Engelberg d'aller chez Monroe, avait-il négocié de venir chercher en personne les flacons nécessaires chez son confrère, le domicile de ce dernier se trouvant à deux pas ?

Le problème avec cette théorie, c'est qu'officiellement le docteur Greenson n'a pas quitté le 12305 Fifth Helena Drive, de son arrivée en milieu d'après-midi jusqu'à son départ en début de soirée !

Officiellement, mais pas dans la réalité, comme le Los Angeles Police Department Death Report le fait comprendre. Les pages fournies contenaient un détail ignoré durant quarante-cinq ans. En lisant attentivement le document, on pouvait apprendre que la police avait établi que, dans cet après-midi du 4 août 1962, le Dr Greenson s'était rendu à... deux reprises chez Marilyn Monroe.

Deux reprises !

La première, aux alentours de 16 h 30, après un appel d'Eunice Murray l'informant de la crise d'angoisse de la Blonde. La seconde – et cela ne faisait plus de doute – à son retour du domicile d'Engelberg où il était allé récupérer les ampoules de Nembutal.

*

Aveuglés comme nous l'étions par des idées préconçues et divers écrans de fumée, la double visite de Greenson n'était pas le seul élément capital, pourtant disponible depuis toujours, que nous avions ignoré : la présence d'Eunice Murray au 12305 Fifth Helena Drive dans cette nuit du 4 août aurait dû nous mettre la puce à l'oreille.

Patti Mocella et David Stanowski s'étaient montrées catégoriques : leur tante ne supportait pas le titre d'assistante à domicile, lui préférant le terme de compagnon rémunéré. Une subtilité qui ne relevait pas d'une forme de snobisme de sa part, mais d'un désir de clarté. Si le qualificatif ne la satisfaisait pas, c'est parce qu'il ne correspondait en rien à la réalité de sa mission.

Pourtant, ancré depuis dans l'inconscient collectif, le terme s'était imposé, faussant la donne. Car un compagnon rémunéré n'avait aucune raison de veiller nuitamment un patient en proie à des difficultés psychologiques. Une assistante à domicile, si.

Murray était restée cette nuit-là pour une raison précise : effectuer le lavement au Nembutal et s'assurer qu'il en résulterait une nuit de bonne qualité pour Monroe.

Étais-je en train d'extrapoler ? Toujours pas, puisque dans une correspondance privée adressée à une consœur de New York, Greenson en personne avait indiqué avoir demandé à Eunice de rester exceptionnellement chez la comédienne[1]. Et en 1982, confrontée à la justice, Murray avait confirmé les propos de Greenson. Après des années à répéter son texte, à tenter vaille que vaille de faire passer sa présence nocturne chez la star comme routinière, l'ex-assistante avait modifié son discours devant les enquêteurs de John Van de Kamp, District Attorney de Los Angeles, avouant ne « rien connaître

---

1. In *Marilyn Monroe : The Biography, op. cit.* ·

des habitudes nocturnes de Marilyn, ni des vêtements de nuit qu'elle portait [1] ».

Son ignorance n'était en rien surprenante : le 4 août 1962, Eunice Murray passait la nuit au domicile de Marilyn pour la première fois de sa vie.

---

1. In *Los Angeles County District Attorney Bureau of investigation, Investigation Report, Re : Oui Magazine 10/75, File # 82-G-2236, op. cit.*

104. Dernier

Greenson s'était donc retrouvé livré à lui-même. Engelberg ne venant pas, l'espoir d'une injection avait volé en éclats. Et Marilyn ne pouvait plus attendre.

La marge de manœuvre du médecin s'était réduite comme peau de chagrin. Le seul moyen d'apaiser la star consistait à lui administrer sa dose d'une autre manière. Sans doute, dans la conversation, Engelberg avait-il glissé qu'il était possible d'injecter du Nembutal via un lavement. Et le psychiatre s'était raccroché à cette idée.

Le domicile d'Engelberg se situait à une dizaine de minutes de trajet. Il était déjà 18 h 30 et le temps pressait. La vie de Greenson ne tournant pas qu'autour de Marilyn – même si par moments l'omniprésence de la star donnait cette impression – Ralph et son épouse avaient prévu de sortir ce samedi soir. Mais auparavant, il lui fallait traiter sa plus célèbre patiente.

*

Revenu peu avant 19 heures, suivant les instructions d'Engelberg, Greenson prépara le mélange et le confia à Eunice. Il pouvait respirer, l'orage semblait passé : dans quelques minutes, Murray administrerait le lavement et, pour cette nuit, Marilyn terrasserait ses insomnies.

Le médecin venait de partir. Marilyn avait rejoint sa

444

chambre, se préparant à sa nuit. La mission d'Eunice n'avait pas duré longtemps et maintenant elle pouvait répondre au téléphone et passer Joe Di Maggio Jr à la star. Les éclats de rire ne trompaient pas, celle-ci se sentait mieux.

Vers 19 h 45, elle rendit le combiné de la ligne publique à Murray. Et, après lui avoir souhaité une bonne nuit, elle se retira dans sa chambre. Pendant un instant, avant de s'installer devant la télévision, Eunice avait pu entendre les craquements d'un disque de Frank Sinatra s'échappant de la pièce où la star s'était endormie.

La nuit s'annonçait calme.

*

Une demi-heure plus tard, Peter Lawford avait joint Marilyn sur son numéro privé.

C'était son second appel de la journée. Deux heures plus tôt, le mari de Pat Kennedy avait invité la comédienne à les rejoindre pour un dîner informel avec une poignée d'amis. On s'en doute, la Blonde avait décliné l'offre, prétextant une petite forme. Et maintenant, Lawford rappelait pour vérifier si elle se sentait mieux. Sa voix, faible, lui indiqua le contraire. Au bout de quelques minutes, Marilyn ne réussissait même plus à terminer ses phrases. Et ses silences s'allongeaient. Puis, soudain, entre deux mots, plus rien.

Lawford avait pris peur. L'actrice ne répondait plus à ses sollicitations. Il avait raccroché et demandé à la standardiste de vérifier la ligne. Au même moment, comme dans un sursaut, Monroe avait rapproché le téléphone de son visage et obtenu le service de messagerie de Ralph Roberts.

La dose massive de Nembutal avait presque terminé son œuvre. Les paroles de la comédienne s'étaient transformées en borborygmes incompréhensibles.

Le combiné devenait de plus en plus lourd. Ses paupières aussi. Sa respiration se fit plus lente. Allongée sur le ventre, du côté gauche de son lit, elle tenta de se lever mais, sans force, retomba sur le combiné.

Un dernier souffle.

Plus un bruit. Marilyn Monroe était morte.

*

Un peu avant 21 heures, le coup de téléphone de Milton Rudin avait sorti Eunice Murray de sa torpeur. La « compagne rémunérée » de la star somnolait devant l'écran de télévision.

L'avocat souhaitait s'assurer que l'actrice allait bien et raconta rapidement le coup de téléphone inquiet de Lawford à Ebbins.

Eunice s'était levée. Rudin étant le beau-frère du Dr Greenson, à ce titre il méritait une réponse. Elle n'avait pas même cherché à glisser la tête dans la pièce : à travers la porte entrouverte, elle pouvait apercevoir sa patiente. En train de dormir, puisque étendue sur son lit. Rudin avait donc raccroché.

Prise d'un doute autant que d'un remords, Murray alla vérifier ce qu'elle avait entrevu. Car la position de la star n'était pas normale : personne ne pouvait dormir la tête écrasée contre un matelas, un combiné de téléphone bloqué sous l'estomac.

Effectivement, Marilyn Monroe ne dormait pas. Elle reposait pour l'éternité.

*

Rapidement, Murray comprit la portée de cette découverte.

Le mélange qu'elle venait d'administrer avait tué la plus grande star de la planète.

Que faire ? Tout d'abord avertir le Dr Greenson, celui qui avait eu l'idée de ce lavement, celui qui était allé chercher les ampoules chez Engelberg. L'appel reçu du service de messagerie auquel il était abonné avait gâché la soirée du médecin :

Murray lui demandait de venir d'urgence. À cause d'un problème grave avec Marilyn.

À 21 h 30, le médecin s'approcha du corps sans vie de sa patiente. Bien que cela ne serve à rien, presque par réflexe, il avait retourné le cadavre. Comme le prouvèrent par la suite les lividités non fixes, il avait allongé la star sur le dos. Vite, réfléchir, trouver une solution, une parade.

L'étincelle jaillit : prévenir le studio et téléphoner à la police.

Mais au préalable, il fallait s'assurer que jamais personne ne découvre la vérité.

D'abord, comme elle le raconta à Steven Miller, Eunice s'était précipitée dans la salle de bains pour récupérer les outils responsables de la mort de Monroe et les faire disparaître. Tandis qu'elle rassemblait la poire à lavement et les ampoules usagées de Nembutal, Greenson, de son côté, contactait Engelberg. Lui aussi devait savoir – et taire – la vérité. Oubliant la peur du divorce, devant l'enjeu et l'urgence, il avait accouru.

*

La pendule venait d'indiquer 22 heures.

Et Greenson avait trouvé.

Marilyn s'était suicidée.

Entre son passé fragile et la récente crise avec la Fox, personne n'aurait de problèmes à croire à la mort volontaire.

Marilyn s'était suicidée.

En utilisant des comprimés de Nembutal.

Le tube vide de la veille fut placé en évidence sur la table de chevet. Et, quelques heures plus tard, Greenson le montrerait pour convaincre le sergent Clemmons du suicide.

Il restait toutefois à mettre au point une version plausible justifiant la découverte du corps. L'appel de Rudin ne pouvait servir d'alibi, puisqu'on aurait immédiatement accusé Murray de ne pas avoir prévenu les autorités. Alors, on inventa que Marilyn avait fermé sa porte à clé. Un geste logique pour qui voulait en terminer avec la vie. Greenson avait donc dû passer par la fenêtre, après avoir brisé la vitre à l'aide d'un tisonnier. La mise en scène semblait parfaite. Et 22 h 15 approchaient.

*

Greenson se chargea de prévenir Milton Rudin.

Son beau-frère était l'avocat de la star mais surtout un expert en cas difficiles. Sans surprise, songeant au respect des règles non écrites d'Hollywood, Rudin avait compris la nécessité d'alerter le studio. Il avait eu Frank Neill, chargé des relations publiques de la 20th Century Fox. Puis vers 22 h 30, comme l'avait raconté Natalie Truly, il avait joint Arthur Jacobs au concert d'Henry Mancini.

Une heure plus tard, l'opération de ratissage débutait sous la protection des gardes de la compagnie. Et un peu avant quatre heures du matin, alors que Rudin prévenait Milton Ebbins puis l'infortunée Pat Newcomb, le cadavre de Marilyn fut replacé dans sa position originale.

À 4 h 25, une dizaine de minutes après le départ du gros de la troupe, le Dr Engelberg alerta enfin la police.

*

Neuf minutes plus tard, le sergent Clemmons garait son véhicule dans le cul-de-sac du Fifth Helena Drive, précédant de quelques minutes à peine le premier journaliste arrivé sur les lieux.

La présence de James Bacon, de l'Associated Press, ne devait rien au hasard. En 1958, il avait déjà été le premier représentant des médias au domicile de Lana Turner.

À Hollywood, les studios évoluaient vraiment dans un univers entièrement sous contrôle.

*

Vers cinq heures du matin, la nouvelle du suicide de Marilyn Monroe se mit à circuler.

La version imaginée par Greenson, protégée par le silence de Murray et Engelberg, puis amplifiée par la machine à vendre des studios, s'installa sans la moindre difficulté à la une de tous les journaux et de toutes les télés. Puis, au début des années 1970, se vit détrônée par une autre dont les motivations politiques et lucratives ne pouvaient cacher le côté tout aussi farfelu.

Le plus ironique dans cette histoire, c'est que Greenson lui-même avait détourné l'attention sur les Kennedy afin de s'assurer que les limiers en tous genres ne s'intéressent pas de trop près à lui. Dans un entretien téléphonique enregistré à son insu, le psychiatre de Marilyn avait dévoilé ses talents de Machiavel américain : après avoir expliqué à son interlocuteur qu'il ne pouvait expliquer certains de ses gestes ce soir-là sans « révéler certaines choses qu'il ne souhaitait pas révéler [1] », il avait fait une pause avant de conclure : « Écoutez, le mieux est d'en parler à Bobby Kennedy [2]. »

Durant quarante-cinq ans, son leurre avait berné tout le monde, dissimulant sous un épais manteau de mensonges, le dernier secret de Marilyn.

---

1. Interview réalisée par William Woodfield, citée in *The DD Group, op. cit.*
2. *Ibid.*

ÉPILOGUE

En somme, je venais de passer plus d'une année à suivre les traces d'une illusion ! Après tout, le mystère de la mort de Marilyn n'était rien de plus que cela.

Hollywood avait prospéré sur une méprise. Celle consistant à nous faire croire que la spécialité de l'usine à rêves se limitait à la magie. Or les studios s'étaient imposés en multipliant les sales tours.

Marilyn Monroe n'avait jamais existé autre part que dans les formules de ces apprentis sorciers. Et, au fond, son décès ne se résumait qu'à une expérience qui avait mal tourné. Un épisode qui, invariablement, s'achevait sur la formule consacrée : le spectacle doit continuer...

*

Arrivé au terme de mon enquête, je n'éprouvais aucun sentiment particulier.

Je n'étais pas un justicier.

Et, toujours pas un fan.

Quant aux réputations posthumes de Marilyn, de JFK et de Bobby, elles ne m'importaient guère. En fait, je n'avais fait que mon travail.

Étape par étape. Résoudre l'énigme Monroe s'était résumé à une devinette :

– Comment fait-on pour manger un éléphant ?

La réponse était évidente :

– Morceau par morceau...

D'un seul bloc, l'épreuve aurait été insurmontable. Mais, en répliquant à chaque question, une à une, je m'étais efforcé de répondre à l'ensemble des interrogations suscitées par cette mort étrange. Il en demeurait une dernière, celle que, jusque dans le choix des mots, j'avais réussi à escamoter.

*

La mort de Marilyn était-elle un accident ou un meurtre ?

Tout au long de mon enquête, le sentiment que le surdosage de Nembutal avait été involontaire s'est imposé à moi. Avec l'idée que, dans la précipitation de ce samedi soir, entre la crise de nerfs de la star, l'implosion du mariage d'Engelberg et l'heure qui tournait, la quantité de barbituriques avait été mal calculée.

À tort ou à raison, je n'étais pas parvenu à trouver des motifs qui auraient pu conduire le Dr Greenson ou Eunice Murray à endosser des habits de meurtriers.

Mais était apparu Steven Miller. Cet infirmier, dont il avait été difficile de retrouver la trace, avait une histoire fascinante à me raconter.

*

Au seuil de la mort, Eunice Murray n'avait pas uniquement confirmé le recours à un lavement lourdement chargé en bar-bituriques, elle avait également accusé de meurtre le Dr Ralph Greenson.

Racontée par Miller, la confidence paraissait aussi explosive que convaincante.

D'abord, l'ancienne assistante avait précisé la nature de sa mission auprès de la star : être les yeux et les oreilles du

Dr Greenson. À l'en croire, c'est par ce biais que le médecin aurait appris que la comédienne voulait lui retirer sa confiance et le renvoyer.

« Eunice avait entendu Marilyn se plaindre à plusieurs reprises de l'omniprésence de Greenson dans sa vie personnelle et professionnelle. Monroe avait donc décidé de rompre l'ensemble de ses contacts avec le psychiatre. »

Murray aurait immédiatement informé le psychiatre des projets de l'actrice, raconte Miller : « D'après elle, la réaction de Greenson a été violente. Fou de rage, il a dit à Eunice qu'il ne laisserait pas Monroe le jeter comme du vieux linge. Selon Eunice, il a immédiatement dit que Marilyn allait regretter sa décision. »

La colère du psychiatre avait effrayé l'assistante. Elle regrettait même, avait-elle expliqué en 1994 à son infirmier, d'avoir prévenu le docteur qu'elle décrivait par ailleurs obsédé par la star.

L'échange s'était déroulé quelques jours avant le 4 août 1962.

La suite ?

Murray avait expliqué que Greenson avait préparé le mélange de la poire à lavement. Et qu'il avait ensuite demandé à Eunice de l'administrer.

Bien que ces propos soient troublants, la partie la plus intéressante des confidences de l'ancienne assistante concernait sa confrontation avec Greenson. Celle-ci n'avait pas eu lieu directement après la découverte du cadavre, lorsque l'urgence exigeait de détruire les preuves dévoilant la médication fatale, mais quelque temps plus tard. Taraudée par le secret et le doute, Eunice avait, assurait-elle, interpellé Greenson : « Il avait immédiatement admis avoir surdosé le mélange du lavement. »

Eunice avait été choquée non par l'aveu mais par la froideur avec laquelle le médecin lui avait conseillé « d'arrêter de se sentir coupable et de cesser d'être désolé pour Marilyn ».

Selon Miller : « Il disait que, de toute manière, Marilyn souf-frait et que la mort avait été une porte de sortie. »

*

Les accusations prêtées à Eunice Murray sont d'une gravité extrême. Mais sont-elles fiables pour autant ?

Certes, le récit d'un Greenson ne supportant pas l'idée de perdre le contrôle de sa créature pouvait s'appuyer sur une certaine réalité.

Au fil des mois, sa relation avec Marilyn était réellement devenue exclusive. En plus des sessions parfois biquoti-diennes, le psychiatre avait franchi toutes les limites imposées par son métier en incluant sa patiente à son propre univers. Qu'on s'en souvienne : Monroe était fréquemment invitée dans sa famille et le psychiatre avait encouragé ses enfants à intégrer l'actrice dans leur vie sociale.

En outre, Greenson avait hanté les derniers mois de la star. Via Milton Rudin, avocat et agent de la comédienne, qui était également beau-frère du psychiatre, mais aussi avec sa propre implication dans l'inachevé *Something's Got to Give*. Avant même le début du tournage, Greenson avait obtenu le renvoi de David Brown, en charge de la production, et son rempla-cement par Henry Weinstein [1].

Brown raconta d'ailleurs que, histoire d'imposer le produc-teur débutant, le psychiatre avait présenté Weinstein à la Fox comme étant capable « de mieux comprendre Marilyn et de la gérer [2] ». Donc de permettre au tournage de se dérouler dans des conditions optimales. Or, la principale vertu de Weinstein, homme de théâtre débarquant de New York, n'était-elle pas plutôt sa longue amitié avec la famille Greenson ? Weinstein et Greenson ne partageaient-ils pas une passion commune pour

---

1. In *Time*, 25 mai 2001.
2. In *New York Times*, 24 septembre 2000.

la musique de chambre, s'étant rencontrés à l'occasion d'une représentation donnée par la sœur du psychiatre voilà plus de dix ans ?

Le tumultueux tournage de *Something's Got to Give* avait également mis en lumière l'influence que Greenson estimait avoir auprès de Marilyn. Ainsi, selon un mémorandum découvert dans les archives de la Fox, Greenson avait personnellement suivi de près les négociations menées pour sauver le long-métrage et y avaient participé. Quelques jours avant le renvoi de la comédienne, le psychiatre avait assuré être « capable de permettre à Mlle Monroe de terminer le film dans les délais[1] », comme il prétendait l'avoir déjà obtenu sur le tournage de *The Misfists*. Il mettait même en avant sa capacité « à assumer toutes les responsabilités liées au domaine artistique[2] », allant jusqu'à suggérer de participer au montage et de convaincre Marilyn d'accepter de tourner les scènes voulues par le studio.

Enfin, sans la moindre gêne, il avait déclaré dans cette réunion « être capable d'amener sa patiente à accepter n'importe quelle requête raisonnable », se disant apte à la convaincre « de faire quoi que ce soit de raisonnable du moment que lui-même en avait décidé ainsi.[3] »

*

Ralph Greenson avait-il pour autant tué Marilyn ?

Au seuil de la mort, Eunice Murray avait-elle dit toute la vérité à Steven Miller ?

Ses accusations étaient-elles fondées sur une véritable confrontation avec le psychiatre ?

Ou s'agissait-il de la seule explication susceptible de soulager la conscience d'une vielle dame ?

---

1. Cité in *Marilyn Monroe : The Biography, op. cit.*
2. *Ibid.*
3. Cité in *The DD Group, op. cit.*

Après tout, il ne fallait pas l'oublier : quel que soit le scénario, c'était bien elle qui avait administré le mélange fatal à Marilyn.

La gravité d'un tel acte constituait une motivation suffisante, et compréhensible, pour avancer une interprétation allégeant grandement le poids de sa propre responsabilité.

Pour tout dire, partagé entre le caractère religieux de Murray validant l'idée d'une confession franche et la difficulté à imaginer Greenson dans les habits d'un assassin, j'avais décidé ne pas trancher. Car seuls Eunice Murray et Ralph Greenson auraient été en mesure d'éclaircir ce mystère.

Les deux seuls acteurs du drame étant décédés, la mort de Marilyn conservera donc à jamais une inquiétante zone d'ombre.

*

Bien sûr, cet échec me paraissait frustrant.

Mais cela importait-il vraiment ?

Après tout, le décès de Marilyn Monroe n'attendait aucune nouvelle révélation.

L'énigme n'avait-elle pas, d'une certaine manière, été résolue depuis bien longtemps ?

Depuis que, au début des années 1970, l'opinion publique a massivement adopté une seule solution. Qui, il fallait le reconnaître, se trouvait autrement plus alléchante que les conclusions de mon enquête. Car elle seule touchait au mythe et tutoyait les étoiles.

*

Et puis, la machine ne va pas s'arrêter de sitôt. Dans quelques mois, France 2 alimentera son appétit en livrant à ses millions de téléspectateurs un film de télévision qui, une fois encore, propagera la légende unissant Marilyn, John et Bobby[1].

Plus tard, j'en suis persuadé, diverses célébrations seront l'occasion de voir se déverser un flot d'ouvrages et d'émissions spéciales revisitant jusqu'à la nausée les lignes imaginaires du triangle amoureux.

Mes pages ne changeront donc rien. Et en le disant ainsi, je n'étais ni cynique ni pessimiste. Simplement réaliste.

*

Je venais de passer plus d'une année à suivre les traces d'une illusion.

Et, au bout de la route, une seule découverte comptait.

Notre passion pour les belles histoires avait eu raison de notre souci de vérité.

Cela ne faisait aucun doute.

Hollywood avait gagné.

Et le spectacle pouvait continuer.

William Reymond,
Plano, 5 janvier 2008.

---

1. Comme annoncé au mois de juin 2007 au titre « des grandes productions à venir », France Télévisions devrait diffuser en 2008 une adaptation du roman de Michel Schneider. Voir http://www.lesfilmsdici.fr/moteur/presult.php?titre=MARILYN,DERNIERESSEANCES

Remerciements

Merci tout d'abord à Jessica, Thomas et Cody qui, chaque année, me voient disparaître pour écrire.

Votre patience, vos encouragements, vos sacrifices et votre amour sont les véritables fondations sur lesquelles ce livre a été bâti.

Sans vous, rien ne serait possible, rien n'aurait de sens.

Merci à David Marshall pour sa patience à répondre à mes questions, et principalement aux plus stupides. Merci également au DD Group pour son travail et sa rigueur.

En Australie, je pense particulièrement à Bob Cameron qui n'a jamais abandonné. Évidemment, merci à Steven Miller, Patti Mocella et David Stanowski.

Merci à ceux qui, tout au long, de la route, ont orienté mon chemin.

De livre en livre, Thierry Billard continue de subir mes attaques contre la langue française avec humour et flegme. Merci Thierry pour ta patience et l'énorme confiance nous permettant de terminer ce petit dernier dans des délais très serrés.

Chez Flammarion, je pense aussi à Gilles Haeri et Soizic Molkhou et me réjouis déjà à l'idée de nos prochaines retrouvailles. On devrait juste le faire plus souvent.

Patricia Stansfield permet à mes mots de voyager et je tiens donc à la remercier pour ses efforts à faire connaître mon travail à l'étranger.

Merci également et bonne route à Charles-Etienne Barrault.

Mention particulière au studio de création de Flammarion pour m'avoir offert une superbe couverture et à Cédric Gaultier. Bienvenue à bord.

Évidemment, je pense également à mes amis de Flammarion Québec et plus spécialement à Alain-Napoléon Moffat. À très bientôt, préparez le chocolat aux éclats de sirop d'érable.

Et puisque nous parlons de la (très) Belle Province, une pensée pour Benoit Perron (merci pour ta fidélité !) et pour Guy A. Lepage (on se le fait quand ce poker ? Et ce match de basket ?).

En France, bien entendu, il y a Michel Despratx, Christian Moguerou, Patrice Des Mazery (l'homme qui venait d'ailleurs), Luc Hermann, Hubert Artus, Bernard Nicolas, Laurent Thiabaud et Paul Coulet.

Et de temps en temps, quand il n'est ni en Suisse ni à Montréal, Arnaud Bédat.

Je pense aussi à Ali et à sa très conviviale radio de l'Espace. Et, à Audrey Martinet et ses créations déjantées et efficaces sur MySpace.

Je voudrais également remercier de leur curiosité les 200 000 visiteurs annuels du site williamreymond.com. Qui seraient bien déçus sans le talent de Carole Albouy.

Une pensée aussi pour les piliers de son forum. Comme chaque année, je vais tenter d'être un peu plus présent. Mille remerciements et millions d'excuses à mes amis « myspaciens » et à mes lecteurs. Vos courriers s'accumulent et le temps d'y répondre est sans cesse de plus en plus rare. Dans tous les cas, sachez que vos mots sont lus et appréciés.

Au Texas, merci à Ashley Hodge pour sa solide amitié, les passes derrière la ligne des trois points, nos échanges sur tout et la soirée au AAC. Allez, va... *Go Bears* !

Et à Fabrice Rétailleau dont le talent et la générosité sont à l'origine de la page dédié spécialement à ce livre.

Merci aussi à Arash Payrovan pour son attention, son talent et son temps.

Merci encore à James Webb, Mike Kushnirsky, Mark Sandoval, Donovan Royal, Fahad Zahid, Daniel Malach, Ryann Whitfill, Geoff Gunn et Jim Ellis pour nos longues soirées de poker. *As usual, I'm all in !*

Merci à Code Diop et sa famille pour l'hospitalité et le match Jazz-Mavs. Go Deron !

Et à Courtney et Jefferson Maia pour avoir démarré l'année de la plus belle des manières.

Merci également au *lunch break group* qui, six jours sur sept, transforme le parquet de *Lifetime* en une prodigieuse cour de récréation.

Merci enfin à Paul Cuington pour les heures passées à m'encourager et me guider d'un *bench press* à un *biceps curl*. *Now, let's have some sushi...*

Côté musique, à son habitude, Bruce Springsteen a offert l'essentiel de la partition de la bande originale de ce livre.

Cette année, il a été épaulé par Van Morrison, Ray LaMontagne, Joe Ely, Hans Zimmer, James McMurtry, Joe Grushecky, Randy Edelman et Trevor Jones.

Enfin, je donne rendez-vous aux passionnés de l'énigme Marilyn sur le site consacré aux éléments de mon enquête : www.marilynsecret.com

See you there...

William Reymond
william@williamreymond.com
www.myspace.com/williamreymond
www.myspace.com/marilynsecret

Bibliographie

Établir une bibliographie complète des ouvrages parus sur Marilyn Monroe est une tâche complexe tant ils sont nombreux. J'ai préféré m'en tenir ici à ceux que j'ai utilisés, et ce, quelle que soit la qualité du travail présenté.

Si certains de ces ouvrages sont disponibles en français, la vaste majorité existe seulement en anglais.

Sur Marilyn :

The Strange Death of Marilyn Monroe, Frank A. Capell, The Herald of Freedom, 1964.

The Mysterious Death of Marilyn Monroe, James A. Hudson, Volitant Books, 1968.

Marilyn : A Biography, Norman Mailer, Grosset & Dunlap, 1973.

The Life and Curious Death of Marilyn Monroe, Robert F. Slatzer, Pinnacle House, 1974.

Marilyn . The Last Months, Eunice Murray with Rose Shade, Pyramid Books, 1975.

Who Killed Marilyn ?, Tony Sciacca, Manor Book, 1976.

Marilyn Monroe Confidential, Lena Pepitone and William Stadiem, Simon & Schuster, 1979.

Coroner, Thomas T. Noguchi, Simon & Schuster 1983.

Legend : The Life and Death of Marilyn Monroe, Fred Lawrence Guiles, Stein & Day Publishers, 1984.

Goddess : The Secret Lives of Marilyn Monroe, Anthony Summers, Macmillan, 1985.

The Marilyn Conspiracy, Milo Speriglio with Steven Chain, Corgi Books, 1986.

The Unabridged Marilyn, Randall Riese and Neal Hitchens, Congdon & Weed, 1987.

The Marilyn Files, Robert F. Slatzer, S.P.I Books, 1992.

Marilyn, The Last Take, Peter Harry Brown and Patte B. Barham, Dutton, 1992.

The Murder of Marilyn Monroe, Collectif, Caroll & Graf, 1992.

Conversations with Marilyn, W. J Weatherby, Marlowe & Company, 1992.

Marilyn's Men : The Private Life of Marilyn Monroe, Jane Ellen Wayne, St. Martin Press, 1992

Marilyn Monroe : The biography, Donald Spoto, Harper Collins 1993.

The Last Days of Marilyn Monroe, Don Wolfe, William Morrow and co., 1998.

Marilyn Monroe, Barbara Leaming, Three Rivers Press, 2000.

Marilyn's Last Words, Matthew Smith, Carroll & Graf, 2003.

The DD Group, David Marshall, iUniverse Inc, 2005.

Misplaced Loyalties, Victor E. Justice, Trafford Publishing, 2005.

The Many Lives of Marilyn Monroe, Sarah Churchwell, Picador 2005.

Marilyn, dernières séances, Michel Schneider, Grasset, 2006.

Marilyn Monroe : Private and Undisclosed, Michelle Morgan, Carroll & Graf, 2007.

Sur les Kennedy et J. Edgar Hoover :

The Dark Side of Camelot, Seymour Hersh, Little Brown, 1997.

JFK, autopsie d'un crime d'État, William Reymond, Flammarion, 1997.

Robert Kennedy : His Life, Evan Thomas, Simon & Schuster, 2000.

JFK, le dernier témoin, William Reymond, Flammarion, 2003.

Conspiracy : The Plot to Stop the Kennedys, Matthew Smith, Citadell Press, 2005.

Bobby and J. Edgar, Burton Herss, Carroll & Graff, 2007

Sur Hollywood :

Investigation Hollywood, Fred Otash, H. Regnery Co., 1976.

The Hollywood Studios, Ethan Mordden, Knopf, 1988.

Twentieth Century's Fox : Darryl F. Zanuck and the Culture of Hollywood, George F. Custen, Basic Books, 1997.

Sins of the City : The Real Los Angeles Noir, Jim Heimann, Chronicle Books, 1999.

Mr. S, My Life with Frank Sinatra, George Jacobs and William Stadiem, Harper Collins, 2003.

Dean et moi, une histoire d'amour, Jerry Lewis et James Kaplan, Flammarion, 2005.

The Hollywood studio System : A History, Douglas Gomery, British Film Institute, 2005.

Hollywood Blondes, Michelle Vogel and Liz Nocera, Wasteland Press, 2007.

Hollywood Confidential, Ted Schwarz, Taylor Trade 2007.

Hollywood's Celebrity Gangster : The Incredible Life and Times of Mickey Cohen, Brad Lewis, Enigma Books 2007.

ANNEXES

Death Report of Marilyn Monroe - Los Angeles Police Dept.

Marilyn Monroe on August 4, 1962 retired to her bedroom at
about eight o'clock in the evening; Mrs. Eunice Murray of
933 Ocean Ave., Santa Monica, Calif., 395-7752, CR 61890,
noted a light in Miss Monroe's bedroom. Mrs. Murray was
not able to arouse Miss Monroe when she went to the door,
and when she tried the door again at 3:30 A.M. when she noted
the light still on, she found it to be locked. Thereupon Mrs.
Murray observed Miss Monroe through the bedroom window
and found her lying on her stomach in the bed and the appear-
ance seemed unnatural. Mrs. Murray then called Miss Monroe's psychiatrist, Dr. Ralph R. Greenson of 436 North Rox-
bury Drive, Beverly Hills, Calif, CR 14050. Upon entering
after breaking the bedroom window, he found Miss Monroe
possibly dead. Then he telephoned Dr. Hyman Engelberg of
9730 Wilshire Boulevard, also of Beverly Hills, CR 54366
who came over and then pronounced Miss Monroe dead at
3:35 A.M. Miss Monroe was seen by Dr. Greenson on August 4, 1962 at 5:15 P.M., at her request, because she was
not able to sleep. She was being treated by him for about a
year. She was nude when Dr. Greenson found her dead with
the telephone receiver in one hand and lying on her stomach.
The Police Department was called and when they arrived they
found Miss Monroe in the condition described above, except
for the telephone which was removed by Dr. Greenson. There
were found to be 15 bottles of medication on the night table and
some were prescription. A bottle marked 1 1/2 grains Nembutal, prescription #20853 and prescribed by Dr. Engelberg,
and referring to this particular bottle, Dr. Engelberg made
the statement that he prescribed a refill for this about two
days ago and he further stated there probably should have
been about 50 capsules at the time this was refilled by the
pharmacist.

COPY OF MARILYN'S DEATH
REPORT

Follow-up Report of L.A. Police Department

Dr. Greenson received a telephone call from Mrs. Eunice Murray who is the reporting person, at 3:30 A.M. on 8/5/62, wherein she stated she was unable to get into Miss Monroe's bedroom, and also that the light was on. He instructed her to pound on the door and look through the bedroom window, after which she should call him again. Mrs. Murray called back at 3:35 A.M. and said that Miss Monroe was lying on the bed with the telephone in her hand, and that she looked strange. Having dressed by this time, Dr. Greenson left his home to go to the residence of the deceased, which is about one mile away. Dr. Greenson also told Mrs. Murray to call Dr. Engelberg.

It was about 3:40 A.M when Dr. Greenson arrived at the home of the deceased. He broke the window pane and entered the home through the window and then he removed the telephone from the deceased's hand.

Rigor Mortis had set in. Dr. Engelberg arrived at 3:50 A.M. and pronounced Miss Monroe dead. The two doctors, above named, talked for a few minutes. It is the belief of both of them that it was about 4:00 A.M. when Dr. Engelberg telephoned the Police Department.

A check with the Complaint Board and WLA Desk indicates that the telephone call was received by the Police Department at 4:25 A.M. Miss Monroe's telephone, which is GR 61890, has been checked and it was found that no toll calls were made during the hours of this occurrence. The telephone number of 472-4830 is being checked at the present time.

COPY OF FOLLOW-UP ON
MARILYN'S DEATH REPORT

File # _____ 81128

OFFICE OF COUNTY CORONER

Date <u>Aug. 5, 1962</u>   Time <u>10:30 a.m.</u>

I performed an autopsy on the body of   MARILYN MONROE

at the Los Angeles County Coroner's Mortuary, Hall of Justice, Los Angeles,

and from the anatomic findings and pertinent history I ascribe the death to:

ACUTE BARBITURATE POISONING

DUE TO: INGESTION OF OVERDOSE

EXTERNAL EXAMINATION:

The unembalmed body is that of a 36-year-old
well-developed, well-nourished Caucasian
female weighing 117 pounds and measuring
65½ inches in length. The scalp is covered
with bleached blond hair. The eyes are
blue. The fixed lividity is noted in the
face, neck, chest, upper portions of arms
and the right side of the abdomen. The
faint lividity which disappears upon pressure
is noted in the back and posterior aspect
of the arms and legs. A slight ecchymotic
area is noted in the left hip and left side
of lower back. The breast shows no signif-
icant lesion. There is a horizontal 3-inch
long surgical scar in the right upper
quadrant of the abdomen. A suprapubic
surgical scar measuring 5 inches in length
is noted.

DIGESTIVE SYSTEM:

The esophagus has a longitudinal folding
mucosa. The stomach is almost completely
empty. The contents is brownish mucoid
fluid. The volume is estimated to be no
more than 20 cc. No residue of the pills
is noted. A smear made from the gastric
contents and examined under the polarized
microscope shows no refractile crystals.
The mucosa shows marked congestion and
submucosal petechial hemorrhage diffusely.
The duodenum shows no ulcer. The contents
of the duodenum is also examined under
polarized microscope and shows no refractile
crystals. The remainder of the small
intestine shows no gross abnormality. The
appendix is absent. The colon shows
marked congestion and purplish discoloration.
The fecal contents is light brown and formed.
The mucosa shows no discoloration.

PORTIONS OF AUTOPSY REPORT

SPECIMEN:

Unembalmed blood is taken for alcohol and barbiturate examination. Liver, kidney, stomach and contents, urine and intestine are saved for further toxicological study. A vaginal smear is made.

T. Noguchi, M.D.

T. NOGUCHI, M. D.
DEPUTY MEDICAL EXAMINER

TN:ag:O
8-13-62

THE FOREGOING INSTRUMENT IS A CORRECT

COPY OF THE ORIGINAL ON FILE AND/OR

OF RECORD IN THIS OFFICE.

ATTEST .MAY 1 4 1964...............................

THEODORE J. CURPHEY, M.D.
CHIEF MEDICAL EXAMINER-CORONER
COUNTY OF LOS ANGELES

BY............................,DEPUTY

STATE OF CALIFORNIA, ⎞ ss.
County of Los Angeles ⎠

N° 28182

On this ...14th... day of ...May... in the year nineteen hundred and sixty-four before me, HAROLD J. OSTLY, County Clerk and Clerk of the Superior Court of the State of California, in and for the County of Los Angeles, residing therein, duly commissioned and sworn, personally appeared

R. H. Rathbun..............., DEPUTY CORONER, known to me to be the person whose name is subscribed to the within instrument, and acknowledged to me that he executed the same.

IN WITNESS WHEREOF, I have hereunto set my hand and affixed the official seal of said Superior Court the day and year in this certificate first above written.

HAROLD J. OSTLY, County Clerk,

By...........................Deputy.

70CY21—6/57

PORTION OF AUTOPSY REPORT

Marilyn, le dernier secret

SUPERIOR COURT OF THE STATE OF CALIFORNIA
FOR THE COUNTY OF LOS ANGELES

In the Matter of the Estate of	CREDITOR'S CLAIM
Marilyn Monroe Deceased.	

Date of death: **August 5**, 19 52

Date of first pub. notice to creditors: **March 4**, 19 63

HYMAN ENGELBERG, MD., whose address is
9730 Wilshire Boulevard, Beverly Hills, California

is a creditor of the above named decedent and presents the following claim:

Date of Item	Description of Item	Amount Claimed
6/28-7/3 7/3-7/5 7/10-7/14 7/16-7/17 7/18-7/25 7/26-8/1 8/3/62	Residence Calls @ $25.00	$125.00
6/29-6/30 7/1/62	Residence Calls @ $20.00	60.00
7/23/62	Injection @ $20.00	20.00
7/23-8/1 8/3/62	Injections @ $10.00	30.00
7/3/62	Injection @ $6.00	6.00
6/30-7/1 7/16-7/17 7/18/62	Injections @ $5.00	25.00
7/3-7/10 7/10/62	Injections @ $4.00	12.00
		$478.00

DESCRIPTION	AMOUNT	(this Proceeding) (Leave this blank)
38. Con Edison - gas and electricity	$ 6.05	
39. California Franchise Tax - 1962 income tax	2,614.24	
40. California Department of Employment repayment of refund made to estate in error	36.00	
41. District Director of Internal Revenue Social Security Tax, third quarter	102.98	
42. Guido De Angelis, Inc. - goods sold	948.87	
43. Joseph P. DiMaggio - personal loan	5,000.00	
44. Polsen Associates, Inc.	90.50	
45. Cristodo Bros. - grocery bill	12.91	
46. Globe Photos, Inc. - hotographic services	5,000.00	
47. Edward P. Malavaty	17.28	
48. B.J. Denihan - for cleaning services	1,241.60	
49. Internal Revenue Service, decedent's 1962 Federal Income tax	21,724.72	
50. Paul J. Juley d/b/a Peter A. Juley & Son	262.69	
51. M. Buxin & Sons	150.00	
52. Eunice Murray, services in remodeling and decorating decedent's house in Calif.	1,000.00	
53. MCA Artists, Ltd.,assorted claim against the decedent	50,168.44 ✓ (12,728.61)	
54. New York State Unemployment Insurance	105.61	
55. New York State Department of Labor Division of Employment	203.66	
56. New York State Unemployment Insurance Fund Third quarter taxes	1.85	
57. Harold Ostley - Tax Collector - items of personal property held by storage company	8.02	
58. Pinxerton's National Detective Agency	578.25	
59. Pinto Winokur & Pagano, Certified Public Accountants - professional services rendered	3,000.00	
60. Heda Rosten	882.01	
61. Ralph Roberts	470.00	
62. Bill A. Pearson	1,000.00	
63. Paula Strasberg - services rendered and expenses in connection therewith	22,269.73 (22,269.33)	
64. Hattie Stephenson - work, labor and services	140.00	
65. Twentieth Century-Fox, assorted claim against the decedent - claim contested	-0- (500,000.00)	
66. United Air Lines,Inc. for travelling	411.18	
67. United California Bank	100.00	
68. District Director Internal Revenue Assessment against decedent's Federal Income taxes for the year 1958	22,665.89	84,092.78 10,599.04 2225.20 3085.39 24,000.00
69. Assessments for the year 1959,1960 and 1961 payable to the District Director Internal Revenue		174,002.91
70. Additional income tax assessments for the years, 1958, 1959, 1960 and 1961 payable to New York State Income Tax Bureau - estimated	10,000.00 $830,646.35	$359,473.58

473

EMPLOYEE'S REPORT

RE-INTERVIEW OF PERSONS KNOWN TO MARILYN MONROE

Date & Time Occurred	Location of Occurrence	Division of Occurrence
August 6, 1962	Various	

G. H. ARMSTRONG, COMMANDER. WEST L. A. DETECTIVE DIVISION | Date & Time Reported: 3-10-62 9:30A

The following is a resume of the interview conducted in an effort to obtain the times of various phone calls received by Miss Monroe on the evening of her death. All of the below times are estimations of the persons interviewed. None are able to state definite times as none checked the time of these calls.

MILTON RUDIN -

Mr. Rudin stated that on the evening of 8-4-62 his exchange received a call at 8:25P and that this call was relayed to him at 8:30P. The call was for him to call Milton Ebbins. At about 8:45P he called Mr. Ebbins who told him that he had received a call from Peter Lawford stating that Mr. Lawford had called Marilyn Monroe at her home and that while Mr. Lawford was talking to her, her voice seemed to "fade out" and when he attempted to call her back, the line was busy. Mr. Ebbins requested that Mr. Rudin call Miss Monroe and determine if everything was alright, or attempt to reach her doctor. At about 9P, Mr. Rudin called Miss Monroe and the phone was answered by Mrs. Murray. He inquired of her as to the physical well being of Miss Monroe and was assured by Mrs. Murray that Miss Monroe was alright. Believing that Miss Monroe was suffering from one of her despondent moments, Mr. Rudin dismissed the possibility of anything further being wrong.

MRS. EUNICE MURRAY -

Mrs. Murray stated that she had worked for Marilyn Monroe since November, 1961, that on the evening of 8-4-62 Miss Monroe had received a collect call from a Joe DiMaggio, Jr. at about 7:30P. Mrs. Murray said that at the time of this call coming in, Miss Monroe was in bed and possibly had been asleep. She took the call and after talking to Joe DiMaggio, Jr., she then made a call to Dr. Greenson and Mrs. Murray overheard her say, "Joe Jr. is not getting married, I'm so happy about this." Mrs. Murray states that from the tone of Miss Monroe's voice, she believed her to be in very good spirits. At about 9P, Mrs. Murray received a call from Mr. Rudin who inquired about Miss Monroe. Mr. Rudin did not talk to Miss Monroe. Mrs. Murray states that these are the only phone calls that she recalls receiving on this date. Note: It is officers opinion that Mrs. Murray was vague and possibly evasive in answering questions pertaining to the activities of Miss Monroe during this time. It is not known whether this is, or is not intentional. During the interrogation of Joe DiMaggio, Jr., he indicated he had made three phone calls to the Monroe home, only one of which Mrs. Murray mentioned.

JOE DIMAGGIO - Miramar Hotel, Room 1035, Santa Monica

Mr. DiMaggio was informed of the rumor which quoted him as saying that

Date & Time Typed	Distr. Loca.	Clerk	Employees Reporting	Ser.No.	Div.
8-10-62 9A	WLA	Jc	K. M. SMITH	2730	WL
			LT. J. M. A. SERGNO, OCNDR	59	WL

Commission Exhibit No. 3055

NY_44-974

"The Herald of Freedom", published biweekly in Staten Island, New York, in its issue of January 17, 1964, contained the following statements concerning JACK RUBY:

"Jack Leon Rubenstein, alias Jack Ruby, the murderer of Lee H. Oswald, was a notorious character who has been close to several people in Chicago who were murdered and to a big time narcotics distributor. He was involved in many rackets, including strip tease 'joints' and party girls and has had contacts in Havana. Rubenstein visited Havana within the past year in violation of State Department regulations. While there, he visited his friend Praskin who owns and operates a novelty store on the Prado in Havana across the street from the Hotel Seville. Praskin is a known long-time Castro collaborator. He is a native Cuban married to an American girl. Praskin is involved in strip tease and party girls as a side line. The above information was received from Havana by one of the best informed men in the United States on Soviet and Castro intelligence operations."

COMMISSION EXHIBIT NO. 3055

NY 44-974

"The Herald of Freedom" is a four page pamphlet, edited and published by FRANK A. CAPELL in Staten Island, New York. It is published biweekly. CAPELL has described his publication as being "devoted to combating Communism, Socialism, and un-American activities by pointing the whole truth in detail".

"The Staten Island Advance", a Staten Island, New York, daily community newspaper, in its issue of July 13, 1963, carried a front page article entitled "Island Pamphlet Triggers North Carolina Camp Race Riot". According to this article, "reports of integration, nudity, and free love", which were published by FRANK A. CAPELL in "The Herald of Freedom" "caused 400 armed Blue Ridge Bible Belt mountaineers to burn" Camp Summerlane's gymnasium at Rosman, North Carolina, and also shoot up one of their buses. This article reflected that CAPELL "said last night at his New Jersey home that he had published an account in the July 3 issue and that the Rosman Chamber of Commerce had ordered additional copies". This article also indicated that "The Herald of Freedom" was widely distributed among rural folk in the mountain area. This article in "The Staten Island Advance" stated that Sheriff C. R. MC CALL of Rosman told the Associated Press that the mountaineers were incensed because of camp activities published in the pamphlet.

FRANCIS A. CAPELL, now/Editor of "The Herald of Freedom", was arrested September 21, 1943, at New York, New York, by agents of the FBI on a charge of bribery.

An indictment was filed April 10, 1944, in the Southern District of New York against FRANCIS A. CAPELL, charging him with conspiracy in the acceptance of a $1,000.00 bribe intended to influence the decision of investigators of the War Production Board on September 21, 1943, in violation of Title 18, Section 207. A second indictment returned on the same date contained two counts

4/

COMMISSION EXHIBIT No. 3055—Continued

Annexes

NY 44-974

and charged CAPELL with the solicitation and acceptance
of $1,000.00 bribe and a $400.00 bribe intended to
influence the decision of investigators of the War
Production Board in violation of Section 207, Title 18,
United States Code.

CAPELL entered a plea of guilty on May 29,
1945, at the United States District Court, Southern
District of New York (SDNY), and was sentenced to one
year and one day on each count of a three count indictment,
sentences to run concurrently. Execution of this
sentence was suspended, and he was placed on probation
for two years. He was fined $2,000.00 on count one,
and the fine was to be paid within one year. He was
discharged from probation by order of the United States
District Court, June 24, 1946. At that time his fine had
been paid in full.

FRANCIS A. CAPELL in January, 1952, testified
before a Subcommittee of the United States Senate Arms
Services Committee relative to illegal hiring for work
on overseas bases. CAPELL was then manager of Personnel
Service Bureau, Incorporated, New York, New York. The
Personnel Service Bureau was one of the few agencies in
the New York area to hire men for overseas work.

COMMISSION EXHIBIT No. 3055—Continued

477

FD-302 (Rev. 1-25-60)   FEDERAL BUREAU OF INVESTIGA

1.   Date ____1/28/64____

         FRANK A. CAPELL, 56 Bay Street, Staten Island, New York, advised that he is the editor of the biweekly publication, "The Herald of Freedom". He stated that this publication is devoted to fighting Communism and its entire contents are written by himself. CAPELL advised that his material is received from confidential sources and also from public source material.

         CAPELL advised that with respect to the January 17, 1964, edition of his publication, which contained considerable information of a background nature on JACK RUBY, also known as Jack Rubinstein, the data which concerned RUBY's contacts in Havana, Cuba, was received in confidence from a reliable source in the newspaper industry. He advised that he had written that RUBY had been in Havana in the past year, but that accurately speaking, it should have read, "a few years ago."

         CAPELL stated that the information regarding RUBY's contact in Havana with one "PRASKIN", was likewise received from the same source in the newspaper field.

         He advised that in order to add further credence to his comments about RUBY in Cuba, he added the comment that the information was received from Havana from one of the best informed men in the United States on Soviet Intelligence. CAPELL stated this individual was the original source of the information regarding RUBY's trip to Havana and contact with "PRASKIN". He advised that this individual had furnished the information to his source in the newspaper field.

On __1/27/64__ at 56 Bay Street, Staten Island, New York   File # __NY 44-974__

by __SA VINCENT J. SAVADEL/aog__   Date dictated __1/27/64__

This document contains neither recommendations nor conclusions of the FBI. It is the property of the FBI and is loaned to your agency; it and its contents are not to be distributed outside your agency.

COMMISSION EXHIBIT No. 3055—Continued

LCI 44-1412
JJO/neb

Inquiry concerning an alleged association between JACK RUBY and one (FNU) PRATKINS was predicated upon information received on January 13, 1964, from JOHN MARSHALL, Special Agent in Charge of the Secret Service Office at Miami. Mr. MARSHALL advised that Mr. FRANK WATTERSON, Security Agent, United States Department of State, Miami, had received information from JOSE ANTONIO LANUSA of the Directorio Revolucionario Estudiantil (DRE) (Cuban Student Directorate) at Miami to the effect that LANUSA heard that JACK RUBY had gone to Cuba last year, presumably 1963, by way of Mexico City. According to LANUSA, RUBY shared an office in a tourist agency on the main floor of the Sevilla Hotel in Havana, Cuba, with an American whose name was (FNU) PRATKINS.

On January 23, 1964, JOSE ANTONIO LANUSA, 24 years of age, Intelligence Officer for the DRE at Miami, Florida, stated that his information concerning the association of JACK RUBY and (FNU) PRATKINS was derived from two sources. The first source was a handbill-type newsletter dated December 24, 1963, at Havana, circulated by the clandestine anti-CASTRO organization in Cuba known as Accion Revolucionaria Anticomunista (ARAC) (Anti-Communist Revolutionary Action). This handbill had been sent by letter posted December 28, 1963, in Cuba, to the DRE, Post Office Box 16S, Miami, Florida. The handbill, which was mimeographed, set forth the following sentence, as translated from the Spanish:

"The killer of the assassin of the deceased President KENNEDY, JACK RUBISTEIN, has been proven the owner of a tourist office in the Sevilla Hotel, Havana."

LANUSA stated there was no evidence to support this statement; however, he regarded the allegation as true, since it appeared in the clandestine newssheet disseminated by the anti-CASTRO organization ARAC.

COMMISSION EXHIBIT No. 3055—Continued

MM 44-1412

LANUSA stated that in addition to the information from ARAC, JUAN MANUEL SALVAT, another officer in the DRE at Miami, had received a letter containing additional information pertaining to RUBY and PRATKINS. This letter had been sent from Cuba to an exiled Cuban attorney, (FNU) VALDES FAULI, who furnished it to SALVAT, according to LANUSA. LANUSA said this letter reported that JACK RUBINSTEIN was a habitual visitor to a souvenir store located across the street from the Sevilla Hotel on Prado Street, Havana, Cuba. The store belonged to a man by the name of (FNU) PRATKINS. RUBINSTEIN reportedly visited the store about a year ago, that is, about January, 1963, after flying to Cuba by way of Mexico City.

LANUSA stated that in the first part of January, 1964, on the occasion of a visit by him to the office of Mr. FRANK WATTERSON, State Department, Miami, Florida, he mentioned to Mr. WATTERSON the information that JACK RUBY had gone to Cuba during 1963, and had been associated with the individual PRATKINS in a tourist business at the Sevilla Hotel, Havana.

On January 23, 1964, JUAN MANUEL SALVAT, 25 years of age, also in the DRE, Miami, stated he had not actually received the letter from Attorney VALDES FAULI which is supposed to contain the information concerning the relationship of JACK RUBY and (FNU) PRATKINS. He said the information was related to him by a contact of VALDES. SALVAT declined to furnish the identity of the contact, stating he had not obtained this party's consent to involve him.

On January 27, 1964, Mr. CARLOS VALDES FAULI, a Cuban exile living at 2000 S. W. 24th Street, Miami, Florida, stated that he had been an attorney in the Supreme Court system in Havana, Cuba, prior to the advent of FIDEL CASTRO to power in Cuba. He stated he had arrived in the United States as an exile in November, 1961, after spending seven months in jail on political charges.

45

COMMISSION EXHIBIT No. 3055—Continued

MM 44-1412

Mr. VALDES related that in approximately the beginning of January, 1964, he received a letter from his sister-in-law, GRAZIELLA RUBIO, age 45, who lives in Marianao, Cuba.

Mr. VALDES made available the section of the letter pertaining to JACK RUBY, and a translation from the Spanish is as follows:

"RUBY, the assassin of OSWALD, was in Havana a year ago. He is a friend and a client of an individual named PRASKIN, who owns or manages a souvenir shop located on Prado between Animas and Trocadero Streets in front of the Sevilla Hotel."

Mr. VALDES stated that his sister-in-law writes regularly of conditions in Cuba and information which she believes of interest to Mr. VALDES. With respect to the item on RUBY, Mr. VALDES mentioned it only to his wife and to a friend, CARLOS GONZALEZ PARRA, a man about 60 years of age. Mr. VALDES stated he does not know JUAN MANUEL SALVAT or anyone else in the DRE at Miami. He supposed that either Mr. GONZALEZ PARRA or VALDES' wife had mentioned the item concerning RUBY to someone who, in turn, was connected with the DRE.

Mr. VALDES stated that his sister-in-law, GRAZIELLA RUBIO, is unemployed and lives with an aged stepfather in Marianao. He stated his sister-in-law very probably learned the information concerning RUBY as mentioned in her letter through hearsay. He said she would not normally learn of any activities taking place in the vicinity of the Sevilla Hotel in Havana, and he pointed out that the Havana suburb of Marianao is a considerable distance from the area of the Sevilla Hotel.

46

COMMISSION EXHIBIT No. 3055—Continued

<c-308 (Rev. 1-28-60)   DERAL BUREAU OF INVESTIGATIC

Date **February 7, 1964**

1

     EVIDIO BERNARDO PEREIRA ACOSTA was interviewed at his residence, 821 Southwest Second Street, Miami, Florida, telephone number FR 9-6100.

     PEREIRA is a Cuban national who took part in the attempted invasion of Cuba in April, 1961. He was captured and imprisoned at Havana, Cuba until December 23, 1962.

     While a prisoner in Cuba, PEREIRA was visited by and became friendly with an individual who is associated with the Cuban Red Cross. He has corresponded with this individual after coming to Miami, Florida on December 23, 1962.

     Included with his letters, PEREIRA furnished local newspaper accounts of the assassination of President KENNEDY and the subsequent killing of LEE HARVEY OSWALD at Dallas, Texas.

     PEREIRA possesses a typewritten letter dated December 3, 1963, at Havana, Cuba addressed to Dr. CARLOS MARQUEZ STERLING and signed "NICO". He advised these are cover names used for security purposes to protect the identity of the writer of this letter.

     The letter contains the following paragraph which is translated to English as follows:

       "Ruby, the assassin of Oswald, was in Havana a year ago. He is a friend and a client of an individual named Praskin, who owns or manages a souvenir shop located on Prado between Animas and Trocadero Streets in front of the Sevilla Hotel."

     PEREIRA has had no further correspondence regarding this matter from Cuba and has no personal knowledge regarding the alleged presence of "RUBY" in Havana. He does not know

---

On   2/5/64   at   Miami, Florida   File #   Miami 44-1412
                                          ~~Dallas 44-1639~~
by   SA GAY R. SHAHAN (A):csm   Date dictated   2/7/64

COMMISSION EXHIBIT NO. 3055—Continued

NM 44-1412
2

the original source of the above mentioned information
regarding RUBY's visit to Havana and does not know whether or
nor the author of the letter has any knowledge of the person
named PRASKIN.

48

COMMISSION EXHIBIT No. 3055—Continued

MM 105-8342

Inquiry concerning an alleged association be-
tween JACK RUBY and one (FNU) PRATKINS was predicated on
information received on January 13, 1964, from JOHN MARSHALL,
Special Agent in Charge of the Secret Service office at
Miami. Mr. MARSHALL advised that Mr. FRANK WATTERSON,
Security Agent, United States Department of State, Miami,
had received information from JOSE ANTONIO LANUSA of the
Directorio Revolucionario Estudiantil (DRE) (Cuban Student
Directorate) at Miami, to the effect that LANUSA heard
that JACK RUBY had gone to Cuba last year, presumably 1963,
by way of Mexico City. According to LANUSA, RUBY shared
an office in a tourist agency on the main floor of the
Sevilla Hotel in Havana, Cuba, with an American whose
name was (FNU) PRATKINS.

On January 23, 1964, JOSE ANTONIO LANUSA, 24 years
of age, Intelligence Officer for the DRE at Miami, Florida,
stated that his information concerning the association of
JACK RUBY and (FNU) PRATKINS was derived from two sources.
The first source was a handbill-type newsletter dated Decem-
ber 24, 1963, at Havana, circulated by the clandestine anti-
CASTRO organization in Cuba known as Accion Revolucionaria
Anticomunista (ARAC) (Anti-Communist Revolutionary Action).
This handbill had been sent by letter posted December 28,
1963, in Cuba, to the DRE, Post Office Box 168, Miami,
Florida. The handbill, which was mimeographed, set forth
the following sentence, as translated from the Spanish:

-4-

COMMISSION EXHIBIT No. 3056

Annexes

Annexe 1 : Death Report (page 468-469)

Le Death Report est le premier rapport rédigé sur les circonstances du décès de Marilyn Monroe. Si la principale fonction de ce document est d'établir une chronologie des événements de la nuit du 4 au 5 août 1962, il contient aussi des éléments que l'on sait, depuis, avoir été mis en place par les responsables du décès de Marilyn afin de camoufler sa mort en suicide. Ainsi les épisodes de la porte fermée à clé, de la vitre brisée, de l'heure de la découverte du corps et du nombre de tubes de comprimés sur la table de chevet de la star constituent autant de mensonges désorientant l'enquête.

Annexe 2 : Rapport d'autopsie (page 470-471)

Le rapport d'autopsie rédigé par Thomas Noguchi est une importante source d'informations. Il confirme, par exemple, que la mort de Marilyn ne résulte pas d'une altercation ou d'une injection de barbituriques par intraveineuse. La seule option possible, celle d'une injection par canule rectale, est confirmée par l'indication d'une décoloration mauve au niveau du côlon de l'actrice.

Annexe 3 : (page 472)

Cette facture établie par le docteur Engelberg détaille le nombre d'injections reçues par Marilyn durant l'été 1962. En complément des séances de thérapie du docteur Greenson, le traitement d'Engelberg devait permettre à la star de décrocher progressivement de son addiction aux somnifères. On remarquera que la dernière visite remonte à la veille du décès.

Annexe 4 : (page 473)

Le printemps 1962 avait été mouvementé pour Marilyn. Renvoyée par la Fox, le studio exigeait le paiement d'un demi-million de dollars à titre de dommages. Durant l'été, Monroe et le studio s'étaient néanmoins réconciliés. Pourtant, quelque temps après la mort de l'actrice, comme le point 65 de ce document notarié le prouve, le studio exigea de recevoir une part de l'héritage, en guise de paiement.

La présence d'hommes de la Fox au domicile de l'actrice très rapidement après sa mort était-elle motivée par la récupération de documents prouvant le nouvel accord signé entre les deux parties ?

Annexe 5 : (page 474)

Ce procès-verbal contient les premières déclarations à la police d'Eunice Murray. Dame de compagnie de Marilyn, elle était *officiellement* la seule personne présente au domicile de la star lors de sa dernière nuit. On remarquera qu'en fin de rapport, l'officier évoque l'étrange comportement de Murray, « donnant des réponses évasives ». Une attitude directement liée au rôle joué par Eunice le soir de la mort de Monroe. Dans le même document figure l'interrogatoire de Milton Rudin.

Annexe 6 : (page 475-484)

Il s'agit ici d'une série de documents du FBI consacrés à Frank A. Capell. Ancien policier et anticommuniste virulement, Capell est l'auteur, dès 1964, du premier ouvrage consacré aux circonstances entourant le décès de Marilyn. Un pamphlet visant directement Robert F. Kennedy. Le rôle de Capell est essentiel : non seulement ses pas ont été guidés par J. Edgar Hoover, le patron du FBI soucieux d'embarrasser le clan Kennedy, mais son « travail » n'a jamais cessé de polluer l'affaire Monroe.

Table des matières

Cet ouvrage a été imprimé par la
SOCIÉTÉ NOUVELLE FIRMIN-DIDOT
Mesnil-sur-l'Estrée
pour le compte des Éditions Flammarion
en février 2008

Mise en page
PCA Rezé

Imprimé en France

Dépôt légal : février 2008

N° d'édition : L.01ELKNFF9061.N001 – N° d'impression : 88683